LA
MISÈRE
DES
RICHES

Éditeurs :
LES ÉDITIONS LA PRESSE (1986)

Conception graphique de la couverture :
MICHEL BÉRARD

Photographie de la couverture :
GILLES LAUZON

(Remerciements : direction du restaurant Hélène de Champlain, où la photographie de la couverture a été prise ; maison Alfred Dallaire Inc., pour avoir gracieusement prêté une limousine ; Manon Gilbert, mannequin, qui a également gracieusement prêté son concours, ainsi que Mireille Lauzon, responsable de la coordination.)

(Les Éditions La Presse [1986] sont une division de Les Éditions La Presse, Ltée, 44, rue Saint-Antoine ouest, Montréal H2Y 1J5)

Dépôt légal :
BIBLIOTHÈQUE NATIONALE DU QUÉBEC
4e trimestre 1987

ISBN 2-89043-226-2

1 2 3 4 5 6   92 91 90 89 88 87

ROMAN

SUZANNE RATELLE-DESNOYERS

la presse

Du même auteur :

Maintenant je sais, roman, 303 pages, Sélect, 1979.
Le printemps cette année-là, roman, 254 pages, Québecor, 1980.

À ma mère, Cécile Ratelle,
qui fut la première à m'encourager
dans la voie de l'écriture.

Dans l'extrême misère,
quelle que soit sa fortune,
on se trouve riche de peu.

J.-J. ROUSSEAU

Chapitre 1

Il était près de midi et dans quelques heures, en ce vingt décembre, on accueillerait officiellement l'hiver. Le soleil, haut dans le ciel, brillait de mille éclats et caressait avec une ardeur insoupçonnée, pour cette période de l'année, les gros flocons de neige étincelante qui recouvraient le sol. Il avait neigé toute la nuit, mais déjà, dans les rues et sur les trottoirs, il ne restait plus rien de cette blancheur immaculée. Des flaques d'eau gisaient un peu partout sur la chaussée qui avait perdu son lustre de glace sous les roues des véhicules à la première heure de pointe.

Enveloppée dans un élégant manteau en peau de daim, le col relevé plus par parure que par nécessité, Brigitte Dubois touchait du bout de son pied un flocon de neige boueuse. Son visage bronzé aux traits fins et réguliers, savamment maquillé, souriait de contentement. Elle leva la tête et la masse de cheveux blonds noués sur la nuque en chignon se nicha au creux du collet dans la fourrure de chat sauvage. Ses yeux bleus se mirent à sourire en apercevant la superbe Mercedes noire qui s'avançait vers elle. Avec de petits drapeaux flottant sur les ailes, on aurait pu la confondre avec une limousine diplomatique, songea-t-elle. La voiture s'immobilisa à sa hauteur. Nelson Vallée en descendit avec un large sourire sur les lèvres. Il s'approcha de la jeune femme, la prit dans ses bras et l'embrassa fougueusement malgré le nombre de piétons qui sortaient de l'aérogare et qui les entouraient.

— Tu es une belle canaille d'arriver ce matin, dit-il en lui ouvrant la portière. Et tu choisis pertinemment l'heure où ma femme doit sortir de clinique pour faire ton entrée.

Elle ne répondit pas et son visage épousa une forme de neutralité que seul l'oeil exercé pouvait interpréter. Brigitte s'installa confortablement à l'intérieur de l'automobile. Elle retira ses gants et découvrit une main longue et fine, bien manucurée, aux ongles polis. Elle croisa la jambe avec une grâce calculée, car chez elle le désir de plaire était si recherché que le moindre mouvement apparent faisait l'objet d'une étude minutieuse. Aussi, lorsque Nelson Vallée posa les yeux sur la cuisse naissante que dévoilait la fente de la jupe, elle ne fut nullement surprise ; cela allait de soi, bien qu'elle fût sa maîtresse depuis plus de quatre années.

Brigitte avait vingt-sept ans et Nelson, quarante-deux. Ils étaient jeunes, amoureux, déterminés et l'avenir leur appartenait. Telle était, sur la route qui les conduisait à leur appartement, la nature de leurs pensées. Elle tourna vers lui un visage angélique et dit :

— À présent, Nelson, que comptes-tu faire pour te débarrasser de ta femme ? Nous n'arriverons jamais à la faire interner.

Il ne répondit pas tout de suite. Son regard gris acier suivait la route et demeurait vide d'expression.

— Je ne sais pas encore. Je vais y réfléchir. Évidemment, nous serons obligés de réviser nos positions et d'élaborer une technique différente. La cruauté mentale, le harcèlement et tout le reste n'auront donné aucun résultat définitif. Et selon les psychiatres qui la suivent, il semble que, cette fois, les traitements auxquels on l'a soumise depuis trois mois soient concluants. Elle est parfaitement rétablie. Non, dit-il en secouant la tête, je ne crois plus que nous parvenions un jour à la faire sombrer dans la folie et à la faire interner.

— Pourquoi te refuses-tu toujours à divorcer? Avec un bon avocat, on peut parfois régler un divorce de façon très avantageuse.

Nelson tourna vers la jeune femme un regard intraitable.

— Jamais! dit-il. Je perdrais tous mes droits. Je me trouve suffisamment pénalisé comme ça par un contrat de mariage qui stipule la séparation des biens. C'est elle l'héritière, ma petite, et non moi. Tout est à son nom: les aciéries, les profits, la maison; laquelle est le cadeau de mariage de son père. Tout lui appartient. Et aussi longtemps que je serai son mari, je profiterai de tous ces avantages. Crois-tu que si je suis devenu le directeur général des Aciéries Chabrol c'est uniquement grâce à mon talent? Non. Du génie pour l'administration, j'en ai, certes, mais cela ne serait pas suffisant pour justifier ma position, si je n'étais pas le mari de cette chère madame, la Présidente. Chez les Chabrol, on a le culte de la famille! Je n'y suis pour rien, mais c'est tout en ma faveur. Alors, mon chou, oublie cette idée de divorce, je ne m'y résoudrai jamais. Je ne signerai pas un bout de papier qui me ferait perdre tout ce que j'ai pu acquérir avec tant de patience.

Le visage de Brigitte emprunta une expression de colère, où se teintait une détermination peu commune.

— Très bien. Puisqu'il n'y a aucune solution à notre problème et que tu ne peux m'épouser, je me ferai avorter !

Nelson eut un petit sourire glacial.

— Tu me fais marcher, ma chère ! Tu n'es pas plus enceinte que ne l'est ma vieille secrétaire. N'oublie pas que tu m'as déjà fait le coup une fois. Je ne suis pas un imbécile !

Brigitte haussa négligemment les épaules comme si les paroles qu'elle venait d'entendre eussent été dénuées de fondement.

— Je prendrai un rendez-vous dès demain dans une clinique spécialisée et on fera le nécessaire.

Cette fois, Nelson ne fit aucun commentaire. Il se contenta de faire un geste évasif de la main qui signifiait : « Je ne te crois pas. Inutile d'insister. » Des larmes de rage bordèrent aussitôt les yeux de la jeune femme qui termina le voyage emmurée dans un silence hostile.

* * *

Calme et détendue, Hélène Vallée boucla sa valise avec un plaisir évident. Un sentiment de paix et de soulagement la visita au même moment, faisant briller une lueur d'espoir dans ses tristes pupilles noisette. Un regard circulaire balaya la chambre et s'attarda sur le lit. Elle comprit soudain que plus jamais elle ne dormirait ici. Le cauchemar de ces trois longs mois d'angoisse était enfin terminé. Envahie par une profonde émotion, elle tourna machinalement la tête vers la fenêtre et son regard rejoignit la rivière dont les eaux bleues semblaient frémir sous le soleil étincelant de cette belle journée d'hiver. Une fois de plus, comme cela lui était arrivé si souvent pendant son long stage en clinique, ses pensées vagabondèrent dans le passé et elle se sentit réconfortée par les doux souvenirs de sa jeunesse.

Elle revit soudain en mémoire sa mère Françoise, assise dans son fauteuil roulant, immobilisée par la sclérose en plaques, qui offrait patiemment son joli visage, que la maladie n'avait pas altéré, au jeune peintre qu'elle était. De longues heures, elles avaient bavardé ensemble cet été-là, faisant connaissance, se découvrant mutuellement, non pas comme mère et fille, mais comme deux amies qui se retrouvaient, partageant des goûts similaires, alors que lentement les traits de Françoise Chabrol prenaient vie sur la toile. C'est dehors, sur la véranda, que se tenaient les séances de pose et c'est là que son père et son frère Alain les rejoignaient après le travail lorsqu'ils rentraient de l'aciérie. Durant la belle saison, lors des journées chaudes, Hélène se souvenait combien il était agréable de prendre le repas du soir sur la terrasse, à l'ombre du vieux chêne dont l'épaisse frondaison les abritait des feux du soleil couchant. Certains soirs, des invités se joignaient à eux et les repas, agrémentés de conversations animées, où chacun se plaisait à reconstruire le monde, n'en finissaient plus. La vie était agréable et chacun s'amusait beaucoup. Joseph et Françoise Chabrol aimaient bien recevoir leurs amis. Deux soirs par semaine, les domestiques dressaient les tables dans l'imposante salle de séjour de la résidence et les plus grands joueurs de bridge de la métropole s'y réunissaient. Par contre, le vendredi soir était la soirée exclusivement réservée aux jeunes. Le séjour leur appartenait. Tous les amis venaient et la danse se terminait aux petites heures. Cette période qu'Hélène se rappelait si bien avait été la plus heureuse de sa vie. Elle se revoyait encore le soir de ses vingt ans, vêtue de sa robe de bal, et, se sentant plus légère que les nuages de mousseline blanche qui l'enveloppaient, se parer du magnifique collier de perles que ses parents lui avaient offert et sourire ingénument à la glace en pensant que la vie était une chose merveilleuse et que jamais elle ne cesserait d'être heureuse.

Des larmes remplirent soudain les yeux de la jeune femme et elle voulut taire ses souvenirs. Les images qui apparaissaient maintenant devant elle n'avaient plus aucune ressemblance avec le bonheur. Sa famille, tous ceux qu'elle aimait étaient partis. Tous ! Les uns après les autres. Même Alain qu'un horrible accident avait emporté quatre années plus tôt. Maintenant, elle était toute seule... toute seule avec son mari, Nelson Vallée.

Hélène s'interdit de penser. Elle sécha ses larmes et retrouva son sourire. Cette journée était trop belle, trop particulière pour en atténuer la beauté. Bientôt, elle serait libre et rien d'autre ne comptait. Elle entendit les pas d'une infirmière dans le couloir et un sentiment de joie l'envahit. Elle quitta la fenêtre et se précipita vers le fauteuil pour prendre son manteau mais, en levant la tête, le sourire disparut subitement de ses lèvres lorsque ses yeux se posèrent sur la magnifique gerbe de roses rouges qui reposait sur la table. Elle vit la carte, et son coeur se serra à nouveau en relisant les mots : « Avec tout mon amour, Nelson. »

— Votre limousine est arrivée, madame Vallée, dit joyeusement l'infirmière en pénétrant dans la chambre.

Hélène leva la tête vers elle et la remercia gentiment. L'infirmière l'aida à enfiler son manteau, puis les deux femmes se regardèrent avec émotion.

— Je perds ma meilleure patiente, mais je suis heureuse pour vous que tout aille bien, madame.

— Vous allez me manquer, fit Hélène en ouvrant son sac et en lui tendant une enveloppe. « Ceci est pour vous, ajouta-t-elle... pour vous remercier de vos bons soins... et de votre gentillesse à mon égard. J'ai beaucoup apprécié votre amitié. »

L'insistance d'Hélène fit tomber les réticences de l'infirmière qui protestait poliment. Enfin celle-ci se plia de bonne grâce aux désirs d'Hélène quand elle vit l'enveloppe rejoindre la poche de son uniforme. Les remerciements et les mots d'usage terminés, les deux femmes se dirigèrent vers la sortie. Dans la porte, Hélène se retourna et jeta un dernier regard sur la pièce. C'était un regard triste mais où se lisait un profond sentiment de soulagement. L'infirmière, qui suivait Hélène avec la valise, s'immobilisa aussi et s'exclama :

— Oh ! madame, vos belles fleurs ! Il ne faut pas les oublier !

— Je vous les laisse, dit aimablement Hélène sans même les regarder.

Hélène Vallée quitta la clinique au comble de la joie. Dès qu'elle se retrouva dehors, ses yeux se tournèrent vers le ciel et se perdirent dans l'immensité du firmament. Elle vivait. On avait voulu l'enterrer vivante, mais elle vivait encore. Et la vie avait surgi de la nuit plus impérieuse en elle qu'elle ne l'avait jamais été. Elle fixa le soleil en souriant. Éblouie, elle cligna des paupières et ferma les yeux. Elle respira profondément l'air frais, sec et stimulant de ses premières minutes de liberté. Elle souriait de bonheur comme tous les enfants ce matin qui, en se levant, contemplaient la première neige de la saison, mais elle, Hélène Vallée, en cet instant, souriait à la vie. La vie, ce magnifique cadeau dont on l'avait gratifiée aujourd'hui en lui ouvrant les portes de la clinique. Elle se retourna et vit Albert, le chauffeur de la limousine des aciéries, qui la suivait et qui la regardait avec affection. Hélène lui sourit, puis embrassa d'un long regard le bâtiment de pierre grise et jura qu'elle ne remettrait plus jamais les pieds dans cet édifice. Car rien, ni personne désormais ne la ferait sombrer de nouveau dans la dépression.

— Bonjour, Hélène ! Je suis venue t'accueillir.

Surprise, Hélène détourna la tête et aperçu Lyne Chabrol, l'ex-femme d'Alain, qui sortait de la limousine et qui se dressait devant elle avec sa mine excentrique, son sourire espiègle et chaleureux. Elle paraissait sobre, reposée et d'excellente humeur. Un très long moment, les deux femmes se regardèrent, immobiles, étonnées, sans doute de se retrouver presque à l'improviste après deux années d'absence. Enfin, Hélène élabora un sourire cordial, et Lyne se précipita vers elle en l'embrassant affectueusement. Puis heureuse et décontractée, elle glissa son bras sous celui d'Hélène et, avec la fougue qui la caractérisait quand elle n'était pas assujettie aux effets des drogues ou de l'alcool, elle arbora un grand sourire et l'entraîna vers le parc qui longeait l'hôpital.

— Je suis contente de te voir, dit Hélène. C'est gentil d'être venue.

— Pardonne-moi si je ne suis pas venue te visiter, j'ignorais que tu étais ici. J'ai appris cette stupéfiante nouvelle en téléphonant chez toi hier. J'ai été absente tout l'automne... tu comprends ?

— Oui, je comprends. Ce sont des choses qui arrivent. Tu n'as pas à t'excuser, Lyne.

— Je voulais simplement que tu saches. Tu as été... tu es si bonne avec moi. Je ne veux pas être une ingrate.

Lyne s'immobilisa et les larmes lui montèrent aux yeux. Son visage épousa soudain une expression lamentable, comme si elle éprouvait une peine immense.

— Rassure-toi, je sais que tu as un coeur d'or, dit Hélène pour la réconforter.

Lyne releva la tête, et immédiatement ses lèvres s'entrouvrirent sur ce sourire sincère, éclatant, communicatif, qui lui était particulier, et qui illuminait tout son visage. Un sourire radieux comme un soleil qui désarmait les plus malveillants et qui charmait tout le monde. Ce sourire était son charme. Par contre, Lyne avait toujours cette même allure non conformiste qui avait jadis soulevé l'indignation paternelle. De la mode hippie, elle était passée au « punk » avec une aisance incroyable. Sa jolie chevelure châtaine aux reflets cendrés d'alors avait maintenant une teinte rouge cuivrée et ses cheveux qu'elle portait courts et ébouriffés se dressaient sur la tête à la manière d'un hérisson. Ses vêtements aux couleurs contrastantes retenaient l'attention et l'accablaient d'une réputation de femme légère. Personne n'aurait pu dire à la voir aujourd'hui que, dix ans plus tôt, à l'époque de son mariage avec Alain Chabrol, cette femme merveilleusement douée en musique était une pianiste de concert des plus talentueuses et que ses compositions musicales retenaient déjà l'attention. Bref, un avenir des plus prometteurs se dessinait devant elle, mais en l'espace de quelques années, ce génie s'abîma dans l'alcool, puis dans la drogue, emportant comme dans un tourbillon tout espoir d'avenir et de bonheur. La séparation, le divorce, puis la mort d'Alain finirent de la démolir. Finalement, sur les conseils de son médecin, Lyne accepta de se soumettre à une cure de désintoxication qui lui fit beaucoup de bien et qui la tint éloignée des drogues dangereuses. Néanmoins, l'alcool demeurait son refuge et Hélène qui la considérait désormais comme une alcoolique invétérée savait qu'elle ne s'en sortirait jamais.

— Ce long séjour a dû être terrible ! Je n'arrive pas à y croire...

— Oui, ce fut très pénible... Un véritable cauchemar auquel je ne veux plus penser.

— Mais que s'est-il passé, Hélène ? Tu semblais en pleine forme la dernière fois que nous nous sommes vues.

— Oui, j'allais bien. Mais Nelson a voulu me convaincre que j'entendais encore des bruits qui n'existaient que dans mon imagination. Nous nous sommes querellés, puis je me suis retrouvée ici.

Hélène se tut, absorbée dans ses pensées. L'expression de son visage se rembrunit et elle ajouta :

— Je n'oublierai jamais sa conduite. Il est venu me voir deux fois seulement. Ensuite, il prétendait que ça le rendait malade de venir me visiter dans un asile de fous. Alors, il n'est plus venu et, pour se donner bonne conscience, il m'envoyait des fleurs régulièrement. Je ne peux plus voir les roses rouges.

Lyne s'immobilisa et leva des yeux ahuris vers sa belle-soeur.

— Quel salaud ! fit-elle en secouant la tête. Comment a-t-il pu te faire cela à toi qui a été si bonne pour lui ? Sa conduite est impardonnable, Hélène. Oh ! si j'étais toi... avec la fortune que tu as, je te jure, ma chère, que je les détrônerais tous les deux, lui et sa call-girl... Quand je pense que c'est moi qui t'ai appris que cette femme était sa maîtresse... Je ne sais pas comment j'ai pu te faire cette saloperie.

— C'est de l'histoire ancienne. Tu étais si malade, Lyne.

— Oui, je l'étais. Mais la mort d'Alain t'avait brisée, toi aussi, et je t'ai fait du mal... beaucoup de mal. Je n'oublierai jamais...

Perdues dans leurs réflexions, elles se remirent à marcher en empruntant le petit sentier bordé d'une haie de cèdres, dont les rameaux les plus élevés ployaient sous un lourd collet de neige. Plus loin, une rangée de peupliers pointaient fièrement leur tête qui agitait sous la brise des branches dépouillées. Des touffes d'arbustes apparaissaient par endroits et, sans leur parure, offraient un spectacle désolant. Quelques bancs ici et là invitaient les passants au repos, mais ni l'une ni l'autre ne sentaient le besoin de s'arrêter. L'ombre d'Alain se faufilait entre elles.

— Je comprends aujourd'hui pourquoi Alain t'aimait tant.

— Nous nous aimions beaucoup, dit Lyne dans un sourire nostalgique. Si la mort n'était pas venue, je suis certaine que nous serions de nouveau ensemble, lui et moi.

Hélène jeta à sa belle-soeur un regard de biais. Certes, Lyne, au début de la trentaine et dépouillée de cet affreux déguisement, pouvait plaire encore. En outre, la nature insouciante et généreuse d'Alain se prêtait facilement à l'oubli et au pardon. Il aurait été faible devant une Lyne radieuse, repentante et pleine de bonnes résolutions.

— J'aurais cessé de boire et nous aurions pu avoir une vie normale avec... quelques enfants autour de nous, renchérit Lyne qui poursuivait son rêve. Alain aimait tant les enfants.

— Moi aussi, je les aimais beaucoup, ajouta Hélène avec tristesse, mais je n'en ai jamais eus. Nelson n'en voulait pas. Aujourd'hui, à trente-huit ans, je me retrouve toute seule avec une solitude qui me pèse plus que tout.

Lyne se sentit parcourue d'un frisson. Les paroles qu'elle venait d'entendre résonnèrent curieusement à ses oreilles. Soudain, elle eut peur de la réaction d'Hélène. Elle se tourna vers elle et l'observa avec inquiétude.

— Est-ce que tu vas bien, Hélène ? demanda Lyne d'une voix troublée.

— Oui, je vais bien, rassure-toi... Mais je dois simplement repenser ma vie.

Lyne parut soulagée. Elles arrivèrent au bout du sentier et, en tournant le coin, elles aperçurent Albert qui attendait en faisant les cent pas à côté de la limousine.

— Je ne suis probablement pas qualifiée pour te donner un conseil, Hélène. Ma vie est loin d'être un succès et j'ai passé plus de temps dans les bars qu'ailleurs au cours des dernières années, mais en fréquentant ces lieux, j'ai tout de même appris quelque chose. J'ai appris à me méfier des gens et à savoir lire entre les lignes. Il est visible que Nelson veut ta perte, Hélène. Quitte-le avant qu'il ne soit trop tard !

Elles se regardèrent un long moment, puis les yeux d'Hélène rejoignirent les eaux de la rivière et elle hocha légèrement la tête.

— Oui, je crois que je devrai en arriver là !

Elles se mirent à marcher plus rapidement, et la neige crissait sous leurs pas. Hélène affirma :

— Il y a bien longtemps que je ne t'ai vue aussi bien, Lyne. Tu as beaucoup changé. J'ai l'impression de retrouver la jeune fille qu'Alain m'a présentée il y a bien des années.

Un immense sourire éclaira le visage de la jeune femme et Hélène, en l'observant, se mit à sourire aussi.

— Tu as raison. Je commence à remonter la pente. Je bois moins et je me sens mieux. Je me suis remise à la musique.

— Vraiment ? C'est une excellente nouvelle ! J'en suis ravie pour toi, fit Hélène, agréablement surprise.

— Je partirai la semaine prochaine pour les Bahamas et je ne reviendrai qu'au printemps. J'ai des amis là-bas qui travaillent très sérieusement sur un projet de musique de film. Ils m'ont invitée à venir les rejoindre.

C'est un domaine que je ne connais pas du tout. L'idée me plaît d'apprendre quelque chose de nouveau. Ce projet m'enthousiasme, tu ne peux t'imaginer à quel point!

Hélène s'était immobilisée à nouveau. Elle écoutait sa belle-soeur et n'osait croire à une si heureuse transformation. Pendant quelques secondes, elle demeura muette d'étonnement. Émue, incapable de parler, elle lui communiqua son admiration en lui serrant affectueusement le bras. Enfin, elle murmura avec émotion:

— Alain serait fier de toi, Lyne! Moi, je le suis pour deux. Si je puis t'aider à te faciliter les choses, tu n'as qu'à le dire, j'en serais ravie.

Le regard de Lyne afficha un certain embarras qu'Hélène reconnut tout de suite. Lyne avait toujours des problèmes d'argent, malgré l'énorme pension que la cour lui avait accordée lors du divorce et qu'Hélène, à la mort d'Alain, par pure bonté à l'égard de sa belle-soeur, avait maintenue dans les mêmes termes. Un testament qui ne stipulait aucune clause pour l'épouse divorcée laissait Hélène, seule héritière, des biens d'Alain Chabrol.

— J'aviserai mon comptable de te faire un chèque qui couvrira ta pension pour les quatre prochains mois. Si tu es prudente, tu n'auras aucun ennui d'argent.

De nouveau, le sourire réapparut sur le visage de Lyne.

— Je ne sais pas comment te remercier, dit-elle, débordante de gratitude. Quand Alain est disparu, tu m'avais promis de m'aider et tu l'as toujours fait. Je t'en serai toujours infiniment reconnaissante.

— Je le sais, Lyne.

Elles s'arrêtèrent devant la limousine et Albert, qui s'empressait de venir ouvrir la portière, répondit, heureux et flatté, au sourire qu'Hélène lui adressa. Sur son visage se lisaient les sentiments d'affection qu'il vouait à la famille Chabrol depuis les vingt années qu'il était à leur service.

— C'est une belle journée, Albert !

— Magnifique ! Madame Vallée.

Puis il demanda avec déférence.

— Est-ce que nous rentrons à la maison, madame ?

— Oui, Albert. Mais auparavant, ma belle-soeur et moi aimerions aller casser la croûte quelque part. Au retour, nous la laisserons chez elle et puis nous rentrerons.

Il inclina poliment la tête dans un signe d'assentiment, referma la portière et revint à son siège. La limousine démarra lentement et disparut sur le boulevard à l'angle de la rue.

Chapitre 2

Hélène Vallée s'attarda devant la porte à contempler sa maison. Comme il faisait bon de rentrer chez soi ! Ce sentiment de sécurité surclassait tous les autres. Elle était belle et spacieuse cette maison dans laquelle elle vivait depuis seize ans, mais en passant la porte, rien d'autre que la chaleur de ce nid douillet ne la remplit d'une joie plus intense.

Maria l'accueillit à bras ouverts. Les larmes aux yeux, la brave domestique lui souhaita la bienvenue dans son savoureux accent espagnol. Émues et brisées par les circonstances qui avaient provoqué cette longue absence, les deux femmes se regardèrent quelques instants, puis se jetèrent dans les bras l'une de l'autre, vraiment heureuses de se retrouver. Des sentiments de douce affection, engendrés au fil des années, les unissaient l'une à l'autre et rendaient les retrouvailles plus émouvantes encore. Vivement, Hélène s'arracha des bras de Maria, maîtrisa son émotion et s'exclama d'une voix qui se voulait joyeuse :

— Aujourd'hui, les larmes n'ont pas leur place, ma bonne Maria. C'est une journée de réjouissance.

— Oh ! madame, je suis si contente de vous revoir. Enfin, vous voilà chez vous ! murmura-t-elle en séchant ses yeux.

Hélène hocha la tête, se mit à sourire et se dépouilla de son manteau, tout en regardant autour d'elle. Oui, comme il faisait bon de rentrer chez soi. Comme il était agréable et réconfortant de revenir dans le monde des vivants. C'est alors qu'elle réalisa combien la peur de sombrer dans la folie et de ne plus jamais revenir chez elle l'avait marquée. Inconsciemment, ses doigts palpèrent le bois blond de la rampe d'escalier qui montait à l'étage, et le simple contact de cette chose familière l'emplit subitement d'un bienheureux sentiment de paix. Elle revint dans l'entrée, retira ses bottes et, à la minute où ses pieds glissèrent dans ses bons vieux souliers confortables, Hélène eut l'impression de se départir d'un poids très lourd qu'elle traînait depuis trop longtemps. Tout à coup, sans pouvoir y apporter une explication rationnelle, elle se sentit toute légère et, en prenant le thé au salon, alors que la domestique lui faisait un compte rendu des événements les plus marquants des dernières semaines, elle retrouva immédiatement ses habitudes et son intimité.

Accompagnée de Maria, Hélène fit lentement le tour de la maison. Ses yeux s'attardèrent longuement sur les objets qu'elle affectionnait le plus et auxquels sentimentalement elle était le plus attachée, mais le simple détail ne lui échappa non plus. Quand elle eut terminé la visite, un sourire heureux illuminait son visage. Trois mois d'absence et on eût dit qu'elle était partie la veille ! Tout était à son goût : propre, bien rangé et pas un grain de poussière ne se voyait sur les meubles. Comme d'habitude, Maria avait maintenu la maison dans un état impeccable. Hélène la félicita chaudement et lui fit la promesse de la récompenser adéquatement à Noël.

Hélène s'attarda dans son bureau et regarda la pile de courrier qui s'amoncelait, bien ordonnée, sur la table. La hauteur de la pile lui confirma que Nelson n'était pas venu à la maison ces dernières semaines. Au premier regard, la majorité des lettres qu'elle passa en revue étaient des comptes à payer. Elle s'en occuperait dès demain, pas aujourd'hui, car elle n'en avait pas le goût, et puis la journée était trop belle, trop particulière pour l'écouler en de vains détails. Elle remit le tout en place et reforma la pile. Soudain un dépliant se détacha du reste et glissa sur le plancher. Elle le ramassa et se prit à l'examiner. C'était une circulaire d'agence de voyages qui annonçait les excursions de la saison hivernale. La première invitation se lisait ainsi : « Noël à Tahiti. Venez passer Noël à Tahiti. » Ces mots se mirent à résonner dans sa tête et sa pensée élabora une idée qui se traduisit en une joyeuse expression sur son visage. Pourquoi pas, se dit-elle, cette idée me plaît. Oui, mieux vaut cette année pour le moral passer les Fêtes à l'extérieur. Elle prit le téléphone et composa le numéro de l'agence. Elle apprit que le dernier départ était prévu pour le 23 décembre et qu'il restait encore quelques places disponibles. Un sourire de petite fille s'ébaucha sur ses lèvres. Immédiatement, Hélène réserva un billet et promit à la jeune fille qu'elle passerait le lendemain régler les formalités.

Hélène quitta son bureau et monta à l'étage pour faire sa toilette. Elle se rappelait la promesse qu'elle avait faite à tante Agnès, quelques jours plus tôt, d'aller la visiter en sortant de la clinique. Elle pénétra dans sa chambre et se laissa tomber sur le pied du lit. Lentement, ses yeux firent le tour de la pièce. Ici, plus qu'ailleurs, elle se sentait chez elle. Un sentiment de détente, de bien-être l'envahit. Elle poussa un soupir de soulagement, se leva et se dirigea vers la salle de bains où elle se déshabilla. Elle mit tous ses vêtements à laver, ils sentaient l'hôpital. Une forte odeur de médicaments imprégnait également son corps. Longtemps, elle se laissa tremper dans un bain de mousse agréablement parfumée. Quand elle en ressortit une demi-heure plus tard, sa peau dégageait une douce odeur de jasmin. Le miroir qui tapissait les deux grands murs de la salle de bains lui retourna d'elle une image qui la confondit, lui arrachant des lèvres un sourire stupéfait.

Personne n'eût pu dire à la voir qu'elle avait tant souffert ! À l'intérieur, elle se sentait vieillie, brisée, le coeur en lambeaux, mais son corps mince et droit, parfaitement sain, ne trahissait nullement son âme en charpie et accusait même une certaine fraîcheur. Évidemment, on devinait à la voir qu'elle n'avait plus vingt ans. Sur son visage, de légères rides se devinaient au coin des yeux et, là, entre les sourcils, un petit pli se dessinait que le maquillage heureusement pouvait encore camoufler. Elle baissa les yeux et observa son corps qui n'accusait certes pas la trentaine avancée. Elle avait à peine pris deux kilos depuis son mariage et, comme elle n'avait jamais eu d'enfant, son corps n'avait pas subi les changements inhérents à la grossesse ; oui, son corps était plus ferme que la majorité des femmes de son âge qui étaient mères et, cela, sans doute, faisait la petite différence. Elle palpa du bout des doigts son ventre lisse et plat, qu'elle eut volontiers troqué pour un abdomen couvert de vergetures, et qui lui aurait donné trois ou quatre enfants. Au moins, aujourd'hui, à trente-huit ans, sa vie aurait un sens et la solitude ne serait pas le lot des années à venir et de sa vieillesse.

Elle quitta la salle de bains et choisit dans son placard des vêtements élégants. Elle avait hâte de ressembler à une femme active, à une femme du monde. Lors des trois derniers mois passés à la clinique, elle n'avait eu aucune indentité. Elle dormait dans la chambre 536 et elle était la patiente du 536. À présent, elle redécouvrait son nom, elle s'appelait Hélène Vallée, une femme élégante qui s'habillait avec raffinement. Quand elle eut terminé de se vêtir, elle sécha ses cheveux et plaça les boucles brunes à l'aide du fer à friser, puis elle maquilla son visage et ses yeux avec soin, et finalement admit devant la glace qu'elle n'avait rien à envier à aucune femme de trente ans, si ce n'était l'éclat de la prime jeunesse.

La sonnerie de la porte retentit comme elle quittait sa chambre. Aussitôt, elle entendit Maria se diriger vers l'entrée et son pas résonner sur le dallage de marbre du hall. En atteignant les dernières marches de l'escalier, Hélène demanda :

— Qu'est-ce que c'est, Maria ?

— Des fleurs pour vous, madame.

Maria surgit du vestibule et s'avança à la rencontre d'Hélène, arborant un bouquet de fleurs d'une rare beauté. C'était un magnifique arrangement floral qui exhibait des oiseaux du paradis et d'autres jolies fleurs exotiques dont les nuances étaient un ravissement pour les yeux.

— Oh ! que c'est joli ! s'écria Hélène, en le contemplant. Elle s'empara de la carte, et un sourire apparut sur ses lèvres lorsqu'elle aperçut la signature de Richard O'Neil. Elle parcourut avec avidité les mots qui disaient : « Ma très chère Hélène. Joyeux retour à la maison. J'aimerais vous rencontrer demain avant la réunion, si possible. Avec toute mon amitié, Richard. » Pensive et plongée dans une heureuse contemplation, elle relut la carte plus par plaisir que pour s'assurer qu'elle en avait bien saisi son contenu. Puis ses yeux admirèrent à nouveau le bouquet et, pendant qu'elle réfléchissait à l'endroit où elle le poserait pour qu'il soit bien en vue, elle en exhala avec plaisir l'arôme qui s'en dégageait. Finalement, elle opta pour le guéridon et y déposa le bouquet.

— D'autres fleurs sont également arrivées pendant que vous étiez dans votre chambre, madame, fit Maria, qui revint de la cuisine avec une imposante gerbe de roses rouges.

Instantanément, la joie d'Hélène s'estompa sur-le-champ en levant les yeux sur les fleurs, et ses traits se durcirent en observant la carte. « Heureux retour chez nous, ma chérie », lui souhaitait Nelson.

— Que dois-je en faire, madame ? demanda la domestique qui semblait partager les sentiments de sa maîtresse à l'égard des roses rouges.

— Je vous les donne, Maria. Apportez-les chez vous.

La domestique devint mal à l'aise et balbutia :

— Mais, madame... je ne peux pas.

— Mais si, mais si, Maria, elles sont à vous. Voilà ! fit-elle en enlevant la carte et en la déchirant. Maintenant, elles sont à vous !

— Que va dire monsieur s'il ne voit pas les fleurs lorsqu'il rentrera ?

— S'il vient à la maison, je lui dirai que je les ai jetées à la poubelle.

Sans éprouver la moindre hésitation, Hélène poursuivit son chemin et se dirigea vers le sous-sol mais, avant d'entreprendre la descente, elle s'immobilisa et se tourna vers Maria qui paraissait encore abasourdie du cadeau qu'elle venait de recevoir.

— Au fait, Maria, si mon mari appelle, je ne suis

pas là. Je ne veux surtout pas qu'il sache que je vais dîner ce soir chez mademoiselle Mercier.

— N'ayez aucune crainte, madame, dit la domestique d'un ton significatif. Un sourire de complicité s'échangea aussitôt entre les deux femmes, et dans leurs yeux brilla aussi une lueur de connivence.

Hélène descendit au sous-sol, ouvrit son placard de cèdre et choisit parmi ses fourrures son nouveau manteau de lynx. Elle l'avait acheté au début de septembre et avait hâte de l'étrenner. Elle l'enfila devant la glace et estima une fois de plus qu'elle avait fait un excellent achat. La sonnerie du téléphone la tira de ses réflexions. Elle tourna brusquement la tête vers l'appareil et la peur apparut soudain dans ses yeux. Dans sa poitrine, son coeur se mit à battre à grands coups alors que sa gorge se crispait comme dans un étau. Elle l'écouta sonner deux coups, trois coups, incapable de répondre. Puis elle se boucha les oreilles, ferma les yeux et revit déferler dans sa mémoire des images qui l'horrifiaient. Des nuits complètes, elle se sentait traquée par le téléphone. Cette sonnerie impitoyable lui martelait la tête, labourait son crâne, remplissait ses oreilles et l'empêchait de dormir. Lorsque parfois elle répondait, c'était toujours la même voix, une voix de femme, une voix très lointaine qui lui parvenait comme un écho et qui lui disait et répétait: « C'est votre conscience qui vous parle. Vous ne rêvez pas. Cette voix est celle que vous aurez dans un monde meilleur. Écoutez la voix de votre conscience. » Elle raccrochait, le corps moite de sueurs. Puis elle ouvrait le récepteur, mettant sa ligne hors d'usage pour quelques minutes, et finalement, raccrochait. Le système d'alarme de la maison étant branché sur le circuit téléphonique, celui-ci se devait de fonctionner normalement, sinon le central était vite alerté et les agents de sécurité surgissaient rapidement. À trois reprises, ils vinrent la visiter en pleine nuit. Hélène comprit qu'elle ne pouvait pas se permettre de laisser un téléphone ouvert. Donc, après ces étranges appels nocturnes qui la bouleversaient à l'extrême, elle se retrouvait dans l'impossibilité de se rendormir... C'est ainsi qu'elle devint insomniaque.

Un soir de la mi-septembre, alors que Nelson, par hasard, était à la maison, le téléphone commença à se faire entendre à sept heures. Elle se leva et, très nerveuse, débrancha l'appareil ; son mari, étonné, le remit en fonction.

— Voyons, ma chérie ! Tu sais bien que nous ne pouvons pas faire ça !

— Je n'en peux plus, Nelson ! Ces appels anonymes me rendent folles. Tu dois faire quelque chose !

Nelson leva les yeux du journal, fixa sa femme avec un regard exaspéré et dit d'un ton haché :

— Trois fois, nous avons changé de numéro de téléphone, Hélène ! Et tu laisses sous-entendre que je n'ai rien fait ? Cette injustice criante me laisse croire que tu perds la notion des choses. Cette histoire commence à me taper sur les nerfs, si tu veux savoir le fond de ma pensée ! J'attends un appel, ajouta-t-il, furieux. Je ne veux pas que tu touches au téléphone !

Nelson avait si bien mordu dans les derniers mots qu'Hélène ne répliqua pas. Et pendant les deux heures qui suivirent, le téléphone sonna sans interruption, aiguisant à vif la nervosité de la jeune femme. Nelson qui lisait ses journaux ne bougeait pas. Il poursuivait calmement sa lecture comme si le plus grand silence eut régné dans la pièce. Hélène, assise dans le fauteuil qui faisait face à son mari, incapable d'ignorer la sonnerie plus longtemps, se sentait au bord de la crise de nerfs. Hors d'elle, irritée à l'extrême, les yeux braqués sur l'appareil, elle mit ses mains sur ses oreilles, se leva d'un bond et courut vers la porte. Nelson s'évada du journal et l'interpella :

— Qu'est-ce que tu as ce soir, ma chérie ? Tu sembles excessivement nerveuse.

Hélène freina sa course, tourna la tête et, sans prononcer un seul mot, observa son mari avec un regard de bête féroce. Puis elle lança d'une voix tranchante :

— Es-tu sourd, Nelson ? Ou le fais-tu exprès ?

— Qu'y a-t-il ? Je ne te comprends pas, dit-il d'un ton impassible et très calme.

À bout de forces, Hélène ferma les yeux et, prenant une longue respiration, essaya de se calmer. Après un moment, elle réussit à dire d'une voix pondérée.

— Pourquoi, Nelson, ne réponds-tu pas ?

Il posa sur elle un regard surpris.

— On a sonné ?

— Oui ! oui ! oui ! hurla-t-elle, le téléphone sonne sans arrêt depuis une éternité.

Nelson regarda nonchalamment l'appareil téléphonique qui sonnait sur la table à côté de lui et n'eut aucune réaction. Ensuite il leva vers elle son regard gris acier, la dévisagea d'abord froidement, puis la pitié s'inscrivit lentement sur ses traits et il murmura d'une voix pleine de compassion.

— Oh ! ma chérie, tu entends encore des bruits. Il faudra te faire soigner à nouveau.

Hélène fit un brusque bond et se jeta sur lui avec une telle rage au coeur qu'elle le renversa, le blessant à la tête. Une heure plus tard, agitée par une crise d'hystérie et vociférant à tue-tête, elle se retrouvait dans une clinique psychiatrique, prisonnière d'une camisole de force.

La tête appuyée contre la porte du placard de cèdre,

Hélène retira lentement ses mains sur ses oreilles et se rendit compte que le téléphone s'était tu. À l'étage, Maria avait répondu. Elle eut honte de sa réaction et s'accabla de reproches. Ce n'est pas ainsi, en pataugeant dans ses souvenirs, que l'on remonte la pente, se dit-elle. Le passé, si abominable qu'il fût, doit être oublié, sinon je resterai vulnérable au moindre choc. Elle releva courageusement la tête, poursuivit son chemin et, en passant près de l'escalier, elle entendit la voix douce et roucoulante de Maria qui disait :

— Oui, mademoiselle Mercier. Oui !... absolument très bien ! Madame est sur son départ. Elle sera chez vous dans une vingtaine de minutes... Bien, mademoiselle... Je vous remercie. Au revoir !

La tête pleine de bonnes résolutions, Hélène se dirigea vers le garage et s'installa au volant de sa voiture. C'était une magnifique Rolls Royce blanche qu'elle avait héritée de son père et qui paraissait encore toute neuve, tant elle était rutilante et propre. Malheureusement, après plusieurs tentatives, le moteur refusa de démarrer. Elle soupira de déception. C'était bien le moment de la lâcher, avec toutes les courses qu'elle avait à faire d'ici à son départ ! Tant pis ! Elle retiendrait les services d'Albert pour quelques jours. Puis dans la porte, elle se souvint d'une phrase que son père prononça peu de jours avant sa mort, alors qu'il contemplait sa nouvelle voiture.

— La Rolls est trop belle pour l'abîmer dans la neige et le sel. Cet hiver, je prendrai la Cadillac et j'entreposerai celle-ci jusqu'au printemps.

Il est temps que je suive ce conseil, se dit-elle. Après les Fêtes, je ferai la tournée des détaillants de voitures. Ensuite elle revint au sous-sol, prit le téléphone et rejoignit Albert dans la limousine. Elle le pria de se mettre à sa disposition.

— Mais... madame... que va faire M. Vallée ? fit Albert d'une voix embarrassée.

— Monsieur Vallée prendra sa voiture, Albert. Elle est toute neuve... elle doit certainement fonctionner.

— ... Je ne sais pas... Faut-il que... je.

— C'est un ordre, Albert !

— Bien, madame la Présidente.

— Soyez demain devant ma porte à neuf heures.

— Oui, madame !

Hélène raccrocha, les lèvres teintées d'un sourire malicieux, puis elle appela un taxi.

* * *

Hélène Vallée arriva au nouvel appartement de tante Agnès un peu avant six heures. Agnès Mercier, qui avait été pendant près de quarante ans la secrétaire personnelle de Joseph et d'Alain Chabrol, et qui n'avait aucun lien de parenté avec la famille, reçut Hélène avec chaleur. Très émue, la vieille demoiselle embrassa la jeune femme, alors que des larmes perlaient à ses cils.

— Ma chérie, viens t'asseoir. Quel bonheur de te voir ! J'ai téléphoné chez toi pour te rappeler mon invitation, mais tu étais déjà dans ta voiture. Quelle chance que tu t'en sois souvenue !

— Tante Agnès, vous savez bien que j'avais promis !

La demoiselle épongea ses yeux et sourit.

— Enfin, te voilà sortie de cette clinique ! Mon coeur se serrait quand j'allais te visiter. Ma petite Hélène dans une clinique psychiatrique ! C'est incroyable ! dit-elle, en secouant la tête.

— Je vous remercie d'être venue me voir si souvent. Sans vous et Maria, je me serais sentie bien seule. Les amis, même les meilleurs, se lassent après un certain temps.

Il y avait tant d'amertume et de chagrin dans ces quelques mots qu'Agnès en ressentit un pincement au coeur qui déborda de ses lèvres en un flot de paroles amères qui traduisaient ses sentiments à l'égard de Nelson.

— Que les amis se lassent, c'est compréhensible, mais de la part d'un conjoint, c'est inexcusable ! J'ai appris moi aussi au fil des semaines à détester les roses rouges. Nelson est un personnage méprisable.

— Ne gâtons pas ces agréables moments à parler d'un être qui ne le mérite pas, dit Hélène d'un ton amer.

Puis elle se mit à regarder autour d'elle avec une mine réjouie. C'était la première fois qu'elle voyait la nouvelle installation d'Agnès depuis que celle-ci avait emménagé à l'automne dans ce building tout neuf.

— Que cet appartement est joli, tante Agnès ! Il y a bien longtemps que je désirais le voir.

— Viens, ma chérie, je te fais faire le tour du propriétaire.

Agnès, ravie, entraîna Hélène dans les six pièces de sa maison, mais c'est devant la cuisine qu'elle se montra la plus exubérante.

— Enfin, une cuisine dans laquelle on peut se retourner ! Vois-tu comme elle est vaste, Hélène ? Ici, c'est le placard où se trouve le séchoir et la machine à laver. C'est très utile d'avoir ces appareils dans la maison.

Hélène approuva et, tout en louant les précieuses qualités du logement, félicita Agnès de la nouvelle décoration des lieux, qui était à l'image de celle-ci, sobre et conservatrice. Agnès Mercier n'était pas de celles qui changent le mobilier pour l'unique raison qu'il est démodé ; ce qui sous-entendait que sa maison avait le même visage que celui qu'Hélène lui avait toujours connu.

Au salon, la conversation se poursuivit autour de l'apéritif, et Hélène parla de sa rencontre avec sa belle-soeur. Elle le fit avec diplomatie, ne racontant que les bonnes choses afin de revaloriser l'image de Lyne dans l'esprit de la vieille secrétaire qui, tout en ne la portant pas dans son coeur, aurait accepté bien difficilement qu'Hélène ne lui parlât pas de cette rencontre sans en éprouver du chagrin. Le nom de Lyne était presque magique pour attiser la curiosité de la vieille demoiselle qui tendit immédiatement une oreille attentive.

— Lyne va beaucoup mieux, ajouta Hélène avec un sourire confiant. Cette idée de travailler est positive. Je crois que finalement elle va s'en sortir.

— Je voudrais bien te croire ! fit Agnès dans un soupir. Cette fois-ci, combien t'a-t-elle soutiré en affichant ses bonnes résolutions ?

— Vous n'y êtes pas du tout, tante Agnès ! C'est injuste de votre part de ne lui prêter que de mauvaises intentions.

— Tu as raison, je suis peut-être injuste, mais je n'arrive pas à oublier qu'elle a brisé la vie d'Alain. Cette fille...

— Tante Agnès, cette fille est ma belle-soeur et je n'aime pas que vous la surnommiez ainsi... par considération pour Alain qui l'aimait tant.

— J'ignore ce qu'il lui trouvait ! murmura Agnès en roulant des yeux déconcertés. Elle avait l'air d'un épouvantail.

— À cette époque-là, Lyne avait un très beau genre.

— Seigneur ! Comment est-elle aujourd'hui ?

— Différente.

Sans ajouter un seul mot, Hélène tourna les yeux vers la fenêtre et, pendant quelques instants, sembla perdue dans ses réflexions. Agnès se leva et remplit de nouveau les verres, puis elle reprit son siège, croisa les mains sur ses genoux et fixa Hélène de son beau regard bleu clair.

— Je souhaite à Lyne de trouver dans la musique un but à sa vie. Là, es-tu contente, Hélène ?... Maintenant, parlons un peu de toi, ma chérie. Quels sont tes nouveaux projets pour l'immédiat ?

Hélène se mit à sourire et souligna :

— J'ai réservé mon passage cet après-midi, je passerai les Fêtes à Tahiti. Cette année, vos petites nièces, Mélissa et Stéphanie, sont avec vous. Je suis heureuse, vous aurez un Noël agréable. Quant à moi, j'ai besoin d'un peu d'éloignement pour réfléchir.

L'intelligence et la grandeur d'âme se lisaient sur le visage encore beau de la vieille demoiselle, quand elle approuva d'un hochement de tête. Ses lèvres ébauchèrent un sourire et elle dit avec enthousiasme :

— Comme tu ressembles à ton père ! Comme tu es vaillante, Hélène ! Oui, ce voyage est tout à fait indiqué dans les circonstances. Ça te fera du bien de prendre l'air et te promener au soleil. C'est une heureuse idée que tu as eue là ! Ici, malgré ton absence, les Fêtes seront gaies avec les enfants autour de moi.

— Je suis certaine qu'elles le seront ! J'ai bien hâte de voir vos deux petites nièces. Depuis le temps que vous m'en parlez, je ne les connais pas encore ! Seront-elles de retour bientôt ?

Le visage de tante Agnès s'anima instantanément. On sentait combien elle adorait ces deux petites filles de cinq et sept ans qui prenaient déjà toute la place dans sa vie. Elle les gardait depuis le mois d'octobre, depuis que leur père, Marc Leroyer, ingénieur de profession était parti travailler en Arabie Saoudite pour la firme qui l'employait. Ce contrat à l'extérieur du pays devait durer de six à huit mois. Marc, malheureusement, était veuf. Un cancer avait foudroyé sa femme trois années plus tôt, et le pauvre homme ne s'était pas encore remis de cette lourde épreuve. Tante Agnès non plus. Voir mourir à trente-quatre ans la seule nièce qu'elle avait !... Agnès Mercier avait mis du temps à accepter la volonté de Dieu. D'autant plus que cette jeune femme était une mère remarquable, une épouse aimante et une nièce comme il ne s'en fait plus.

Deux ans après la mort de sa femme, Marc Leroyer, qui vivait à Québec, avait perdu son emploi. La maison pour laquelle il travaillait avait fait faillite. Quelques semaines plus tard, il avait trouvé du travail dans une importante firme de génie qui exploitait des chantiers dans les cinq continents. Aussi, quand on le chargea d'un projet en Arabie Saoudite, il fut plus désemparé que surpris. Son statut de veuf avec des enfants se compliquait singulièrement. Il avait rendu visite à tante Agnès, l'avait mise au courant de la situation, et celle-ci, immédiatement, lui avait offert de garder les fillettes. Son gros problème était résolu. Marc avait vendu la maison, entreposé les meubles et reconduit Mélissa et Stéphanie chez leur tante. La séparation des enfants et de leur père avait été pénible, d'autant plus que l'ingénieur n'ignorait pas qu'après l'Arabie, il y aurait d'autres pays...

Les fillettes étaient heureuses avec tante Agnès et celle-ci, depuis octobre, rajeunissait, bien que sa santé déclinât depuis un an. Quand elle parlait des petites, comme en ce moment avec Hélène, son regard brillait et son coeur se devinait sur son visage. On ne lui eût pas donné ses soixante-quatre ans.

— Les enfants sont sorties avec leur père, dit-elle. Ils reviendront vers sept heures. Tu comprends, ma chérie, Marc tenait à ce que nous soyons seules toutes les deux, pour que nous puissions parler plus librement. C'est un homme si délicat.

Hélène parut surprise.

— J'ignorais que M. Leroyer se trouvait à Montréal présentement.

— Nous ne l'attendions pas. Il est arrivé hier et ne repartira qu'après Noël. C'est un voyage d'affaires qui s'est décidé à la dernière minute, m'a-t-il dit. Il n'a même pas eu le temps d'envoyer un télégramme. Quoi qu'il en soit, nous sommes toutes très heureuses de sa présence et les petites sont folles de joie. Mélissa, l'aînée, est si contente qu'elle n'a pas voulu aller en classe, ce matin. Comme le premier semestre se terminera demain, et qu'en cette période de l'année on fête plus qu'on étudie, son papa lui a permis de rester à la maison.

Les deux femmes se mirent à table. Le temps filait vite, il était déjà six heures trente. Pour fêter le retour d'Hélène, tante Agnès ouvrit une bouteille de vin pour accompagner le rôti de boeuf. Le repas fut délicieux, agréable, détendu. On parla de tout et de rien, de tous ces petits faits qui composent le quotidien.

À sept heures précises, ils apparurent tous les trois, se tenant par la main, souriants et heureux, les filles de chaque côté de leur père.

— Oh ! comme elles sont mignonnes, s'exclama Hélène en apercevant les fillettes. Je n'ai jamais vu deux enfants tant se ressembler !

Marc Leroyer tendit la main à Hélène et se présenta lui-même.

— Je suis le père de ces deux espiègles demoiselles.

Elles sont toutes les deux de fidèles reproductions de leur mère, Annie. Elles ne tiennent de moi que le nom, comme vous pouvez le constater.

Hélène sourit et observa cet homme aux cheveux bruns, au teint basané et aux yeux noirs, qui avait engendré deux petites filles très blondes, au teint de pêche, avec de grands yeux bleus ; du même bleu que ceux de tante Agnès. Elle trouva le contraste plutôt saisissant.

La petite Stéphanie s'approcha d'Hélène, lui dit bonjour et s'attarda à contempler le médaillon qui pendait à son cou, à une lourde chaîne.

— Comme c'est joli ! dit-elle. Quand je serai grande, j'aurai des tas de bijoux aussi beaux que le tien, madame.

— Et tu deviendras une très jolie dame. Je parie aussi que tu porteras des robes fantastiques, fit Hélène en souriant moqueusement.

— Oh oui ! répondit la fillette de cinq ans en pivotant sur elle-même, et je danserai du disco à la télévision.

Marc et tante Agnès éclatèrent de rire. Le père prit un siège autour de la table et souligna :

— Nous avons devant nous un avenir très prometteur. Mélissa m'a annoncé tantôt au cours de notre promenade qu'elle travaillera dans un cirque et deviendra dompteuse de lions quand elle sera grande. Et, à présent, j'apprends que ma cadette va danser à la télévision.

— Les enfants sont, par nature, très originaux. Quand j'étais petite, dit Hélène en regardant les deux enfants, je rêvais de faire du cinéma et de devenir une grande actrice.

Les yeux des fillettes s'arrondirent. Stéphanie demanda naïvement :

— Est-ce que ça a marché ?

Hélène demeura interloquée, s'attendant si peu à cette question. Elle observa la bambine et fut saisie par la candeur de ce regard limpide. Elle tendit les bras à l'enfant et déclara avec assurance :

— Viens, chérie, viens t'asseoir sur moi et je vais te raconter pourquoi je ne suis pas devenue une grande actrice.

Pendant près de dix minutes, dans un silence religieux, avec Stéphanie sur les genoux et Mélissa devant elle, Hélène fit le récit détaillé d'une histoire extravagante et follement excitante qui capta l'intérêt et amusa les fillettes suspendues à ses lèvres. Quand elle eut terminé, les enfants soupirèrent de déception, tandis que les adultes, médusés, ébauchaient un sourire. Tante Agnès fixa d'un regard étonné la fille de Joseph Chabrol et opina :

— Pourquoi as-tu choisi la peinture ? Tu aurais fait une fortune en écrivant des contes pour enfants.

— Je préfère être peintre. De toute façon, la fortune ne rend pas plus heureux.

Agnès Mercier dévisagea Hélène et la tristesse s'inscrivit sur ses traits. Elle serra ses petites lèvres minces dans une expression qui lui était familière et hocha légèrement la tête. Se dérobant aux pensées qui l'envahissaient, elle ouvrit le réfrigérateur et sortit un gâteau d'anniversaire, décoré de chandelles. Les petites devinrent tout excitées et se mirent à répéter en coeur : « C'est la fête à papa, c'est la fête à papa, aujourd'hui. » Le groupe entonna aussitôt le refrain « Bon anniversaire » et Marc Leroyer, légèrement rougissant, devint mal à l'aise. Agnès et Hélène allumèrent les bougies, et pendant que celles-ci s'enflammaient, Hélène en compta trente-sept. Il avait trente-sept ans ! Elle ne l'aurait pas cru. Il faisait un peu plus vieux que son âge. Elle lui donnait l'âge de Nelson. Ou, peut-être, était-ce Nelson qui faisait plus jeune ? Pendant qu'elle réfléchissait à la question, Marc avait pris ses deux filles dans ses bras et ils s'embrassaient ensemble en riant gaiement. Hélène n'avait jamais vu de spectacle plus charmant. Elle se revit, petite, alors que son père, la prenant dans ses bras, l'embrassait de cette façon si souvent. Elle se mit à sourire à la scène qui se déroulait devant elle et qui lui rappelait de si bons souvenirs. Finalement, Marc déposa ses filles par terre et, se tenant par la main, ils se penchèrent tous les trois sur le gâteau.

— Papa, fais un voeu. Ne l'oublie pas, c'est très important ! s'écria Mélissa.

Marc ferma les yeux un moment, puis les ouvrit et compta à haute voix.

— Un, deux, trois. Allons-y, les gars !

Pas une seule bougie ne résista à ce coup de vent qui venait de partout.

— Bravo, papa ! Bravo, tu as réussi, cria Stéphanie en battant des mains.

— Quel voeu as-tu fait ? s'informa Mélissa au bord de l'extase.

— Que mon travail, après ce contrat, ne me sépare jamais plus de mes petites chéries, fit Marc en retirant les bougies du gâteau.

— Et ça va marcher ! Quelle chance nous avons, papa, ajouta l'aînée qui entourait de ses petits bras minces la taille de son père et le regardait avec de grands yeux ensoleillés.

— Avec de la chance, ça va sûrement marcher, chérie, dit Marc, sans conviction et devenu subitement très soucieux.

Tante Agnès servit le gâteau et chaque portion fut accompagnée de crème glacée. On prit le café au salon et la conversation emprunta un tournant différent. Les petites s'installèrent devant le petit écran pour écouter une émission de science-fiction. À neuf heures, tante Agnès sonna le couvre-feu. Elle se leva et entraîna les fillettes vers leur chambre ; il était l'heure d'aller dormir. Hélène aida la vieille demoiselle à mettre les enfants au lit. Quand les petites furent sous les couvertures, Marc vint les embrasser et Hélène dut leur promettre de venir les visiter très souvent à son retour.

— Et si vous êtes bien gentilles avec tante Agnès, ajouta Hélène, je vous rapporterai un beau cadeau de Tahiti.

Marc éteignit la lampe, entrebâilla la porte et murmura à la jeune femme :

— Ces gamines ont l'air de beaucoup vous apprécier. Méfiez-vous, elles peuvent vous coûter une fortune si vous commencez à les gâter le moindrement.

— Ces petites sont adorables et j'aime les enfants. L'argent est si peu de chose lorsqu'il s'agit de faire plaisir.

Ils revinrent au salon et la conversation repartit de plus belle. Cette fois, Marc Leroyer prit la vedette et parla avec volubilité de l'Arabie, de la mentalité des gens et de son travail là-bas. Plus il parlait, plus Hélène avait l'impression qu'il aimait sa profession, qu'il était heureux dans son travail et que l'éloignement de ses enfants présentait le seul problème majeur à sa vie. Elle l'observait depuis un bon moment quand elle songea combien la vie avec un homme tel que lui devait être facile. En effet, se dit-elle, un homme équilibré qui aime autant ses enfants ne peut pas être un mauvais mari. Si seulement Nelson avait aimé les enfants... Elle préféra s'abstenir de poursuivre la comparaison.

Il était onze heures, quand Hélène se rendit compte de sa fatigue. À la clinique, elle faisait la sieste tous les après-midi, et le soir elle ne se couchait guère plus tard que neuf heures trente. Aujourd'hui, il n'y avait eu ni sieste ni repos, et la journée s'était écoulée de façon mouvementée, riche en fatigue et en émotions. Il était normal, après tout, qu'elle se sentît aussi lasse.

Elle se leva. Il était l'heure de partir.

— Tante Agnès, auriez-vous l'obligeance de me demander un taxi ? Je n'ai pas réussi à faire démarrer ma voiture, dit Hélène.

Marc leva la main et s'interposa.

— Inutile de faire venir un taxi, tante Agnès. J'ai une voiture de louage que j'ai retenue à l'aéroport en arrivant. J'irai reconduire Hélène chez elle.

La jeune femme refusa et accepta finalement, devant l'insistance de Marc. Elle remercia l'hôtesse et la salua. Quelques minutes plus tard, elle se retrouvait dans la voiture de l'ingénieur.

Marc conduisait prudemment. La chaussée était glissante et ils roulaient lentement. Après un court silence, il dit à Hélène sans la regarder :

— Je suis un peu au courant de votre situation. Je sais que vous sortez de clinique, aujourd'hui. C'est pour cela que je veux que vous sachiez que j'ai rarement rencontré une femme mentalement plus saine que vous, Hélène. Je me demande encore comment on a pu vous garder dans cet établissement et... aussi longtemps.

Hélène se mit à sourire.

— C'est très aimable à vous de me dire cela, Marc. Voyez-vous, je me suis posé plusieurs fois la même question, moi aussi. Je suis arrivée à la conclusion qu'il est très facile de faire interner quelqu'un pour ceux qui savent comment s'y prendre. Il s'agit d'avoir un bon scénario à raconter aux médecins. Oui, avec un bon scénario, appuyé sur des faits un peu troublants, on peut réussir.

Elle se tut et détourna la tête pour dissimuler les larmes qui emplissaient ses yeux. Après un moment, elle ajouta d'une voix brisée :

— Personne ne saura jamais quel cauchemar j'ai vécu ces trois derniers mois. Chaque jour, je me demandais comment je ferais pour me sortir de là. Mais l'important n'est-il pas de savoir que je m'en suis sortie, dit-elle en ébauchant un sourire pâle, et que plus jamais désormais je n'y mettrai les pieds ?

— Il ne fait aucun doute dans mon esprit que ce cauchemar est terminé et que tout ira pour le mieux maintenant, dit-il avec conviction.

Comme ils arrivèrent à destination, Hélène se tourna vers Marc, pencha un peu la tête pour mieux l'observer, et dit :

— J'ai promis aux petites de les amener en promenade avec moi. Je sais qu'une personne qui sort d'une clinique psychiatrique n'inspire pas particulièrement confiance. Si vous avez des objections, je m'en abstiendrai.

Marc éteignit le moteur, regarda sa compagne et sourit.

— Votre maison est bien noire. Venez, je vais vous ouvrir la porte et ensuite je me sauve. C'est très gentil de votre part de bien vouloir distraire mes filles en mon absence. Quelle raison aurais-je de refuser ou de m'y objecter ?... Je devrais plutôt vous remercier. Vous ne trouvez pas ?

Sur le seuil de la porte, Marc refusa d'entrer, mais il ajouta :

— Je vous souhaite un bon voyage, Hélène. J'aurai

beaucoup de plaisir à vous revoir au printemps. D'ici là, portez-vous bien et ne laissez personne vous faire du mal.

Hélène lui tendit la main.

— Je vous remercie de m'avoir ramenée chez moi. Bon voyage à vous aussi, Marc.

À la voiture, il lui envoya la main et lança :

— Quelle chance ont mes filles ! Mais ne les gâtez pas trop.

Chapitre 3

À la veille de la retraite, Richard O'Neil présentait l'aspect d'un homme dans la force de l'âge. La carrure de ses épaules, sa haute taille, ainsi que sa prestance en général, prouvaient la robustesse de sa santé. Une impression de force, de supériorité émanait de sa personne et ceux qui le côtoyaient, plus encore ceux qui le connaissaient, savaient que la réputation des Aciéries Chabrol reposait sur ses larges épaules. Il était à l'administration ce que l'ingénieur Renaud, également de bonne constitution, était à la production. L'un et l'autre formaient les deux piliers de base de la maison. Joseph Chabrol, homme intelligent et astucieux, parlait souvent en ces termes de ses collègues :

— Seul, je ne suis rien, je ne vaux pas grand-chose. Mais avec mes deux piliers, nous sommes une forteresse, nous sommes Chabrol.

Ces paroles que Joseph Chabrol se plaisait à répéter démontraient que, par le partage des pouvoirs, le respect des compétences et la confiance dans les possibilités de chacun régnaient dans les hauts lieux de la direction. Il n'était pas rare d'entendre Joseph Chabrol dire à un subordonné :

— Cela ne cadre pas avec mes fonctions. Voyez l'ingénieur Renaud.

À un autre, il disait :

— M. O'Neil connaît parfaitement la réponse à cette question. Il est, à ce sujet, beaucoup mieux informé que je ne le suis moi-même.

L'image que chacun se faisait des deux directeurs de l'aciérie était demeurée celle que Joseph Chabrol avait créée. Cette image avait été renforcée par Alain qui, dans les quatre années de sa présidence, n'avait jamais eu le contrôle de quoi que ce soit et qui, dès les premiers mois de son mandat, s'en était entièrement remis à ses directeurs. Puis, quand était venu le tour d'Hélène, qui avait transmis à son mari la quasi-totalité de ses pouvoirs, l'image de ces hommes s'était un peu figée, comme plastifiée sur une substance inerte, car Nelson, trop heureux de son omnipotence, n'était pas près de diviser ce qu'il venait d'acquérir après de si longues années d'attente. Si personne dans la maison ne s'aperçut tout de suite du rôle autocratique de Nelson Vallée, Richard O'Neil et François Renaud, eux, ne l'ignoraient pas ; et ils en étaient amèrement déçus.

C'était à tout cela que réfléchissait Richard O'Neil, debout, planté devant sa fenêtre, les mains derrière le dos. Quelque dix minutes plus tôt, Nelson était venu le voir avec un dossier. Très courtoisement, il lui avait demandé quelques informations, puis avait enfoui le dossier dans une serviette et il était retourné dans son bureau comme il était venu, poliment, froidement. Nelson n'avait jamais cultivé à l'égard d'aucun membre de la maison une amitié quelconque. Il s'adressait à chacun avec réserve, saluait les employés du bout des lèvres, et jamais ne badinait, ni ne s'informait de quoi que ce soit.

Pour Richard O'Neil et François Renaud, ses deux adjoints, cette froide attitude était déplaisante. Elle l'était davantage pour Richard O'Neil qui avait eu Nelson Vallée pendant près de dix ans à son service. Richard avait été à l'égard de Nelson, pendant toutes ces années de formation, un ami plus qu'un patron. Il savait que le gendre de Joseph Chabrol, bien qu'il fût de nature indépendante, méritait certains égards, et il avait élaboré à son endroit une ligne de conduite qui s'approchait davantage de la camaraderie que du rapport impersonnel du directeur bien en vue au simple employé.

De retour dans son bureau, Nelson avait donné des directives dans l'interphone et, tout en enfilant son lourd manteau de chat sauvage, sa secrétaire, madame Blais, était venue, très empressée avant qu'il ne parte, lui faire signer quelques lettres. Nelson était sorti et Richard l'avait vu de sa fenêtre se diriger vers l'hélicoptère dont l'aire d'atterrissage se situait bien en vue, à l'extrémité du terrain, face à son bureau. Nelson pilotait lui-même, il avait appris sur l'insistance de son beau-frère Alain, qui détenait son brevet de pilote depuis l'âge de dix-huit ans.

Richard entendit, malgré le verre épais de la fenêtre, le vrombissement du moteur, et vit l'appareil s'élever très lentement dans le ciel. Devant lui, les champs étaient vastes, et seul au loin le long ruban de l'autoroute brisait la monotonie du paysage. Cette première aciérie fondée par Joseph Chabrol s'érigeait dans la banlieue de Montréal, à une vingtaine de minutes du centre-ville. On y fabriquait des tubulures de toutes formes et de dimensions diverses par un procédé d'extrusion. La seconde aciérie, mise sur pied par Alain Chabrol, ne datait que de six ans, et se situait dans les Cantons de l'Est. Cette usine, digne de l'esprit inventif de son fondateur et de sa grande passion pour tout ce qui touchait la mécanique, produisait de l'outillage. Les procédés de fabrication, très différents de ceux de la première aciérie, nécessitaient un acier beaucoup plus dur, qui renfermait une haute teneur en carbone.

L'hélicoptère était le véhicule le plus rapide pour se rendre à cette deuxième aciérie et également le plus simple à l'atterrissage. Ce moyen de transport, préconisé par Alain, avait plus tard été adopté par Nelson quand celui-ci était devenu, à son tour, le grand patron.

Richard savait maintenant que les belles années de sa vie étaient terminées. Elles avaient commencé quelque trente-huit années auparavant, quand il avait accepté de devenir le bras droit de Joseph Chabrol. Tout au long de ces années, il avait travaillé avec ardeur, y mettant toute son âme, ne comptant pas ses heures, et en avait ressenti de la satisfaction, du respect et de la considération. Néanmoins, sa carrière avait réellement atteint son apogée quand Joseph Chabrol, sur l'insistance de ses médecins, avait offert sa démission et passé la présidence à son fils Alain.

Alain Chabrol, cet homme mince et élancé qui ne ressemblait pas du tout à son père, demeura toute sa vie un grand adolescent avec son regard bleu qui vous transperçait l'âme et ce grand sourire qui reflétait la bonhomie de son tempérament. Il était, selon Richard O'Neil, le meilleur type que la terre n'eut jamais eu. Alain, qui dès son avènement à la présidence remis les clés du pouvoir entre les mains expérimentées de François Renaud et de Richard O'Neil, fut, selon ce dernier, un président dont l'habileté égalait le génie. Alain préconisait une méthode de travail qui eût pu dérouter le plus éminent des pédagogues. En effet, il travaillait sans en avoir l'air. Le matin, il était toujours dans son bureau, travaillait à des projets, vérifiait les dossiers, recevait les clients, mais immédiatement après le lunch, il enfilait une salopette de mécanicien, qu'il enlevait tard le soir pour rentrer chez lui. Ainsi, à compter de treize heures il était impossible de trouver le jeune président dans son bureau ; il était partout, dans la maison, à l'usine, discutant avec tout un chacun, mais le plus souvent, on le voyait autour de son hélicoptère à bricoler dans le moteur. Car Alain, en plus de son brevet de pilote, détenait aussi un diplôme de mécanicien. Dans l'après-midi, pour arriver à le contacter sans perdre un temps considérable en de vaines recherches, il était préférable de le demander au micro. Quelques minutes plus tard, il se présentait à l'appel, muni de son sourire habituel, et personne n'avait jamais l'impression de le déranger. Il n'était pas rare, non plus, de le voir émerger du moteur de son hélicoptère sur l'ordre direct de sa secrétaire, Agnès Mercier, qui le sommait de la suivre sur-le-champ à son bureau pour signer des documents importants. Tous les employés de l'aciérie aimaient Alain Chabrol et celui-ci fraternisait avec tout le monde, mais personne ne pouvait mieux le faire ramper qu'Agnès Mercier. Il était avec la vieille demoiselle d'une gentillesse exceptionnelle et quand celle-ci le grondait (et cela arrivait souvent) au sujet de tout ce temps perdu auprès de son hélicoptère, il courbait la tête, approuvait, promettait et... recommençait.

Plus d'une fois aussi, Richard O'Neil devait se rendre sur l'aire d'atterrissage pour répondre à l'invitation d'Alain, qui voulait lui montrer sa dernière invention. Il s'agissait presque toujours d'une nouvelle pièce en acier inoxydable que l'aciérie des Cantons de l'Est venait de réaliser à son intention.

— Regardez, Richard, regardez comme c'est beau ! J'ai là-bas des techniciens qui sont de véritables créateurs. Dans la majorité des pièces en acier qu'ils ont fabriquées, il y a plus de 18% de chrome et de 8% de nickel. Bientôt, tout le moteur sera en acier inoxydable. Il vaudra une fortune. Il n'y aura que la Rolls Royce d'Angleterre qui pourra se permettre de l'acheter pour sa collection.

Richard se penchait, observait, et, comme il n'avait aucune formation dans ce domaine, il ne pouvait réellement apprécier l'oeuvre en question, mais il admettait, pour faire plaisir à Alain, qu'il n'avait jamais rien vu de pareil. Et pendant que le jeune président discourait sur ses prochaines inventions dans un langage auquel Richard ne comprenait rien, celui-ci ne cessait de songer que la fondation de cette deuxième aciérie, produisant de l'outillage et des pièces spécialisées, avait eu, au départ, comme but ultime de répondre aux aspirations aéronautiques de son fondateur.

Pas une seule fois non plus, Richard, le front plissé d'inquiétude, ne quittait Alain sans le gratifier de conseils judicieux.

— Ne prends aucun risque, Alain. Ta vie, pour nous tous, est très importante.

— Vous vous tracassez inutilement. Je connais ce moteur mieux que quiconque.

Néanmoins, Richard, François et Agnès retenaient leur souffle lorsque Alain, après avoir démonté et remonté le moteur, essayait l'appareil et se promenait dans le ciel.

— Un jour, il va se tuer, disait Nelson.

Tout le monde le pensait tout bas, mais personne, à l'exception de Nelson, n'osait l'exprimer à voix haute.

Debout, face à sa fenêtre, Richard O'Neil revoyait encore cette terrible journée de fin de juillet où Alain Chabrol, survolant le fleuve Saint-Laurent, à moins d'un kilomètre de l'aire d'atterrissage, avait trouvé la mort dans l'explosion de son hélicoptère. Le fleuve, cet après-midi-là, était sillonné de yachts de plaisance. Sur le terrain de l'aciérie, plusieurs ouvriers avaient vu l'hélicoptère effectuer un virage à basse altitude au-dessus du fleuve et tous avaient entendu le bruit épouvantable de l'explosion. Subitement, le ciel, devant eux, était devenu un véritable brasier. Dans l'espace de quelques secondes, ce feu gigantesque avait croulé dans l'eau, laissant, devant leurs yeux épouvantés, un champignon de fumée noire et visqueuse comme seul point de repère à ce terrible cauchemar, dont ils avaient, en l'espace d'un éclair, aperçu la vision.

Nelson Vallée, dans les heures tragiques qui suivirent, fut magnanime. Immédiatement, il dépêcha une équipe de plongeurs qui mirent près de trois jours à sortir les débris de l'onde. Du corps d'Alain, on ne recueillit que des parties de membres déchiquetés. Les experts consultés émirent plusieurs hypothèses, mais dans les circonstances, ils furent dans l'impossibilité d'expliquer rationnellement la nature exacte de l'explosion.

Sur l'insistance d'Hélène, on mit fin aux recherches et on célébra religieusement, dans la plus grande douleur, les funérailles d'Alain. Dans une église recueillie, remplie à capacité, on rendit un grand et ultime hommage au président disparu, alors que les drapeaux, en berne, flottaient tristement aux mâts des aciéries.

Dans le premier banc, Hélène, recroquevillée sur sa douleur, était escortée de son mari qui la soutenait, tandis que de l'autre côté de l'allée, seule dans son banc, avec son allure de hippie, Lyne Chabrol, perdue dans son univers de droguée, semblait complètement étrangère au drame qui la frappait. Divorcée depuis quelques mois, elle paraissait incapable de faire face à ce nouveau malheur et s'était réfugiée dans un monde où rien ne pouvait l'atteindre. Derrière elle, vêtue de noir de la tête aux pieds, Agnès Mercier pleurait doucement, le visage en prière et les mains croisées sur ses genoux. Ce fut à cette occasion que le personnel des aciéries vit pour la dernière fois la très remarquable secrétaire des présidents Chabrol. Une semaine après l'enterrement, lorsque Hélène nomma son mari, Nelson Vallée, directeur général des aciéries, Agnès Mercier avisa par lettre la direction qu'elle prenait sa retraite, à compter de ce jour, évoquant des raisons de santé. Richard O'Neil et François Renaud, profondément affligés par ce deuxième départ, surent néanmoins lire entre les lignes et comprendre la vieille demoiselle qui aimait trop Alain pour être capable d'estimer Nelson.

Richard O'Neil fit taire ses souvenirs, quitta sa fenêtre et prit place à son bureau. Sa secrétaire lui apporta son courrier et l'avisa que madame Hélène Vallée avait téléphoné, qu'elle passerait le voir au début de l'après-midi et qu'elle assisterait à trois heures à la réunion du conseil d'administration.

Richard se mit à sourire, se leva et se rendit chez l'ingénieur Renaud qui venait de l'appeler.

* * *

Assise dans la limousine, Hélène aperçut au loin les longues cheminées de l'aciérie. C'était un bâtiment vaste et étendu qui employait une main-d'oeuvre importante et qui eût pu paraître vétuste en raison de ses quarante années d'existence. Mais les murs de béton, parfaitement intacts et de bonne qualité, laissaient à cette construction une impression de solidité et de belle apparence à laquelle, tel un monument, on ne pouvait pas donner d'âge. Par contre, la façade de l'édifice qui renfermait la majorité des bureaux était tout à fait récente. Nelson, à qui Hélène rendait hommage pour cela, était l'auteur de cette rénovation. L'architecte consulté avait parfaitement saisi le penchant de Nelson pour la sobriété et Hélène, chaque fois qu'elle venait à l'aciérie, admirait les résultats.

Mais aujourd'hui en regardant ce vaste édifice, Hélène Vallée ne pensa qu'à une seule chose. « Tout cela est à moi. Je suis l'unique propriétaire de cette usine. Souviens-toi que tout cela t'appartient, Hélène Chabrol, et sache t'en rappeler, surtout devant ton mari. »

Elle pénétra dans le hall et fut encore éblouie par l'élégance de ce vaste salon. La moquette épaisse et moelleuse qu'elle avait choisie dans les tons de beige sable laissait une impression très agréable de confort et de beauté. Les fauteuils et les divans de velours de couleur brun et orangé formaient un joli contraste et invitaient au repos. Quelques plantes vertes posées aux endroits les plus propices rehaussaient l'éclat de cette pièce d'entrée, tout en prodiguant, même en plein hiver, une note estivale. Hélène tourna la tête vers la droite et voulut saluer la jeune fille à la réception, mais ne la reconnut pas. Elle devait être nouvelle car elle ne l'avait jamais vue. Néanmoins, elle la trouva fort jolie, comme les deux autres jeunes filles, qui avaient occupé ce poste depuis l'avènement de son mari à la direction de la maison. Nelson prônait une théorie voulant que le premier coup d'oeil était toujours celui qui demeurait. Mieux valait qu'il fût bon. Comme la majorité des clients qui fréquentaient l'établissement étaient des hommes, et souvent des hommes d'un certain âge, la présence d'une jolie fille, ayant aussi de belles manières, ne pouvait que mieux les disposer.

Hélène se ravisa. Au lieu d'aller se présenter à la jeune fille, elle se dirigea plutôt vers le fond de la pièce, vers cet immense pan de mur pour contempler les peintures qui représentaient les présidents Chabrol. Au centre, à la place d'honneur, le beau tableau de son père qu'Hélène regardait toujours avec fierté. Cette toile, elle l'avait réussie magnifiquement. Elle scruta son père et lui dédia un petit sourire affectueux. Joseph Chabrol n'était pas particulièrement un bel homme. Hélène le savait. Il était court, trapu, bedonnant, mais il y avait dans son visage une expression de force, de bonté et d'intelligence qui réchauffait le coeur d'Hélène et qui la remplissait d'orgueil, car c'est cela qu'elle avait réussi à fixer sur les huiles: les sentiments de l'âme. Du visage de son père, Hélène avait hérité les yeux noisette, le front large et les pommettes rondes et hautes. Au temps de sa jeunesse, Joseph Chabrol possédait une tignasse brune et rebelle, de la même teinte que celle de sa fille, mais les années avaient blanchi, clairsemé, par le fait même discipliné sa chevelure. La ressemblance d'Hélène avec son père s'arrêtait là, car pour la sveltesse de la ligne, elle la devait à sa mère qui était une jolie femme mince, de taille élancée. Comme la paralysie avait touché la mère de la jeune femme dans les mois suivant la naissance de la petite Hélène, celle-ci n'avait jamais vu sa mère debout. Cependant, en se référant aux photos de mariage, elle avait pu constater que Françoise Chabrol dépassait son mari de quelques centimètres.

Finalement, les yeux d'Hélène se tournèrent vers le tableau qu'elle avait fait de son frère. Son coeur, comme toutes les fois qu'elle s'arrêtait devant cette toile, se serra. Pourquoi Alain était-il mort? Pourquoi son cher petit frère l'avait-il quittée? Alain, ce fils que les Chabrol avaient adopté, car ils se croyaient dans l'impossibilité d'avoir des enfants, était plus âgé qu'Hélène de cinq ans, mais il était toujours demeuré, dans son coeur, son cher petit frère à elle. Durant toute son enfance, il avait été son idole et personne n'avait eu plus d'influence sur elle qu'Alain. Ses yeux se voilèrent de tristesse en contemplant le beau regard bleu qui souriait. Pauvre Alain! comme il n'avait pas eu de chance! Un divorce, suivi d'une mort tragique. En somme, ni son frère ni elle n'avaient eu beaucoup de veine dans leur mariage. Mais si Alain avait vécu, personne, pas même Nelson, n'aurait pu lui faire du mal. Il l'aurait protégée comme il la protégeait quand elle était petite. Il serait encore le président des aciéries et Nelson n'aurait jamais atteint le poste qu'il occupait maintenant. L'ambition chez certaines personnes devient une maladie, et Nelson, elle en était à présent convaincue, était, depuis la mort de Joseph Chabrol, un malade chronique. Hélène avait mis Nelson sur un piédestal parce qu'il était son mari et qu'elle l'aimait. Elle soupira en pensant à toute l'ingratitude qu'elle en avait récoltée.

Hélène détacha les yeux du passé et regarda le tableau qui la représentait. Il était l'oeuvre d'un portraitiste de renom, qu'elle connaissait d'ailleurs fort bien, et qui avait donné à ses traits une beauté qu'elle n'avait pas. Elle se mit à sourire en s'observant. Son sourire demeura sur ses lèvres en pensant à la déception de Nelson, lorsque, devant une foule impressionnante, il avait aperçu le tableau qui représentait sa femme. Richard O'Neil avait pris l'initiative de commander une toile pour célébrer le premier anniversaire de la présidence d'Hélène. Oh! comme elle se souvenait bien de cet événement. Il y avait eu un vin d'honneur, puis Richard avait dévoilé la toile devant la majorité du personnel de la maison. C'est alors qu'elle avait surpris dans les yeux de son mari une lueur d'envie, une petite lueur bien fugitive, car Nelson ne laissait jamais paraître ses émotions. Mais à ce moment précis, elle avait lu dans ce regard amer combien il eût souhaité être à sa place.

Hélène était si profondément perdue dans ses pensées qu'elle ne vit pas venir vers elle Richard O'Neil, les bras tendus.

— Ma chère Hélène! Quel plaisir de vous revoir. Je vous remercie d'avoir accepté mon invitation.

Elle se retourna. Il était là devant elle, immense et souriant. Un très long temps, leurs yeux demeurèrent suspendus, tandis que leurs visages dégageaient un sentiment réciproque de profonde amitié. Il prit ses mains et les baisa affectueusement.

— Richard, je suis très heureuse de vous revoir aussi.

— Pas autant que moi, dit-il en serrant ses mains dans les siennes. Vous êtes éblouissante, Hélène. Êtes-vous sûre de sortir d'une clinique de santé et non d'une clinique de beauté ?

— Comme vous êtes aimable ! fit-elle, en le remerciant du regard.

Elle libéra une main et toucha sa coiffure dans un geste de coquetterie.

— J'ai passé quelques heures avec mon coiffeur, ce matin. Il m'a fait une nouvelle tête. Vous aimez ?

Il passa le bras autour de ses épaules et l'entraîna vers son bureau.

— Vous êtes belle comme tout ! Et cette coiffure vous sied parfaitement. Elle me fait penser à celle que vous portiez le soir de vos vingt ans. À ce bal que votre père avait donné en votre honneur. Vous vous rappelez ?

— Mais oui ! Vous avez raison, Richard. J'ai déjà porté une coiffure semblable. Toutes les coiffures d'autrefois reviennent à la mode. Quelle mémoire fantastique, tout de même !

Il tourna vers Hélène un visage où se lisait une expression de condescendance.

— Ce soir-là, ma chère, je vous ai demandée en mariage. Alors, je m'en souviens !

Ils pénétrèrent dans un bureau tout aussi sophistiqué que le hall d'entrée. Richard fit passer la jeune femme devant lui et referma la porte derrière eux. Hélène se dépouilla de son manteau et découvrit un joli deux-pièces en laine vierge, de la même teinte noisette que ses yeux. Richard prit le manteau et se mit à la contempler avec ce même regard admirateur qui, autrefois, rendait Hélène rougissante. La jeune femme se déroba à son regard en plaçant son sac à main sur une petite table. Puis, Richard pesa sur le bouton de l'interphone et parla à sa secrétaire.

— Auriez-vous l'obligeance de faire monter le café et les gâteaux ? Prenez note également que je ne veux pas être dérangé.

Pendant qu'il parlait, Hélène s'était dirigée vers la baie vitrée, dont les rideaux ouverts découvraient la vue. Ses yeux se fixèrent sur l'aire d'atterrissage. Richard la rejoignit à la fenêtre et dit, en prolongeant les pensées de la jeune femme :

— Nelson ne reviendra que pour la réunion. Il travaille à l'autre aciérie, aujourd'hui.

— Votre secrétaire me l'a dit au téléphone. S'il avait été ici, je vous aurais donné rendez-vous à l'extérieur.

— Quand une femme en est rendue à jouer à cache-cache avec son mari, elle ferait aussi bien de divorcer.

— J'y songe sérieusement, Richard.

— Si vous m'aviez épousé, vous n'en seriez pas là !

Elle le regarda, dissimula un sourire et demanda avec le plus grand sérieux :

— Au juste, pourquoi n'ai-je pas accepté cette aimable proposition que vous m'aviez adressée le soir du bal ?

Il répondit avec le même sérieux.

— J'avais quarante-six ans. J'étais veuf avec une grande fille de dix-huit ans. Je crois que l'âge de ma fille vous intimidait un peu. Mais vous n'aviez pas à vous en faire, ma fille serait devenue votre belle-soeur, puisque je la destinais à Alain.

Hélène eut un petit sourire moqueur.

— Autrement dit, nous serions restés entre nous.

— Pourquoi pas ? Puisque je vous aimais tous les deux, vous et votre frère Alain. Mais vous, Hélène, je vous aurais aimée comme aucun homme n'aurait pu le faire.

Ces paroles si douces provoquèrent malgré tout un frisson chez Hélène.

— Vous auriez été heureuse avec moi. Je sais combien vous aimiez les enfants. J'aurais pu vous en faire une nichée.

— Une nichée de joueurs de football, à ce que je vois. C'est une aimable proposition, dit-elle en riant.

— Elle tient toujours, chère !

Hélène regarda Richard et demeura surprise... et songeuse. Il devait être autrefois un parfait étalon. Peut-être l'était-il encore ? Avec une taille semblable, il ne devait pas manquer de force physique. Richard était sûrement l'homme indiqué pour transmettre une superbe hérédité à un garçon... Pour une fille, elle se serait plutôt tournée vers Marc Leroyer. Il avait si bien réussi avec Mélissa et Stéphanie... Quand elle retrouva ses esprits, Hélène demanda :

— Comment va madame O'Neil ?

— Sa santé est magnifique. Elle se porte bien et elle me traite aux petits oignons. Néanmoins, après seize ans de mariage, je ne suis pas encore habitué à son jacassage. Quand ce n'est pas avec des amis à la maison, c'est au téléphone. Elle jacasse tout le temps. À part ça, elle est charmante.

— Vous lui ferez mes amitiés.

On frappa à la porte et un jeune homme de la cuisine apporta le café et les gâteaux. Richard remplit les tasses et Hélène prit place dans un fauteuil qui faisait face à son hôte.

— À présent, si nous discutions de choses moins aimables, mais plus sérieuses. Je suis certain que vous êtes surtout venue me voir pour entendre parler des aciéries, dit Richard en souriant.

Il alluma une cigarette et tendit le plateau de gâteaux à la jeune femme, qui choisit un petit moka au chocolat. Puis, pendant près d'une heure, le directeur d'administration informa la fille de Joseph Chabrol de tout ce qui s'était passé dans la maison au cours des derniers mois. L'année s'achevait et Hélène savait qu'elle avait été bonne. Les commandes affluaient de partout et la production, très souvent, ne suffisait pas. L'aciérie des Cantons de l'Est avait connu, comme la majorité des industries qui exigent à la base de lourds capitaux, un départ difficile, mais depuis deux ans, grâce à une publicité adéquate, le pourcentage des ventes avait grimpé en flèche et permettait les plus grands espoirs. Quand il eut terminé son exposé, Richard s'interrompit et demeura songeur. De petites rides apparaissaient sur son front. Il se leva, regarda par la fenêtre et, les yeux pensifs, sembla évaluer un problème qui le tracassait beaucoup. Il se retourna et fixa Hélène d'un air préoccupé.

— Comme vous avez pu le constater, tout va assez rondement dans la boutique. Je crois que votre mari a du talent pour diriger. Toutefois, un problème crucial se pose, auquel Nelson n'attache pas ou peu d'importance : celui de la relève. Vous n'êtes certainement pas sans savoir que l'ingénieur Renaud et moi-même sommes sur le point de prendre notre retraite. François a avisé Nelson qu'il se retirait au mois de juin. Vous ne le croirez peut-être pas, mais il n'y a personne actuellement pour le remplacer. L'ingénieur Harvey, qui était son second, a pris la direction de l'aciérie des Cantons de l'Est et l'ingénieur Boivin nous a quittés en septembre dernier. Quant à l'ingénieur Koniski, il n'est pas fait pour être chef.

— Pourquoi, M. Boivin est-il parti ? demanda Hélène.

— Boivin est un ingénieur très compétent. Il possède un doctorat et il accepté un poste de professeur à McGill. Au fond, je crois qu'il y avait incompatibilité de caractère avec Nelson et que les avantages qu'on lui offrait à l'université étaient supérieurs aux nôtres. L'ingénieur Renaud a placé différents communiqués dans les revues de génie civil et dans les journaux. Plusieurs ont postulé, mais la plupart n'ont pas d'expérience et ne peuvent faire l'affaire. Toutefois, ce matin, quelqu'un s'est présenté. Il a quatorze ans d'expérience dans la profession, dont six ans dans l'industrie sidérurgique. C'est un bonhomme qui a une belle personnalité. François me l'a présenté. Il nous a fait à tous les deux une excellente impression.

— Alors, pourquoi ne l'engagez-vous pas immédiatement ?

— Nous le voulons. Mais le salaire que nous offrons est de six mille dollars inférieur à celui qu'il touche présentement. Vous comprenez qu'il n'a pas semblé particulièrement intéressé par notre offre.

— Depuis quand nos salaires sont-ils inférieurs aux autres ?

— Depuis que Nelson a pris la direction de la maison.

— C'est une politique que je ne préconise pas. Pas plus que mon père, ni Alain. Nous n'avons jamais connu de grèves par le passé et je ne tiens pas du tout à ce que ça commence maintenant. Nous discuterons ce problème à la réunion.

— L'ordre du jour est suffisamment chargé comme ça.

— Tant pis. Nous en parlerons quand même, Richard. C'est une problème de première importance.

— Bien, madame la présidente.

C'était la première fois que Richard la surnommait ainsi. Elle en éprouva soudain une sensation désagréable. Néanmoins, elle passa outre et murmura :

— Je ne me suis pas assez occupée des affaires de la maison. Je m'en aperçois, à présent. Mais ça va changer.

Richard esquissa un petit sourire triomphant.

— Enfin, dit-il, il y a longtemps, Hélène, que je souhaitais entendre ces paroles.

— Pour ce qui est de cet ingénieur, reprit-elle, veuillez dire à François de le contacter et de lui offrir un salaire alléchant pour qu'il se joigne à nous le plus tôt possible.

Richard hocha la tête et sourit.

— Personne ne peut demeurer insensible à une offre intéressante. Il va sûrement accepter, mais je doute qu'il puisse venir travailler avec nous avant le mois de mai. Il a signé un contrat et doit terminer un projet à l'extérieur.

— Pour quelles raisons quitte-t-il son emploi ?

— La firme pour laquelle il travaille l'a avisé qu'il devait se rendre ensuite à Panama, puis au Venezuela pour d'autres projets. Il a refusé de s'expatrier de nouveau, pour des raisons personnelles. Lorsqu'il a quitté la maison ce matin, il s'est attardé devant les tableaux de votre famille et surtout devant le vôtre. J'ai eu l'impression qu'il vous connaissait.

— Comment s'appelle-t-il ? demanda Hélène, dont la curiosité s'était subitement aiguisée.

— Marc Leroyer.

Chapitre 4

Nelson arriva avec une bonne heure de retard. Dehors, le jour tombait rapidement. Le soleil avait disparu à l'horizon, mais ses derniers rayons illuminaient le couchant d'un éventail de couleurs qui s'étendaient du mauve tendre au rouge orangé. Nelson n'était pas ce qu'on appelait communément un homme sentimental, mais du haut des airs, au volant de son hélicoptère, un beau coucher de soleil l'éblouissait toujours et laissait en lui une impression de puissance, de grandeur et de paix. Toutefois, dès qu'il eut pénétré dans le hall d'entrée, aucun des sentiments qu'il avait ressentis quelques instants plus tôt ne le suivit à l'intérieur. Tel il était sorti ce matin, tel il revenait cet après-midi, pressé, tendu, préoccupé...

Il se dirigea d'un pas rapide vers son bureau. Sa secrétaire l'interpella au passage et lui remit la liste des appels de la journée. Il la parcourut avec attention. Elle lui transmit également un message de mademoiselle Brigitte Dubois qui se lisait ainsi : « Je suis présentement à la clinique. Prendrai une dizaine de jours de convalescence. Je rentrerai pour le Nouvel An. » Nelson sentit sa gorge se contracter, tandis qu'un malaise lui nouait l'estomac. Vivement, il parcourut de nouveau le message. Son esprit laboura le sens des mots, chercha à évaluer le contenu sous un angle objectif, puis, tenant surtout compte de la personnalité de celle qui l'avait écrit, il accorda aux phrases une tout autre valeur. Alors, l'angoisse disparut de sa poitrine, sa gorge se dénoua et il retrouva une respiration normale. Finalement, un petit sourire malicieux se dessina sur ses lèvres. Cette fille est une adorable petite crapule. Elle veut me faire croire qu'elle se fait avorter, pensa-t-il. Car si tel était le cas, au lieu d'aller en convalescence quelque part, elle rentrerait à l'appartement immédiatement l'opération terminée, exprès pour me culpabiliser. Évidemment, elle afficherait un visage défait, des malaises insupportables, une fatigue profonde et je m'abreuverais de reproches. La petite peste aurait atteint son but. Nelson s'accorda quelques secondes de réflexion. Dans l'espace d'un éclair, une petite flamme brilla dans ses yeux. On sentait qu'il avait déjà élaboré un plan. « Elle va apprendre qu'on ne s'amuse pas impunément aux dépens de Nelson Vallée. Je vais partir en vacances et je ne rentrerai qu'après le Jour de l'An. Elle pourra faire du sitting en m'attendant », se dit-il. Pendant qu'il fomentait sa belle petite vengeance, sa secrétaire, madame Blais, ajouta de sa voix tranquille :

— On vous attend dans la salle de conférences depuis plus d'une heure, monsieur Vallée. Ils sont tous arrivés. J'ai ouvert le bar et servi les hors-d'oeuvre, ainsi que vous me l'aviez indiqué. Vous ai-je mentionné que votre femme est ici ? Je l'ai trouvée resplendissante de santé. Il y a longtemps que je ne l'ai vue aussi pleine d'entrain. Je vous jure que c'est réconfortant de la voir ainsi... Une dame aussi charmante !

— Où est-elle ? coupa Nelson, froidement.

La secrétaire ne remarqua pas que le sourire avait disparu des lèvres de son patron. Il avait à présent ce visage qu'elle lui connaissait depuis toujours, calme, pondéré, imperturbable.

— Madame Vallée est dans la salle de conférences. Elle présidera la réunion du conseil d'administration.

Le choc fut brutal, mais Nelson ne cilla même pas. Il disparut dans son bureau avec toute la sérénité dont il était capable. Il retira son manteau et le déposa dans le placard avec soin et sans brusquerie. Avec cette même allure posée, il se rendit à son classeur et prit les dossiers dont il avait besoin pour la réunion. Tous ses gestes étaient imprégnés de pondération. Personne n'eût pu dire à le voir qu'il était en proie à une colère terrible. Seule, Hélène aurait constaté à la vue d'une petite veine qui se gonflait sur la tempe, combien il bouillait à l'intérieur. Cependant, avant de quitter la pièce, Nelson prit le temps de se maîtriser. À force de volonté, il parvint à rétablir le calme en lui. Puis, il analysa froidement la situation et élabora une ligne de conduite. Quand il sut exactement comment se comporter, il avala d'un trait un cognac qui se répandit aussitôt dans ses veines en une coulée chaude et rassurante. Il éprouva soudain la certitude que, dans les heures qui suivraient, personne ne pourrait l'acculer au pied du mur.

Nelson Vallée pénétra dans la salle de conférences avec l'allure désinvolte d'un homme à qui la terre entière appartenait. De son être émanaient une force de caractère peu commune et une totale maîtrise de soi. Il était confiant et respirait la confiance. Il souriait et le sourire décontracté qu'il arborait lui permettait de saluer les gens, de serrer les mains, de badiner, sans prodiguer, au sujet de son retard, le moindre mot d'excuses. Il était évident pour tout le monde que Nelson détenait l'autorité suprême sur cette éminente assemblée.

Selon la trajectoire qu'il avait empruntée, il ne faisait aucun doute pour personne non plus qu'il se dirigeait droit vers sa femme, s'arrêtant poliment, ici et là, auprès de ceux qui lui adressaient des salutations plus explicites.

À la minute où Nelson apparut, Hélène, qui parlait avec l'avocat tout en sirotant un bourbon, sentit un courant nerveux s'infiltrer dans toutes les fibres de son organisme. Elle se retrouva bientôt dans la posture inconfortable d'une personne mal à l'aise qui ignore quel comportement adopter dans les circonstances. Les yeux rivés à son verre, Hélène écoutait d'une oreille distraite les propos de l'homme de loi. Elle était consciente du fait que, seules, la politesse et la courtoisie donnaient à cette assemblée une attitude naturelle. Car près de la moitié des personnes présentes savait qu'elle et son mari ne vivaient plus ensemble, tandis que l'autre moitié devait sans doute le soupçonner puisque Nelson s'affichait partout en compagnie de sa maîtresse. N'eût été le fait de vouloir étaler devant les têtes dominantes de la maison un magnifique bulletin de santé, Hélène n'aurait pas su où puiser aujourd'hui le courage de venir affronter son mari.

— Tous les Chabrol ont une force de caractère remarquable !

Ces paroles retentirent à ses oreilles comme un leitmotiv. Elle reconnut la voix de Richard O'Neil, forte et sonore, qui lui prodiguait, à l'insu de tous, une forme d'encouragement. Elle tourna la tête vers lui et le regarda en souriant. Ce sourire équivalait à une gerbe de remerciements. D'ailleurs, personne mieux que Richard ne sut plus parfaitement l'interpréter. Cette petite phrase suffit à donner à Hélène l'élan nécessaire qui lui permettait de redresser la tête avec dignité et fierté. Souviens-toi, se rappela-t-elle soudain, que tu es Hélène

Chabrol, l'héritière des Aciéries Chabrol, et que tout cela t'appartient.

Elle leva les yeux et vit Nelson qui venait vers elle, détendu, heureux et souriant. Elle cessa de respirer. Pourquoi son organisme s'affolait-il de la sorte quand elle se retrouvait en sa présence ? Elle ne l'aimait plus, elle le détestait. Pourtant, elle ne parvenait pas, devant lui, à conserver son calme. Dieu ! qu'elle espérait qu'il ne vît pas son trouble ! Que personne, autour d'elle, ne s'aperçut combien elle se sentait mal à l'aise ! Nelson la regardait et souriait de ce sourire dégagé, sans arrière-pensées, de l'homme qu'elle avait, autrefois, follement aimé. Était-il possible que cet homme-là fût le même que celui qui l'avait fait interner trois mois plus tôt ? Dans sa tête, ses pensées tourbillonnaient, s'entrechoquaient violemment. Avait-elle été réellement malade ? Ou était-elle victime d'une imagination délirante ? Nelson ne la quittait pas des yeux et lui souriait aimablement. Il toucha son bras et le contact de sa main sur sa peau fit surgir en elle des émotions oubliées.

— Tu es ravissante, ce soir, Hélène. Il y a longtemps que je ne t'ai vue aussi belle.

— Je te remercie, dit-elle, en esquissant un léger sourire.

Il lui entoura la taille de son bras.

— Si nous commencions la réunion, qu'en dis-tu ?

— Justement, je voulais te le proposer.

Hélène retrouva sa respiration et se sentit délivrée d'un très grand poids. Nelson s'était conduit en galant homme et aucun de ceux qui les avait entendus ne pouvait soupçonner à quel point elle, la fille de Joseph Chabrol, l'héritière des aciéries, était une femme délaissée, bafouée, humiliée, reléguée aux oubliettes. Évidemment, que Nelson fût le plus goujat des maris l'attristait et la peinait profondément! Mais que tous ces gens qui la respectaient et qui lui témoignaient de l'amitié et de l'affection pussent soupçonner la façon dont son mari la traitait, était une pensée intolérable qui l'affectait tout autant. Car Hélène n'arrivait pas à concevoir, et cela dépassait chez elle l'entendement, que Nelson Vallée, à qui elle avait confié par marque de considération la direction des Aciéries Chabrol, et qui gagnait pour ce travail un salaire bien supérieur à sa fonction, amplifié d'un compte de dépenses qui eût pu faire pâlir un chef d'État ; alors, oui, Hélène Vallée n'arrivait pas à concevoir que cet homme qui, grâce à elle, était assis confortablement sur une belle fortune pût se conduire envers elle de la sorte.

Hélène prit place au haut bout de la table ovale dans le fauteuil que son père occupait jadis et déclara la réunion ouverte. Face à elle, Nelson prit la parole et, au nom de l'assemblée, souhaita la bienvenue à la présidente dans des mots simples et corrects sans faire la moindre allusion à sa récente maladie.

Pendant que le secrétaire présentait l'ordre du jour, Hélène s'attardait à évaluer la conduite de son mari. En réalité, elle ne s'attendait pas du tout à une collaboration aussi manifeste de sa part. Elle se sentait encore toute remuée par la gentillesse de Nelson. Il s'était comporté exactement comme le fiancé d'autrefois, prévenant, aimable et courtois. Il était là devant elle et elle ne ressentait plus aucun malaise de sa présence. Quelques instants auparavant, la peur la crispait à la seule idée de devoir l'aborder devant tant de gens. Maintenant, elle était assise à la même table que lui et pour la première fois depuis cinq ans, ni la peur, ni la méfiance ne l'habitait. Elle se demandait si la présence à sa droite de Richard O'Neil n'y était pas pour quelque chose. Richard était le seul homme de toute cette assemblée qui fût capable de tenir tête à Nelson. Sa nature prompte et directe obligeait ordinairement son entourage à faire preuve d'une grande diplomatie à son endroit. Somme toute, il n'y avait que François Renaud qui pouvait critiquer ouvertement Richard sans encourir les foudres de sa colère. Se sentant ainsi protégée par cet homme fort et imposant qui l'affectionnait, Hélène, à plusieurs reprises, s'infiltra dans les discussions, sollicitant la plupart du temps des explications. Au lieu de s'adresser à son mari qui se trouvait beaucoup plus loin d'elle, elle se tournait vers Richard, à sa droite, qui semblait prendre un malin plaisir à la renseigner. À l'autre bout de la table, Nelson, irrité à l'extrême, crispait de plus en plus les mâchoires à les voir dialoguer ensemble. Malgré la rage qui ne cessait de croître en lui, pas une seule fois le sourire ne quitta ses lèvres, si bien qu'Hélène, très détendue, ne s'aperçut pas de l'offense qu'elle infligeait à son mari. La réunion, prolongée par les nombreuses interventions d'Hélène, se termina plus tard que prévu. Il était neuf heures trente lorsque les derniers se retirèrent de la salle de conférences. Richard, Hélène et Nelson s'attardèrent à bavarder devant le bureau de ce dernier. Hélène enfilait son manteau lorsque son mari se tourna vers elle et dit :

— J'ai besoin de ta signature au bas de certains documents. Aurais-tu l'obligeance de me suivre à l'intérieur ? Ça ne devrait pas être long.

— Bien sûr, dit-elle.

Richard s'excusa. Le couple pénétra dans le bureau et se retrouva seul. Sans qu'elle pût véritablement l'expliquer, un malaise visita la jeune femme quand elle vit son mari poser sur elle un regard gris métallique. Le sourire avait disparu de son visage. Elle n'osa plus le regarder. Quand Nelson se dépouillait de son masque, il lui inspirait toutes les craintes. « Allons ! du courage, se dit-elle. Tu en as connu bien d'autres. Il ne peut tout de même pas te tuer. » Il l'avait giflée à cinq reprises. Une fois, après la mort d'Alain, il l'avait battue et son corps en avait porté longtemps les marques. Comme Hélène avait dû consulter un médecin pour des troubles à la mâchoire, Nelson se sentant menacé, n'avait plus osé par la suite lever la main sur elle. Elle était si loin dans ses pensées qu'elle tressaillit lorsqu'elle entendit son mari lui parler.

— Cette réunion a été épuisante. Voudrais-tu boire quelque chose ?

— Volontiers. Je prendrais un bourbon.

Il remplit les verres et fit tinter le sien contre celui de sa femme.

— À quoi peut bien boire un couple après seize ans de mariage ?... À nous deux ! dit-il.

Elle ébaucha un sourire triste.

— Nous n'avons jamais formé réellement un couple. Il est préférable de boire à autre chose.

— Très bien, dit-il. Alors, buvons à ta santé.

— Ma santé est également florissante. Je propose de lever nos verres à notre nouvelle association.

Un sourire narquois se figea sur les lèvres de Nelson.

— Tiens, tiens, j'ignorais que nous allions travailler ensemble. Et en quoi, je te prie, consistera cette nouvelle association ?

— Je ne sais pas si cela te plaira beaucoup, Nelson, mais j'entends, à compter de la nouvelle année, prendre part à toutes les décisions importantes de la maison.

Le regard de Nelson figé dans celui de sa femme demeura vide d'expression. Il contempla longuement son verre et l'avala d'un trait.

— C'est ton droit, dit-il, après délibération.

Il ne fit aucun commentaire et se dirigea vers le classeur, de son pas calme et régulier. Il sortit des documents et les tendit à sa femme. Hélène s'installa au bureau de son mari et apposa sa signature au bas des feuilles dont elle venait de prendre connaissance. Vingt minutes plus tard, elle avait terminé. Quand elle se leva, elle remarqua que Nelson avait retrouvé son sourire.

— Est-ce que tu accepterais de venir dîner avec moi, Hélène ? Il y a bien longtemps que nous ne sommes pas allés manger ensemble au restaurant.

Cette invitation la surprit d'abord, puis la dérouta. Elle n'arrivait pas à comprendre les raisons qui poussaient Nelson à se comporter envers elle avec autant de prévenance. La méfiance commençait à germer dans son esprit. Tout s'embrouillait dans sa tête. Pourquoi, se dit-elle, devient-il soudainement si aimable ? Il doit bien y avoir une raison. Ordinairement, chez lui tout est calculé. La générosité comme telle n'existe pas. En somme, Hélène voyait juste. Nelson agissait par intérêt. Mais l'âme foncièrement bonne et généreuse de cette femme ne lui permettait pas de déceler les sinuosités malsaines qu'engendre invariablement l'éclosion d'une idée malhonnête. Indécise, Hélène mit un certain temps à répondre.

— Mais... on ne t'attend pas, Nelson ?

— Non, on ne m'attend pas. Pas ce soir.

L'impatience le gagnait.

— Alors, chérie, est-ce que tu viens ?

— D'accord, dit-elle, d'une voix incertaine.

Dehors, le temps avait changé. La température clémente des deux derniers jours avait disparu. Il faisait maintenant très froid et l'humidité fort élevée transperçait tout être humain jusqu'aux os. Bien que vêtue d'un manteau d'ocelot, Hélène frissonnait de la tête aux pieds. Nelson ouvrit la portière de sa voiture et Hélène s'y engouffra immédiatement. Le trajet ne dura que quinze minutes ; le temps de franchir le pont et d'arriver dans le centre-ville. À cette heure de la soirée, la circulation allait bon train. Dans la voiture, la conversation fut simple et détendue, puisque l'on parla presque exclusivement de la nouvelle Mercedes de Nelson. Celui-ci l'avait achetée à la fin d'octobre et c'était la première fois qu'Hélène montait à bord. Elle sut s'émerveiller suffisamment pour que son propriétaire en ressentît du plaisir et de l'orgueil.

Au restaurant, Hélène se sentit également à l'aise. Nelson continuait d'être charmant. À présent, elle s'habituait à sa gentillesse et la trouvait de plus en plus normale. L'ambiance était gaie, la musique de bonne qualité et le service, on ne peut plus courtois. Tout cela contribuait à entretenir en elle cet heureux état de bien-être. Avec l'oeil exercé de l'expert, elle commanda des mets raffinés qui apparaissaient sur le menu et qui lui faisaient envie. Nelson ne pouvait s'empêcher de songer en contemplant sa femme combien elle avait de la classe et des manières aristocratiques. Aucune des filles avec lesquelles il avait vécu ne lui arrivait à la cheville pour le savoir-vivre. Il était homme capable d'apprécier cette belle qualité. De plus, chez Hélène, tout était toujours impeccable : sa tenue, ses manières, son apparence, son langage. Rien n'était jamais bâclé. S'il l'avait aimée et, surtout, si elle n'avait pas été l'héritière des Aciéries Chabrol, il n'aurait eu aucun reproche à lui adresser. Mais voilà, il ne l'aimait pas et elle devenait de plus en plus envahissante... Toutes ces pensées ne se lisaient pas sur le visage de Nelson, qui ne cessait d'être souriant et agréable, si bien qu'Hélène ne put les deviner et elle poursuivait son repas avec beaucoup de plaisir. Au café, la conversation emprunta un sentier plus épineux. Il dit de sa voix la plus neutre :

— Je suis réellement surpris de constater à quel point ta santé est éclatante. La clinique t'a fait beaucoup de bien.

Hélène sursauta. Dans l'espace d'une seconde, le malaise réapparut et sa joie se dissipa. Dans les circonstances, il était malséant surtout de la part de Nelson de parler de la clinique. Toute la rancoeur contre son mari accumulée au cours des cinq dernières années réapparut. Elle rétorqua :

— Ma santé est resplendissante, je te l'accorde. Mais cela ne peut être dû à la clinique. Ce long séjour m'a seulement permis de récupérer face à une certaine fatigue... Et la seule autre qualité qu'on peut lui attribuer est celle de m'avoir laissé le temps de bien réfléchir. Tu comprends, Nelson, trois mois, c'est très long... Je n'oublierai jamais...

Il baissa les yeux sur sa tasse et parut réfléchir. Hélène savait à présent que son mari avait cessé d'être charmant. Elle se doutait qu'il pouvait passer à l'attaque d'un moment à l'autre. Aucune de leurs rencontres au cours des dernières années ne s'était écoulée sans une escarmouche. Elle se rappelait aussi qu'elle en sortait toujours perdante.

— Je voudrais rentrer, Nelson.

— Comme tu voudras, chérie !

Elle se leva et ajouta poliment :

— Ce dîner a été excellent et très agréable.

Il reprit sur le même ton.

— Je te remercie d'avoir accepté mon invitation. Ce tête-à-tête m'a beaucoup plu... Beaucoup plus que tu ne le crois.

Il la regarda et elle ne comprit pas pourquoi il lui adressait un sourire aimable. Dans la voiture, il lui prit la main et la pressa dans la sienne. Pendant quelques secondes, elle se sentit complètement désemparée. Venant de son mari, cette marque d'affection lui paraissait tout à coup incongrue, comme une suite illogique à leur façon de vivre. Elle retira sa main et la plongea aussitôt dans la poche de son manteau. Un très long temps le silence plana entre eux. La voiture emprunta au feu vert la rue de leur maison. Il ralentit et murmura sans la regarder :

— Est-ce que tu m'aimes encore, Hélène ?

Ces mots tendres lui causèrent un choc. Elle comprenait de moins en moins l'attitude de son mari. Elle était si déconcertée qu'elle mit quelques secondes avant de répondre.

— Non... Nelson, je ne t'aime plus, plus maintenant... Au début de notre mariage, j'étais follement amoureuse de toi... Et je t'aurais aimé toute la vie si tu l'avais voulu... Mais tu es parti. Tu as quitté notre foyer et tu as décidé de vivre ta vie comme tu l'entendais. Pour bien te faire comprendre, tu as même été brutal. Tout cela a été très pénible pour moi. Je me suis habituée à vivre seule. J'y ai mis du temps, mais j'ai réussi à m'y faire. À présent, il ne faut pas te surprendre si l'amour que j'avais pour toi est disparu.

— En effet, dit-il en soupirant, je n'ai pas été un bien bon mari.

— Non, tu n'as jamais été un bon mari. Tu m'as fait beaucoup de mal...

Nelson immobilisa l'auto devant la porte. Il se rapprocha de sa femme et entoura ses épaules de son bras.

— J'aimerais faire l'amour avec toi, Hélène. Il y a bien longtemps que nous n'avons pas couché ensemble.

— Mais je ne t'aime plus, Nelson !

— Moi, je parie que si. Si tu m'as déjà aimé, tu

m'aimes encore. L'amour a des racines très profondes, paraît-il.

Il écrasa fièvreusement ses lèvres sur les siennes et faufila sa main sous le manteau. Quand il la sentit faiblir sous la caresse, il se détacha d'elle et murmura :

— Tu vois bien que je ne te suis pas indifférent. Allons, viens ! nous allons passer un bon petit moment ensemble. Il y a au moins trois mois que tu n'a pas fait l'amour. Cela doit commencer à te manquer un peu.

Le regard d'Hélène se borda de larmes. Les plus beaux souvenirs de sa vie de femme déferlèrent comme un torrent impétueux devant ses yeux. Elle se souvenait avec nostalgie de ces bons moments où l'amour avait eu tous les droits, toutes les exigences. Nelson était bon amant, et toutes les fois où ils s'étaient aimés, son corps avait connu l'ivresse, les merveilleuses sensations du plaisir de la chair. Aujourd'hui encore, elle n'avait qu'à fermer les yeux pour en entrevoir les échos. Son coeur, plein de réminiscences, en conserverait jusqu'à la mort une marque indélébile. « Trois mois, se dit-elle. Mon Dieu ! mais cela fait cinq ans que je n'ai pas fait l'amour. » Tout son corps en éprouva soudain une violente émotion. Un instant, elle eut une envie irrésistible de fléchir. L'abstinence, en ce moment précis, lui paraissait intolérable. Après tout, Nelson était son mari. Son mari... Le cerveau d'Hélène buta sur ce mot. Non, Nelson n'était plus son mari. Il ne lui appartenait plus. Il appartenait à une autre... Et l'amour, pour eux, pour le couple qu'ils formaient, relevait d'une époque révolue.

— Non, Nelson, je ne veux plus faire l'amour avec toi. Je ne t'aime plus et cela n'aurait aucune signification pour moi.

— Crois-tu que seuls ceux qui s'aiment font l'amour ?

— Je n'en sais rien. Je n'ai jamais étudié la question. De toute façon l'accouplement comme tel ne m'intéresse pas.

— Très bien, dit-il. Je n'insiste pas.

Hélène esquissa un sourire étonné.

— C'est la première fois que je te vois bon perdant. Que se passe-t-il, Nelson ?

— Je dois vieillir. C'est le lot de tout le monde.

Il se tut quelques secondes, fixa sa femme et ajouta :

— Après les Fêtes, j'aimerais que nous allions skier une journée de temps à autre. Je n'ai pas oublié la merveilleuse skieuse que tu étais...

Le visage d'Hélène s'égaya complètement.

— L'idée me plaît. Nous irons au mont Tremblant. En semaine, il y a moins de monde. Quel jour préfères-tu ? À la mi-janvier, j'avais l'intention d'y passer quelques jours.

— Le mardi est la journée où je peux le plus facilement m'absenter. Néanmoins, choisis le mardi qui précède le 20 janvier car, ensuite, je vais passer deux semaines en Europe pour faire la tournée des clients.

Hélène ouvrit la portière, salua son mari et ajouta d'une voix sereine.

— J'ai une belle nouvelle à t'annoncer et qui va te réjouir, Nelson. Je voulais t'en parler au retour de Tahiti, mais ce soir, tu as été si gentil... alors, pourquoi pas maintenant ? Eh bien, voilà ! dit-elle en souriant. En rentrant de voyage, je contacterai mon avocat pour lui demander d'engager des procédures de divorce. Tu redeviendras un homme libre. Nous divorcerons. Je t'offre ta liberté comme cadeau de Noël. N'es-tu pas heureux, Nelson ?

Chapitre 5

Nelson Vallée demeura interdit. Il fixait sa femme, mais son regard comme voilé par un écran de brume ne la voyait pas. Un long moment, il fut incapable de formuler le moindre mot. Ses centres nerveux, comme sous l'effet de quelques vapeurs anesthésiques, refusèrent de fonctionner. Néanmoins, il savait que quelque chose à l'intérieur de lui venait d'être morcelé. Quelques secondes plus tard, lorsqu'il recouvra l'usage intégral de toutes ses facultés, il comprit avec une acuité extraordinaire que les ambitions de toute sa vie venaient d'être anéanties. À ce moment précis, soupçonnant l'ampleur du désastre, il en éprouva presque une douleur physique. Tout se dérobait devant lui. Sous ses pieds, il ne restait que des sables mouvants. Ses rêves les plus merveilleux, ceux qu'il avait caressés depuis son enfance malheureuse jusqu'au sommet de la réussite, oui, tous ses rêves s'émiettaient les uns après les autres, glissaient entre ses doigts et se faufilaient dans des lieux inaccessibles. Jamais il n'avait prévu de la part d'Hélène un geste aussi radical, aussi définitif qu'un divorce. Le divorce... Ce mot éclatait dans sa tête avec la force d'une charge explosive. Il n'avait jamais cru qu'en épousant cette bonne petite femme soumise et docile il en viendrait là. En effet, les profondes convictions religieuses de sa femme, ainsi que son caractère souple et malléable, avaient toujours été pour lui une source de protection. Hélène pratiquait sa religion avec la même ferveur que dans son enfance. Bien sûr, avec les années, la maturité avait transformé chez elle la vision de certaines choses, mais sa croyance en Dieu, même dans les époques les plus cruelles de sa vie, n'avait jamais été ébranlée. Ceux qui la connaissaient bien savaient qu'elle avait érigé un rempart autour des grands thèmes de sa foi et Nelson, qui ne l'ignorait pas, s'y croyait à l'abri comme dans une forteresse bien gardée. Évidemment, cela ne l'avait pas empêché, lui, Nelson Vallée, de conduire sa vie à sa guise, exactement comme il l'entendait et sans la moindre restriction de mouvements. Avec cette belle assurance que confère l'indissolubilité du mariage catholique, Nelson, confiant de tenir entre ses mains un magnifique contrat à vie, était loin d'imaginer qu'un jour sa chère petite femme, en dépit de tous ses principes, ferait sauter leur mariage et mettrait ainsi en péril une si belle aventure financière. C'était trop bête ! Après avoir atteint le sommet, subir la dégringolade ! Il ne pouvait pas le croire. Il ne voulait pas le croire. Non, tout n'était pas encore perdu. Il lutterait jusqu'à la mort s'il le fallait. Enfin, Hélène était une femme maniable et il était ordinairement facile de la faire changer d'idée... Il savait comment la prendre... et elle plierait comme elle avait toujours plié. La confiance à nouveau s'inscrivit sur le visage de Nelson et se traduisit sur ses lèvres en un sourire aimable et décontracté. Il contempla sa femme et opina :

— C'est très généreux de ta part de vouloir m'offrir

la liberté, mais, vois-tu, Hélène, je n'en ai pas véritablement besoin.

Hélène fronça les sourcils d'étonnement.

— Moi qui croyais que cela te ferait plaisir ! dit-elle. Eh bien ! tant pis ! il n'y aura que moi qui y verrai des avantages.

— Avant d'entreprendre de telles démarches, ne crois-tu pas qu'il serait plus sage de réfléchir encore ?

— Mais, Nelson, pour ma part, c'est tout réfléchi ! Aurais-tu déjà oublié que tout récemment, et grâce à toi, j'ai pu disposer de trois longs mois exclusivement réservés à la réflexion ? Oh ! tu peux me croire, je n'ai pas pris cette décision à la légère. Oui, j'ai beaucoup réfléchi et je suis arrivée à la conclusion que le divorce est l'unique solution à mes problèmes. Je veux vivre, moi aussi... et je veux vivre en paix !

Le visage de Nelson s'altéra. Ses traits se durcirent et quelque chose au fond de son regard brilla méchamment. Malheureusement, Hélène prononça les derniers mots sans le regarder et ne put percevoir cette vilaine expression dans ses yeux.

— Ta décision est-elle irrévocable ? demanda-t-il d'une voix hachée.

— Oui. Elle l'est !

Aussitôt, la colère le submergea. Où avait-elle puisé le culot de lui répondre aussi fermement ? Il voulut la gifler pour la remettre à sa place, mais une impulsion soudaine lui dicta de se maîtriser. Grâce à un suprême effort de volonté, dont seuls sont capables ceux qui possèdent en eux une force de caractère prodigieuse, il réussit à retenir son geste à temps et à contenir son humeur pour ne pas éveiller sa suspicion. Toutefois, quand il ouvrit la bouche, Hélène remarqua qu'il avait adopté une attitude arrogante.

— Autant que je sache, dit-il d'un ton sarcastique, le divorce n'entre pas dans les vues de l'Église. Alors, où donc sont passées tes belles croyances religieuses ?

Hélène avait saisi la raillerie, mais elle passa outre. Elle se contenta d'expliquer placidement :

— Je désire une rupture de notre mariage civil. Quant à notre mariage religieux, je sais qu'il durera jusqu'à ce que la mort nous sépare. En réalité, le divorce n'abolira qu'un lien légal et non un devoir moral, et c'est tout ce dont j'ai besoin. Vois-tu Nelson, je n'ai pas du tout l'intention de refaire ma vie... J'ai un tel goût de liberté. Si tu savais !

Il tourna légèrement la tête de son côté et dit, en la regardant de biais :

— As-tu pensé qu'un divorce peut te coûter une jolie petite fortune ?... Tu dois savoir que j'ai toujours eu de grandes exigences.

— Il doit certainement y avoir un moyen de régler un divorce de façon intelligente. Je ne suis pas de nature mesquine. Nous ne vivons plus ensemble depuis cinq ans et, pourtant, tu n'as pas eu à te plaindre de tes revenus, non ?

— Attends que les avocats rentrent dans le bal, ma chère ! Tu verras que nous parlerons un tout autre langage. Quoi qu'il en soit, j'ai la conviction que j'y perdrai quelques privilèges, et je n'ai pas du tout l'intention d'être dépouillé d'un seul des droits que me confère mon statut d'époux. Je regrette, mais le divorce ne m'intéresse pas. Ma décision est également irrévocable.

Il avait si bien mordu dans les derniers mots qu'Hélène n'insista pas. Elle détourna la tête avec une indifférence calculée et descendit de voiture. Il y avait un tel cran dans sa façon d'agir que Nelson, franchement désorienté, crut bon de changer de tactique. Il adoucit sa voix et ajouta avec diplomatie :

— Écoute, Hélène, il est tard et nous sommes fatigués. Nous ne pouvons discuter de façon efficace. À ton retour, nous allons nous rencontrer et nous reparlerons de tout ça. Passe une bonne nuit et fais un bon voyage, chérie.

Elle le regarda bien dans les yeux, approuva d'un petit signe de tête et changea de sujet :

— Au fait, Nelson, ma voiture est en panne et j'ai retenu les services d'Albert jusqu'à mon départ.

— Oui, je sais. Albert m'a mis au courant, dit-il d'un ton où percait le reproche.

Faisant comme si elle n'avait rien remarqué, Hélène lui souhaita bonne nuit, détourna la tête et se dirigea vers sa maison.

Cette nuit-là, Nelson fut incapable de dormir. Des idées de toutes sortes fourmillaient dans sa tête et tenaient son cerveau dans un état de vigilance. Il faisait des efforts pour s'abstenir de penser, mais il y avait un tel chahut dans son crâne qu'il ne parvenait pas à faire le vide en lui. Plusieurs fois, il se retourna dans son lit, cherchant la position qui lui faciliterait le sommeil, mais en vain. Il se leva mal en point, avec les courbatures classiques de celui qui a passé une nuit blanche. De plus, un fameux mal de tête, du genre de ceux qu'il éprouvait dans l'armée lors des périodes intensives d'entraînement, lui barrait le front. Il alla d'un pas traînant vers la salle de bains, ouvrit la pharmacie, chercha parmi le fouillis de pots et de tubes de produits de beauté de Brigitte le flacon d'aspirine, prit deux comprimés et les avala sans eau. Il se frotta doucement la nuque pour assouplir ses muscles et décida de prendre une douche glacée pour se revigorer. Quand il eut terminé de se vêtir, il n'était pas encore dans une forme spectaculaire, mais il se sentait beaucoup mieux. Dans la cuisine, il se prépara un café très fort et le but lentement, tout en parcourant un petit quotidien du matin. Il lisait des lignes, butait sur les gros titres, tournait des pages, mais en réalité ne voyait rien du tout. Il eût été bien incapable de faire le moindre commentaire sur sa lecture tant son esprit était ailleurs. Toute la nuit, il avait été harassé par cette idée de divorce, et ce matin, après toutes ces heures de réflexion nocturnes, il n'était guère plus avancé. Il ne planifiait aucune solution qui eût pu l'avantager, ou même lui concéder quelques intérêts. Face à son impuissance grandissante, la colère devenait chez lui un palliatif commode. Ce penchant belliqueux avait de l'emprise sur lui quand il était seul, sans témoin. À ce moment même, il durcissait ses traits, pâlissait son visage et donnait à son regard un éclat métallique. Dans ses veines, son sang bouillonnait. Un peu plus et il écumait de se retrouver face à ce problème aussi démuni qu'un enfant qui vient de naître. Tous les torts étaient contre lui et il le savait. De plus, ils étaient nombreux et accablants. Il avait quitté le foyer conjugal depuis cinq ans, il avait une maîtresse et ne s'en cachait pas... l'incriminer d'adultère était pratiquement chose faite. Avoir à choisir sur le tas, Hélène pourrait aussi plaider la cruauté physique. Le témoignage de son médecin de famille le confirmerait avec radiographies à l'appui. Quant à évoquer la cruauté mentale, n'importe qui de débrouillard pourrait constituer un dossier fort impressionnant sur le sujet. Il était également à prévoir, de la part d'Hélène, que pour régler un problème de cette nature elle ferait appel à une étude d'avocats de premier ordre et dont la réputation n'était plus à faire. Le prix, évidemment, n'importerait pas. Ces hommes de loi consciencieux et bien rémunérés ne lésineraient pas pour cumuler les charges contre lui. Ils n'auraient pas tôt fait d'ouvrir la bouche que son nom serait confondu à celui de goujat, de traître, de scélérat. Plus il réfléchissait, plus c'était évident maintenant, et il se mit à blêmir à la pensée qu'il n'en faudrait pas davantage pour dresser contre lui un dossier criminel. La peur s'installait en lui. Son coeur palpitait dangereusement vite. Le stress n'était pas bon pour ses artères. Il avait une tendance héréditaire à l'artériosclérose. Son médecin lui avait conseillé de fuir les émotions fortes et de surveiller son alimentation. Sous ses tempes, le sang bourdonnait. Il présumait que sa tension artérielle se baladait dans la zone dangereuse. Il voulut s'abstenir de poursuivre l'élaboration de son raisonnement, mais il en fut incapable. Sous tous les angles d'où il observait le problème, il se sentait coincé de toutes parts. Et ce n'était surtout pas en plaidant les raisons pour lesquelles il se refusait à divorcer qu'il pourrait avoir gain de cause ! À présent, l'évidence ne faisait aucun doute que l'unique issue dont il disposait était de convaincre Hélène de renoncer à son projet. Cela ne serait pas aussi facile qu'il le prévoyait, car sa femme avait changé au cours de ces derniers mois. Elle était devenue plus ferme, plus déterminée, et ce changement qu'il avait observé à plusieurs reprises l'avait laissé sidéré. Il lui parlerait avec douceur et il essayerait de la convaincre. En exploitant son charme au maximum et avec du doigté et... un peu de chance, il devrait réussir... Après tout, il avait toujours eu de la chance !

Dans la cohue du matin, au volant de sa voiture, Nelson réfléchissait à son comportement avec Hélène, à celui qu'il devrait avoir dans l'avenir et surtout à celui qu'il avait eu la veille, au bureau, au restaurant et ensuite dans la voiture. En réalité, plus il y pensait, plus il se félicitait de sa conduite ! Comme il avait été bien inspiré d'agir avec diplomatie ! Hélène n'avait vu que du feu. Il avait même dû impressionner le conseil d'administration tellement il avait été aimable et courtois avec sa femme. Au restaurant, il avait fait preuve d'un sens imaginatif assez extraordinaire tant il avait été délicat. Plus tard, il avait même eu l'idée de lui proposer de faire l'amour. Soudain, un rire s'étrangla dans sa gorge. « Faut-il qu'elle soit conne pour croire que j'avais le goût d'elle ! Elle me fait vomir, cette bécasse. Nom de Dieu ! si seulement je peux mettre la main sur sa fortune et ne plus avoir à me tracasser à son sujet. » À cet instant précis, si Hélène avait été dans la voiture, sa haine atteignait un point si culminant qu'il l'aurait tuée. La méchanceté convulsait le visage de Nelson. Ses mâchoires se crispaient énergiquement et ses yeux dardaient furieusement la route. Oh ! comme je la déteste, cette femme ! se dit-il. Si elle refuse de m'entendre et ne veut pas abandonner son projet de divorce, je prendrai les grands moyens... ensuite, elle n'aura plus la force de consulter un avocat... Bon Dieu, il ne faut surtout pas qu'elle consulte un avocat !

Nelson arriva au bureau avec son visage habituel. Il salua la réceptionniste du bout des lèvres, et attaqua sa journée avec l'allure calme et posée d'un homme qui maîtrise les événements.

* * *

Hélène passa une nuit paisible, sans rêves ni cauchemars. Elle dormit d'un sommeil profond. Le réveille-matin sonna à huit heures trente et elle se leva dans une forme éblouissante. Elle ouvrit les rideaux et vit le givre qui dentelait le contour de la baie vitrée. Le temps était gris et, tout comme la nuit dernière, il semblait faire très froid. Elle consulta son agenda, passa en revue l'horaire de sa journée et s'aperçut qu'elle n'avait aucune minute à perdre. Elle fit quelques exercices de gymnastique, ainsi qu'elle le faisait chaque matin, quel que soit le programme de sa journée. Ensuite, elle fit sa toilette et Maria vint la prévenir que son petit déjeuner était servi. Hélène enfila un peignoir de ratine et se rendit dans la salle à manger. En voyant venir le facteur par la fenêtre du salon, elle se dirigea vers l'entrée, puis, à table, elle se mit à dépouiller son courrier tout en buvant son jus d'orange. Elle parcourut quelques lettres et attaqua ses céréales. Au café, Maria apparut dans la pièce et transmit à Hélène les appels que celle-ci avait déjà reçus depuis le début de la matinée.

— Madame Gagnon a été la première à téléphoner, dit-elle. Elle voulait vous dire de ne pas oublier la liste des célébrités qui seront présentes à midi, à l'ouverture de la campagne pour le Tiers-Monde. La sienne a été détruite par inadvertance et elle n'a pas de double.

— Cette liste est déjà dans mon sac. Elle m'a appelée hier matin à cet effet. Pauvre femme, elle est bien nerveuse et manque de confiance en elle depuis le décès de son mari en avril dernier, fit Hélène en soupirant tristement. Qu'y a-t-il d'autre, Maria ?

— Le couturier a également appelé. Il a mentionné que tous les articles que vous aviez commandés à la fin d'août sont terminés depuis le début de novembre. Il a téléphoné au moins deux autres fois pendant votre séjour à la clinique.

Hélène passa la main sur son front.

— Ah ! je l'avais oublié, celui-là ! Tant pis ! il attendra. Je prends l'avion tôt demain matin et je n'ai pas une minute à lui accorder, aujourd'hui. Soyez gentille, Maria, rappelez-le et dites-lui que j'irai le voir sans faute en rentrant.

— Votre gérant de banque a aussi téléphoné. Il a laissé son numéro et aimerait que vous communiquiez avec lui au cours de la journée. C'est tout, madame.

— Bon, je le ferai. Merci, Maria.

Hélène se leva et termina sa tasse de café d'un seul trait. Elle invita la domestique à la suivre dans sa chambre. Elle ouvrit le placard de vêtements d'été et se mit en devoir de sortir les toilettes qu'elle désirait apporter en voyage. Les vêtements s'entassaient sur le lit défait et, dans quelques minutes, la chambre eut l'aspect d'un véritable bazar. Quand Hélène détermina qu'elle avait suffisamment de vêtements de rechange pour quinze jours, Maria, les sourcils froncés, jugea qu'elle aurait de quoi se vêtir, elle, pendant toute une année.

Le problème vestimentaire résolu, Hélène fit certaines recommandations à Maria et lui donna aussi des instructions concernant son absence. Comme elle avait également prévu offrir une réception pour son comité de bienfaisance dès son retour, elle fixa la date au dix janvier, discuta de menu avec Maria et pria celle-ci de contacter Pierre, le chef cuisinier, et de retenir ses services pour la journée. Quand elle eut terminé de discuter les détails de ce dîner qui rassemblerait près d'une cinquantaine de convives, et qui se devait d'être éclatant, d'une part parce qu'elle n'avait pas reçu depuis le printemps, et d'autre part parce qu'elle voulait montrer à son entourage à quel point elle se portait bien, Hélène passa à la bibliothèque et mit enfin de l'ordre dans son courrier. Elle paya des comptes, écrivit des lettres, répondit à des invitations et remercia les gens qui lui avaient fait parvenir des fleurs ou des voeux de convalescence à la clinique. C'était également à cette période de l'année, dans ce temps de Noël si propice au partage, qu'elle consultait son livre de banque et faisait la charité. Tôt dans la vie, Françoise Chabrol avait inculqué à ses enfants qu'il existait pour le riche un devoir moral de partager avec le pauvre. Hélène n'avait jamais failli à ce devoir et, chaque année à la période des Fêtes, elle envoyait des dons à des organisations qui s'occupaient des gens les plus démunis de la terre.

La besogne du courrier mise à jour, Hélène retourna dans sa chambre terminer sa toilette. Ensuite, elle descendit au lavoir saluer Maria et lui faire par la même occasion ses voeux de Noël, puisque la domestique quitterait la maison avant qu'Hélène ne soit de retour à la fin de la journée. Le bruit de pas sur le carrelage du couloir attira l'attention de Maria. Elle releva la tête, contempla sa patronne et déclara avec un sourire franc :

— Comme vous êtes élégante, madame ! Cette toilette vous sied à merveille. Vous allez éblouir tout le monde à l'inauguration de cette campagne de charité. Quand je pense que la télévision sera sur les lieux, je n'ose pas y croire ! Eh bien ! vos amis verront tous à quel point vous vous portez bien. Je suis fière, très fière d'être à votre service, madame !

Hélène se mit à sourire, non pas d'orgueil, mais de joie sincère. Les paroles de Maria lui allèrent droit au coeur. Elle se sentit plus rassurée. Depuis sa sortie de clinique, il lui arrivait si souvent d'être atteinte par une vague d'insécurité, d'avoir peur d'ouvrir la bouche et de dire des paroles insensées, peur aussi de lire sur le visage de son entourage un sentiment de pitié. Et Maria, avec sa spontanéité habituelle, n'avait eu qu'à prononcer certains mots pour rehausser de quelques crans sa dose de courage. Elle la remercia gentiment et ajouta :

— Je n'aime pas beaucoup m'afficher devant les caméras. J'espère que les mots me viendront facilement. Les foules me rendent malade. Par contre, s'il y a beaucoup de monde, la campagne atteindra plus rapidement son objectif... Tant qu'il n'y aura qu'un seul inconvénient à chaque avantage, je crois qu'il ne faut pas se plaindre.

Sur ces dernières paroles, elle tendit à la domestique une enveloppe que celle-ci, malgré une certaine gêne, ouvrit fébrilement. Maria avait deviné qu'il s'agissait de son cadeau de Noël, mais en voyant la somme du chèque, le rouge lui monta aux joues, et elle demeura bouche bée. Après un moment, elle réussit à balbutier :

— Oh ! Madame Vallée... Ça n'a pas de bon sens... Vous êtes trop généreuse... Comment vous remercier ! dit-elle, profondément émue.

Des larmes remplirent ses yeux. Hélène en éprouva un serrement de coeur. Elle murmura :

— Voyons, Maria, séchez vos larmes et n'en parlons plus. Je voulais que vous sachiez que j'ai beaucoup apprécié la façon dont vous avez tenu la maison et servi mes intérêts en mon absence. Avec ce chèque acceptez mes remerciements et mes meilleurs voeux pour Noël et le Nouvel An.

Hélène quitta la maison en limousine. Sur son trajet, elle fit quelques courses, arrêta à la banque où le gérant la reçut immédiatement. Elle profita de l'occasion pour choisir dans son coffret de sûreté certains bijoux dont elle voulait se parer pour compléter sa toilette. Lorsqu'elle revint à la voiture, Albert, dont le regard exprimait l'inquiétude, précisa qu'à cette période des Fêtes, il aurait du mal à être à l'heure au Complexe Desjardins. À mesure qu'ils approchaient du centreville, le trafic se faisait de plus en plus lourd. Certaines rues étaient complétement congestionnées. Hélène, qui s'adressait des reproches, se faisait du mauvais sang. Ils avançaient à une allure d'escargots à travers l'incroyable circulation. Enfin, grâce à la débrouillardise du chauffeur qui tricotait adroitement parmi les sens uniques, Hélène arriva dix minutes avant son temps. Elle pénétra à l'intérieur de l'édifice et s'aperçut que, pour rejoindre l'estrade d'honneur, il lui faudrait l'aide d'un agent de sécurité. À cette heure du jour, la foule était très dense. Outre les curieux qui raffolent de ce genre de distraction, il y avait également les milliers d'employés de bureau de la maison, qui se trouvaient dans la période du lunch. Madame Gagnon, la présidente de la campagne, avait invité à l'inauguration plusieurs têtes d'affiche. En plus du maire de la ville, des vedettes du sport, des artistes de la télé et des personnalités en vogue attiraient une foule impressionnante. Une chaîne de télévision avait également accepté de diffuser l'événement. Le rôle d'Hélène, puisqu'elle était, à cause de sa fortune, un personnage bien en vue, consistait à présenter publiquement les invités. Elle remettait sa cotisation personnelle et incitait le public dans un message bref, mais persuasif et touchant, qu'elle avait elle-même rédigé, à donner généreusement. Plusieurs kiosques étaient dressés çà et là et des dames bénévoles acceptaient les dons. Dans tous les centres d'achat, dans l'entrée des grands magasins, dans certains halls d'hôtel et cela à l'échelle de la province, la campagne de souscription se déroulait de cette façon. C'était la période de l'année où les établissements commerciaux étaient le plus achalandés et les organisateurs avaient choisi cette date.

Tout se déroula très bien. L'inauguration fut un succès. Les invités furent dirigés ensuite vers une salle intime et discrète où un vin d'honneur était servi en guise de remerciements. Hélène sirota un verre en compagnie d'un jeune chanteur populaire qui ne cessait de vanter sa réussite. Elle le trouva fat et ridicule. Deux heures plus tard, grâce à une chance incroyable, elle était libérée de ses fonctions.

Comme elle s'apprêtait à sortir dans la rue, elle se rappela qu'elle devait rencontrer monsieur Drouin, son conseiller financier, dont le bureau se trouvait au seizième étage de l'édifice. Nelson le détestait, mais Hélène avait pleinement confiance en lui. C'était un vieil ami de la famille que son père estimait beaucoup, à cause de sa très grande compétence et de ses jugements éclairés. De toutes les occasions, il avait toujours été de bon conseil, et Hélène, tout comme son frère Alain, s'en remettait à lui en matière de placements. Elle prit l'ascenseur et monta à son bureau. Lorsqu'elle redescendit une heure plus tard, on présumait à l'expression radieuse de son visage qu'Hélène ne s'était pas déplacée inutilement. Dehors, la limousine l'attendait. Elle se fit conduire, malgré une circulation dense qui allait à pas de tortue, dans un grand magasin de la rue Sainte-Catherine. Partout, les piétons encombraient les rues, les bras chargés de paquets. Il faisait froid et le vent, par intervalles réguliers, prenait la rue en enfilade. Les gens pressaient le pas et s'agglutinaient aux intersections. Des mères avec de jeunes enfants tiraient sur eux pour les faire avancer plus vite. Hélène s'engouffra à l'intérieur du magasin et vit qu'une foule nerveuse et compacte s'agitait dans l'établissement. Elle consulta l'indicateur, fit la queue devant l'escalier roulant et finalement atteignit le cinquième. D'un pas sûr, elle se dirigea vers les appareils électroménagers. Un beau choix de lave-vaisselle s'étalait devant elle. Il y en avait de toutes les marques, à des prix variés. Avec attention, elle se pencha sur chacun d'eux, mais s'attarda devant les marques les plus réputées. En cherchant des yeux un commis, elle aperçut un jeune homme qui s'avançait vers elle en se dandinant. Il semblait évoluer au son d'une musique rythmée qu'elle soupçonnait plus qu'elle n'entendait, enterrée qu'elle était par le vacarme régulier du va-et-vient et des conversations. À mesure qu'il approchait, Hélène le trouvait plus jeune que sa stature athlétique ne le laissait présager.

— Puis-je vous aider, madame ? demanda-t-il poliment, tout en roulant des épaules et en faisant claquer ses doigts au rythme de la musique.

Hélène le dévisagea avec étonnement. Son visage était celui d'un enfant avec quelques poils au menton.

— Que connaissez-vous au sujet des lave-vaisselle ? s'informa-t-elle, visiblement incrédule.

Il élabora un sourire candide.

— À part le prix inscrit sur l'étiquette et le nom des marques indiqué sur l'appareil, rien du tout.

Elle se mit à sourire avec lui. Il était d'une franchise désarmante.

— Je vois, dit-elle. Vous êtes un étudiant.

— Vous tombez pile.

— Pourquoi ne travaillez-vous pas au rayon des disques ? Je crois que vous seriez plus utile là-bas qu'ici.

Le visage de l'adolescent s'illumina complètement.

— Vous, vous auriez fait une fortune en affaires. Vous comprenez vite. J'avais postulé pour travailler dans le rayon des articles de sport ou dans celui des appareils de musique et on m'a affecté ici. Je ne connais rien au fonctionnement des appareils que je vends, mais je suis capable de rédiger une facture.

Hélène le trouvait de plus en plus sympathique. Elle ajouta avec beaucoup d'égards :

— Vous êtes très aimable, mais, voyez-vous, je voudrais avoir des explications avant de fixer mon choix. Je ne m'y connais pas beaucoup non plus et j'aimerais qu'on me renseigne davantage, qu'on réponde à mes questions. Soyez gentil et dites au monsieur aux cheveux gris là-bas de venir me voir quand il aura terminé avec son client.

— C'est le gérant. Il saura bien vous renseigner. Je vais vous l'envoyer. Au revoir, madame.

Il courba la tête dans un geste poli et déférent et s'éloigna en ondulant son grand corps souple en direction de l'homme d'expérience. Quinze minutes plus tard, avec l'aide de ce dernier, Hélène arrêta son choix sur un appareil étiqueté portatif de luxe et de marque réputée. Le prix allait de pair avec la qualité. Mais Hélène, pour les cadeaux de tante Agnès, ne lésinait jamais. Rien n'était jamais ni trop beau, ni trop cher pour Agnès Mercier, la seule personne au monde chez qui elle pouvait se réfugier à n'importe quelle heure du jour ou de la nuit quand le malheur l'accablait.

— Tout semble parfait, dit le gérant. Mais je ne peux pas vous certifier que l'article pourra être livré pour Noël. Demain, c'est déjà le 23, et ils sont débordés à la livraison.

Pendant un instant, Hélène parut désemparée. Il n'était pas question que tante Agnès reçût son cadeau à une date qui ne présentait plus le même cachet. L'effet n'était plus le même. Elle réfléchit et dit avec détermination :

— C'est un cadeau de Noël et je tiens à ce que cette personne le reçoive à temps. Je suis prête à payer les coûts d'une livraison spéciale.

Le gérant n'émit plus aucune objection et Hélène, son achat terminé, se dirigea vers l'ascenseur, pleinement satisfaite. Elle songeait, en souriant à elle-même, à ce que serait la joie de tante Agnès quand elle déballerait le présent. Avec ses deux petites pensionnaires, finie la corvée de la vaisselle ! Comme sa santé était à la baisse, cela la soulagerait. Tout en étant absorbée par la santé de tante Agnès, Hélène fit un arrêt au rayon des jouets. Il y avait ici une foule plus dense et plus bruyante qu'ailleurs. Elle était en partie composée d'enfants et d'adolescents. Les adultes allaient et venaient avec difficulté. Elle dut jouer des coudes pour s'approcher des étalages. Plus loin, des enfants d'âge scolaire s'attroupaient autour d'une table. Elle s'approcha et vit qu'ils étaient fascinés par un jeu électronique. Un long moment, elle essaya de déchiffrer le message de sons qu'elle entendait, mais n'y parvint pas. Elle suivit du regard un point lumineux qui se déplaçait sur un petit écran et qui semblait avoir un certain rapport avec les sons, mais ne fut guère plus éclairée. Elle se pencha vers l'enfant qui se trouvait devant elle et lui demanda son âge.

— Huit ans, dit le gamin.

— Et tu es assez vieux pour comprendre ce jeu ? demanda-t-elle.

— Bah ! C'est pas difficile. J'suis pas nono ! dit-il d'un air insulté.

— ...Évidemment, bredouilla Hélène, légèrement désorientée par la réponse du jeune garçon.

Par un tour de force inimaginable, elle finit par mettre la main sur une vendeuse, acheta le jeu en question et le fit parvenir à Mélissa et Stéphanie Leroyer, également par le biais d'une livraison spéciale. Pour Lyne, sa belle-soeur, Hélène savait que rien ne lui faisait plus plaisir que de l'argent sonnant. Albert avait déjà reçu l'ordre de livrer le cadeau la veille de Noël. Quant à ses amis, elle commandait par téléphone des vins de qualité. Donc, il ne lui restait plus que ses achats personnels à terminer. Elle descendit au rez-de-chaussée et fureta tranquillement devant les comptoirs aux mille trouvailles. Hélène adorait examiner la nouveauté. Ici, particulièrement, les étalages aux couleurs chatoyantes étaient harmonieusement disposés. Elle était en train d'explorer une vitrine de sacs à main, quand, levant les yeux, elle repéra dans la foule, à une vingtaine de pas devant elle, l'ingénieur Marc Leroyer qui, face à l'escalier roulant, cherchait quelqu'un du regard. Hélène se déplaça et vint le saluer. Il avait les bras chargés de colis et son visage paraissait accablé d'une profonde lassitude. Le magasinage ne semblait pas être son sport préféré. Toutefois dès qu'Hélène pénétra dans son champ de vision, le visage de Marc s'égaya tout à coup ; la lassitude disparut de son regard et ses lèvres s'épanouirent d'un sourire chaleureux et fort engageant.

— Quelle agréable surprise! dit-il. Je ne m'attendais pas à vous rencontrer ici. Les gens sont déments de venir magasiner l'avant-veille de Noël. Ils n'ont certes pas tous les excuses que nous avons, vous et moi. Avez-vous déjà vu une foule pareille ?

Il avait tellement l'air ahuri qu'Hélène éprouva de la difficulté à ne pas éclater de rire. Vraiment, de cet homme émanait quelque chose de très attachant, dont Nelson était totalement dépourvu. Elle identifia cela comme étant une qualité intérieure, une qualité d'âme qui s'apparentait à la fois à la simplicité et à la limpidité du cristal et qui vous enveloppait d'une vague de fraîcheur très réconfortante. Elle se sentait à l'aise auprès de lui et se demandait si ce sentiment était partagé. En l'observant, elle pensa soudain à sa conversation de la veille avec Richard O'Neil et se demanda si ce dernier avait pu contacter l'ingénieur au cours de la matinée, comme elle lui avait conseillé de le faire. La réponse arriva d'elle-même par pure coïncidence. Il dit :

— Je voulais venir ce matin, il y aurait eu sûrement moins de monde, mais j'avais des coups de fil à donner et d'autres à recevoir.

— Vos affaires vont bien ? demanda-t-elle.

Il marqua une certaine hésitation avant de répondre, comme s'il avait décelé la raison profonde de cette question.

— Plus que je n'osais l'espérer.

Il l'observa quelques instants d'une façon plutôt étrange, puis il détourna les yeux et, pendant quelques secondes, sembla perdu dans ses réflexions. Quand, à nouveau, il la regarda, son visage avait épousé une forme de neutralité où rien ne se lisait. Après un temps, il dit :

— Finalement, avec les préoccupations de la matinée, je suis arrivé ici à deux heures. J'ai mis une heure à faire le trajet. Je n'aurais jamais dû descendre dans le centre-ville avec ma voiture. C'est infernal, une circulation semblable !

Il avait déposé un colis à ses pieds. Évaluant les trois boîtes qu'il tenait dans ses bras, Hélène conclut qu'il devait avoir terminé ses achats des Fêtes. Il se pencha vers elle et dit confidentiellement :

— J'ai acheté des patins aux filles. Croyez-vous qu'elles seront contentes ?

— C'est une excellente idée. Elles sauteront de joie. J'avais justement l'intention de les amener patiner certains dimanches après-midi.

— Vous êtes très aimable, dit-il un peu gêné.

Il y avait de l'embarras dans son regard. Il se mit à lui sourire gentiment. Ce sourire était si tendre que, mal à l'aise, elle détourna les yeux. Il se rendit compte qu'il l'avait troublée. Alors, il ajouta le plus naturellement du monde sur un sujet très peu compromettant :

— Comme vous n'avez rien dans les bras, Hélène, je présume que vous venez d'entrer ?

— Je suis arrivée voilà environ une heure. Mes achats ne sont pas terminés. Et vous ? s'enquit-elle.

— Moi, je partais. Ma liste est complète... J'attends une jeune fille... La voici qui vient... Je vais vous la présenter. Je l'ai rencontrée avant mon départ à l'automne. Elle est charmante... Elle ressemble étrangement à ma femme, Annie... Vous ai-je dit que vous êtes ravissante, aujourd'hui, Hélène ?

Une grande jeune fille à la chevelure blonde, aux traits fins et réguliers et belle comme une madone avec ses grands yeux bleus frangés de longs cils, avança vers eux avec une souplesse et une grâce félines. Hélène l'observa et blêmit. Elle connaissait cette fille. Une douleur aiguë lui sillonna brusquement la tête et descendit le long des fibres nerveuses. Elle tourna vers Marc un visage tourmenté. Des larmes perlaient à ses cils. Elle dit précipitamment :

— Je ne veux pas la rencontrer, Marc. Cette fille n'est pas charmante comme vous le prétendez. C'est un vrai démon. Je ne lui ai jamais parlé, mais je la connais. Méfiez-vous, elle vous fera du mal !

Hélène tourna les talons, mais une poigne solide la retint par le bras.

— Vous en avez trop dit et pas assez, fit-il d'une voix incisive. Expliquez-vous !

Tout s'était déroulé si vite que, lorsque Hélène comprit l'embuscade dans laquelle elle se trouvait, il était trop tard, la jeune fille arrivait à sa hauteur, exhibant un sourire éblouissant. Mais ce sourire s'estompa d'un coup sec lorsqu'elle identifia la jeune femme qui lui faisait face. Marc, qui assistait à la scène en spectateur attentif, fut atteint lui aussi par le courant d'air glacial qui s'abattit soudainement sur eux. Il lança d'une voix peu animée :

— Inutile de vous présenter. Je crois que vous vous connaissez, mesdames.

— En effet, dit Hélène, les présentations sont inutiles. Nous nous connaissons depuis longtemps, mademoiselle Dubois et moi.

Marc prit la main de Brigitte et la serra dans la sienne. La jeune fille le regarda et lui sourit timidement. Elle paraissait nettement embarrassée de la présence d'Hélène, et celle-ci ne se sentait guère en meilleure posture. Cependant, dans l'âme d'Hélène, l'émotion graduellement se dissipa. Le trouble et le malaise s'estompèrent également. Le souvenir de ses longs stages en clinique raviva en elle une douleur presque physique que sa mémoire, aussi longtemps qu'elle vivrait, ne saurait atténuer. Alors, la colère comme un torrent trop longtemps contenu déferla dans ses veines et rejoignit ses lèvres avec une agressivité stridente.

Elle leva les yeux vers Brigitte et la fixa d'un regard impitoyable.

— Je ne gaspillerai pas ma salive bien longtemps, vous n'en valez pas la peine. Écoutez ceci : je n'ai que deux mots à vous dire. Personne dans tout Montréal n'ignore, à l'exception de monsieur Leroyer, que vous êtes la maîtresse de mon mari depuis plus de quatre ans. Et vous l'êtes toujours car, voyez-vous, hier soir j'ai dîné avec Nelson. Il m'a dit que vous étiez absente pour quelques jours... jusqu'au 27, si je ne m'abuse... Vous n'êtes pas allée bien loin, à ce que je vois... Pauvre Nelson qui doit croire en vos déclarations d'amour ! Quel idiot il fait, maintenant ! ... Si seulement il le savait... Une chose que vous devez ignorer, ma chère, c'est qu'hier soir, au cours du long entretien que nous avons eu, je lui ai fait part de mon intention de divorcer. Il deviendra un homme libre. Un homme riche et libre. Donc, un parti intéressant pour une fricoteuse de votre espèce... Quel couple bien assorti vous allez former ! Je vois très bien ça d'ici... D'habitude, les rapaces se reconnaissent et se groupent entre eux. Votre nature devrait savoir que les pères de famille ne vous conviennent pas du tout.

Hélène se tut et vit le visage de Marc devenir blanc comme du papier. Son regard vide de toute expression avait une teinte qu'elle ne lui avait jamais vue. De toute évidence, il souffrait atrocement. Si le coeur n'était pas réellement en cause, l'orgueil et la vanité masculine venaient d'exécuter toute une embardée.

Hélène dirigea à nouveau son regard vers Brigitte Dubois et emprunta un ton cassant pour ajouter :

— Je ne laisserai plus personne désormais me faire du mal, pas plus vous que Nelson. J'ai un enregistrement de votre voix que je conserve en lieu sûr. Je vous préviens que si vous me harcelez encore au téléphone, je n'hésiterai pas à mettre la police à vos trousses que vous soyez devenue Mme Machinchouette ou Mme Nelson Vallée. Je consacrerai ma fortune à vous démasquer, s'il le faut. TENEZ-VOUS-LE POUR DIT !

Hélène s'interrompit, puis elle se tourna vers l'ingénieur et murmura péniblement :

— Je suis désolée, Marc... Je suis réellement désolée de vous avoir fait de la peine... Elle devait être très jolie, Annie !

Chapitre 6

Brigitte Dubois faisait partie de cette race de personnes assez particulière que l'insulte n'atteint pas en profondeur. Étant donné qu'elle était passée maître dans l'art d'attaquer, elle avait dû par la force des choses apprendre à encaisser. C'était comme si, à l'intérieur de sa peau, elle s'était tissé une doublure de caoutchouc où tout rebondissait sans jamais toucher le coeur. Elle allait là où était son intérêt, franchissant les murs, relevant les obstacles qu'elle que fût leur nature, sans égard pour rien ni personne. Et si, d'aventure, elle se heurtait à quelqu'un de son envergure, un instinct protecteur l'habitait qui lui conseillait de s'en faire un ami ou de l'écarter carrément de sa route.

D'ailleurs, la présence de Nelson dans sa vie prouvait le bien-fondé de cette théorie. Dès la première minute où elle le vit, elle comprit immédiatement, à la seule façon dont il la désarçonna, que cet individu se distinguait des autres. D'habitude, quand elle paraissait dans un salon, tous les regards convergeaient vers elle et pas un seul homme ne demeurait insensible à sa beauté.

Or, ce soir-là, lorsque Nelson arriva à la réception où elle tenait un rôle d'hôtesse pour la maison qui l'employait comme mannequin, il lui dit, après qu'elle lui eut tendu un verre :

— Combien valez-vous ?

— Pardon ? dit-elle.

— Vous avez bien entendu. Combien pour une nuit ? Pas pour une heure ou deux, je déteste les services rapides. Mais pour retenir vos services une nuit entière, vous exigez combien ?

Elle n'eut même pas le temps d'évaluer l'ampleur de l'insulte, qu'elle ressentit une forte hausse de température sanguine. Elle bouillonnait. Aucun homme ne lui avait jamais parlé de cette façon, car cette grâce angélique qui émanait de sa personne et ses manières distinguées exigeaient de son entourage le plus grand respect. Elle savait pourtant combien sa beauté attirait et retenait les regards, mais toujours elle agissait de manière à ce que les gens crussent qu'elle n'attachait à ce détail aucune importance. Partout où elle déambulait, elle feignait d'ignorer la splendeur et la séduction dont la nature l'avait pourvue, ce qui ajoutait à son charme encore plus d'éclat. Aussi lorsque cet homme — qui, au premier abord, lui avait paru très distingué avec ce port altier, cette allure racée et fière — l'insulta de façon aussi vulgaire, la colère instantanément alluma le regard de la jeune fille. Le rouge lui monta aux joues, la haine durcit les muscles de son visage et son beau masque angélique fondit comme de la cire au soleil.

Alors, un rire malicieux s'échappa des lèvres de Nelson, qui mit Brigitte dans un fol accès de rage. Grâce à son flair exceptionnel, il sut prévenir à temps un geste qui eût attiré sur eux les regards en retenant la main qui voulait le gifler. Tel un brasier, les yeux de la jeune fille, rivés dans ceux de Nelson, lançaient des étincelles.

Quelques secondes passèrent où aucune parole ne fut échangée. Mais ces instants de silence ne furent pas inutiles, ils servirent à s'observer, à s'étudier, à s'analyser pour mieux jauger l'autre. Ce court laps de temps avait également permis à Brigitte de retrouver le contrôle de ses actes. Sa vive intelligence avait aussi pris le temps d'évaluer la nature de la situation. Il y avait chez elle un pouvoir de se maîtriser qui équivalait presque à celui de Nelson. Elle raccrocha subitement un sourire à ses lèvres. Ses yeux se remplirent d'une douceur veloutée et son visage retrouva comme par magie une candeur de madone. Ses lèvres s'entrouvrirent et elle demanda d'une voix très aimable :

— Monsieur Vallée, je n'ai pas bien entendu votre prénom. Auriez-vous l'obligeance de me le répéter, s'il vous plaît ?

Nelson l'observa et son visage s'éclaira d'un sourire complice. Il lui tendit la main et courba légèrement la tête en se présentant.

— Je m'appelle Nelson Vallée. Permettez-moi de vous offrir un verre, mademoiselle Dubois.

— Je vous remercie, mais je ne bois jamais au travail, dit-elle dans un sourire suave. Néanmoins, je l'accepterai après la soirée si vous avez les moyens de passer la nuit avec moi.

Il n'y eut pas le moindre vacillement dans le regard de Nelson. Il ne cilla même pas. Pourtant, Brigitte avait visé juste ; elle venait de toucher la corde la plus sensible de son coeur, celle de l'argent. Il ajouta d'un ton tout aussi charmant :

— Puis-je connaître le chiffre auquel vous pensez ?

— Pour vous, pour un homme de votre qualité, ce sera... disons, trois mille dollars.

L'énormité du chiffre glissa sur Nelson comme des

gouttelettes d'eau sur les plumes d'un canard. Il se mit à sourire et fronça les sourcils.

— C'est bien ce que je pensais, vous ne valez pas cher !

Il avait pris soin de terminer son exposé en agrippant solidement la main de la jeune fille. Il détestait recevoir des gifles. Il préférait les donner. De nouveau, le visage de Brigitte se convulsait sous l'emprise de la colère.

— Vous êtes un goujat, lança-t-elle furieusement.

— Vous avez probablement raison, mais baissez le ton, s'il vous plaît. Les meilleures transactions ne se crient pas sur les toits. Voyez-vous, mon cher petit ange, quand on ne veut pas attirer les paris sur son corps, on ne porte pas un décolleté jusqu'au nombril. Ça donne des airs de prostituée. Et je suis convaincu que tout ce que je vois, tout ce que je soupçonne et tout ce qui se cache derrière ce joli petit front valent plus que cela. Maintenant, mettons les choses au point. Je vous offre cinq mille dollars pour la nuit. Et si je suis satisfait, vous deviendrez ma maîtresse aussi longtemps qu'il vous plaira. À présent, je ne vous ennuierai plus du reste de la soirée. Vous êtes libre. Mais réfléchissez à ma proposition et si elle vous convient, nous nous retrouverons à mon appartement votre travail terminé. Voici ma carte. J'aviserai le portier et vous n'aurez pas à sonner. Je vous préparerai un cocktail qui vous fera oublier à quel point vous me détestez en ce moment. Je vous promets que nous passerons une nuit d'amour comme vous n'en avez jamais connue auparavant.

Il lâcha sa main et ajouta avec une tendresse malicieuse :

— À plus tard, mon cher petit ange !

Brigitte le regarda s'éloigner, alors que la haine lui

dévorait le coeur. Elle voulait le tuer, lui arracher les yeux, le faire brûler à petit feu, pour lui lier les pieds et poings de cette façon, car aimant l'argent comme elle l'aimait, comment pouvait-elle refuser pareille proposition ?

Brigitte vint... et Brigitte demeura. Et aussi invraisemblablement que cela puisse paraître à première vue, ou au raisonnement d'une personne sensée, elle aima Nelson. Dans un même temps, elle pouvait également aimer un autre homme sans nuire au premier amour. Dans sa poitrine, plusieurs petits coeurs palpitaient à tour de rôle. Cependant, Nelson était son homme et... pour le moment, il était également le plus riche parmi tous ceux qu'elle fréquentait. Hormis cette dernière et précieuse qualité, jusqu'ici aucun autre homme n'avait eu sur elle autant d'emprise que lui. Il la dominait, il était son maître et c'est ainsi qu'elle aimait être conquise.

Sa rencontre avec Marc Leroyer fut de nature bien différente, bien que ce fût une rencontre de hasard comme d'habitude, car certaines personnes ont le pouvoir de faire surgir des hasards à tout propos. Mais véritablement, dans le cas de Marc Leroyer, Brigitte n'y fut pour rien. Ainsi, avec l'ingénieur Leroyer, le hasard fit les choses avec simplicité et la rencontre fut fortuite. Marc pénétrait dans un restaurant à l'heure du lunch et toutes les tables étaient prises. C'est alors qu'il la vit là, mangeant toute seule, les yeux baissés sur un filet mignon et dégustant son repas avec appétit. C'est seulement lorsqu'il eut reçu la permission de s'asseoir en face d'elle et qu'il la vit tout entière, qu'il se rendit compte de l'ampleur de la ressemblance. Pas un seul jour depuis le départ d'Annie ne s'était écoulé sans que son esprit en période de repos ne revint à sa femme. L'ennui et la solitude remplissaient son coeur jour après jour depuis deux ans. Ce jour-là, exceptionnellement, plus que les autres jours, la tristesse baignait son âme et ravivait une plaie à peine cicatrisée. Un moment, Marc Leroyer crut en contemplant cette jeune fille qui lui souriait si gentiment que sa vue se dédoublait, qu'il était victime d'un mirage, que son esprit lui jouait des tours. Si souvent il avait souhaité que sa femme chérie revînt auprès de lui, ne fût-ce que quelques secondes, juste le temps de la regarder, de se remplir les yeux afin de raviver son souvenir, de lui demander si elle allait bien, si elle était heureuse là où elle se trouvait, qu'il était prêt à consentir à ne pas l'approcher pour ne pas l'effaroucher. Oui, il était prêt à se tenir à distance pour respecter les limites avec l'au-delà. Il acceptait aussi de ne pas toucher ses bras, de ne pas caresser la peau blanche de son cou, de ne pas prendre ses lèvres et de les baiser doucement, de ne pas l'étreindre dans ses bras pour que leurs deux corps ne fassent plus qu'un. Oui ! il était prêt à respecter toutes les conditions pour avoir le droit de l'apercevoir une seule petite seconde.

— Annie ! dit-il dans un regard ébloui.

Brigitte leva les yeux vers l'homme et souligna en fronçant les sourcils :

— J'ai bien peur de vous décevoir, mais je ne suis pas Annie. Mon nom est Brigitte Dubois.

Il demeura bouche bée. Il devait rêver. C'est sûr qu'il devait rêver ! Il n'était certainement pas dans son assiette, car, autrement, comment aurait-il pu confondre sa chère petite Annie avec une autre ? La voix ! Même la voix avait la juste tonalité, douce et légèrement cristalline. Le bleu des yeux, la vivacité du regard, les pommettes hautes, les lèvres un peu charnues, la blancheur de la peau, tout y était. Il n'en croyait pas ses yeux. Cela dépassait l'entendement. Était-ce possible que deux femmes, sans aucun lien de parenté, fussent taillées dans un moule identique ? Fasciné et stupéfait, il n'arrivait pas à détacher son regard du visage qui l'observait avec un étonnement grandissant. Visiblement mal à l'aise, Brigitte, n'y tenant plus d'être détaillée de la sorte, détourna la tête et explora des yeux les tables voisines. C'est alors que Marc décela la vérité. C'est seulement à ce moment précis qu'il sut avec certitude que cette femme n'était pas Annie. Car Brigitte en tournant la tête ne laissait pas voir sur la tempe, tout près de l'oeil droit, une petite tache de vin qu'Annie détestait tant. Dans ce même coup d'oeil, il analysa le profil de la jeune fille et estima que, malgré l'extraordinaire ressemblance, celui qu'il observait en ce moment frôlait la perfection, tandis que chez Annie la ligne du nez n'était pas aussi parfaite, ni le menton aussi provocant.

Finalement, Marc Leroyer retrouva ses esprits et ses bonnes manières et pria la jeune fille de bien vouloir excuser son comportement bizarre. Il se présenta et expliqua avec une certaine maladresse les raisons qui avaient engendré une attitude aussi peu conforme aux règles de la bienséance.

C'est ainsi qu'ils se connurent et qu'ils devinrent par la suite de bons amis. L'amitié qui les unissait était empreinte de bonhomie et de spontanéité. À chaque rencontre, Marc la considérait comme une perle rare et son éblouissement ne tarissait pas. De son côté, Brigitte adorait être l'objet d'une telle contemplation et se conduisait de manière à être adulée. Brigitte camouflait son jeu avec adresse et se dévoilait très peu. Marc connaissait d'elle ce qu'elle voulait bien lui révéler. Pauvrement doué en psychologie féminine, comme le sont la plupart des hommes, il croyait dur comme fer à ses qualités de bonté, de bienveillance, de générosité qu'elle affichait avec perspicacité. Elle était subitement devenue une jeune fille de belle éducation et de bonne famille qui consacrait les quelques loisirs que lui laissait sa profession de pédagogue auprès de l'enfance inadaptée, à étudier les langues à l'université. Elle était aimable, courageuse, bonne et... belle comme un ange par surcroît. Brigitte adorait jouer la comédie et s'amusait à tenir ce rôle de la jeune fille parfaite, si bien que Marc en eut plein les yeux. Et bien habile eût été l'homme qui eût pu la démasquer! Elle s'habillait avec sobriété et jamais elle ne portait en présence de Marc des bijoux trop éclatants. Brigitte eut même le front, toujours pour ne pas ternir sa belle auréole, de refuser une certaine proposition que l'ingénieur lui avait adressée un soir où il l'avait longuement embrassée; ce qui l'avait d'ailleurs projetée au septième ciel. En fait, depuis leur toute première rencontre elle avait eu le goût de cet homme, un goût physique, plein de convoitise, où tous les sens sont exacerbés, réduits à l'assouvissement dans les plus brefs délais. Mais l'ingénieur Leroyer ne sut jamais cela. Il devait ignorer bien d'autres choses aussi. Jusqu'à la fin de leur amitié, il fut incapable de se douter qu'elle tenait ce rôle uniquement parce que cet homme correspondait à un rêve, au grand rêve de ses quinze ans, car elle avait décelé chez lui une certaine ressemblance avec le héros du film *Le Docteur Jivago*, et que celui-ci avait rempli son coeur pendant toute une année.

* * *

La déclaration intempestive d'Hélène Vallée et son départ précipité avaient laissé l'ingénieur et sa compagne, l'un en face de l'autre, complètement abasourdis. Toutefois, la stupéfaction qu'ils éprouvaient l'un et l'autre n'était pas de même nature.

Marc, en proie à un puissant accès de colère, se faisait horreur à lui-même. Les paroles d'Hélène lui avaient ouvert les yeux. Il se détestait pour s'être fait rouler comme un imbécile. Lui, un homme d'expérience, un homme d'âge mûr, avoir été subjugué par une petite peste au point d'en être ridicule ! Comment avait-il pu glisser dans le panneau aussi facilement ? Cependant qu'il s'abreuvait de reproches, il n'en pensait pas moins que cette fille était une garce et qu'elle méritait une bonne correction. S'il s'était écouté, il lui aurait donné une de ces leçons qu'elle en aurait mordu la poussière. L'étriper eût été à ses yeux une mort douce.

— Allons, Marc, dit-elle, il ne faut pas croire les propos de cette pauvre madame Vallée. Elle a fait quelques stages en clinique psychiatrique... Elle vient tout juste d'en sortir... Elle entend des voix. Elle peut tout aussi bien s'imaginer des choses, tu comprends.

Marc avait repris ses paquets et s'était dirigé d'un pas ferme vers la sortie, ignorant la présence de la jeune fille qui essayait de le retenir par le bras. Subitement, il s'immobilisa devant elle et la dévisagea.

— Donc, tu n'es pas la maîtresse de son mari et tout ce qu'elle a dit, elle vient de l'inventer ?

— Évidemment, mon chéri. Elle est folle, je t'assure. Elle a passé trois longs mois dans un asile. Elle est complètement déboussolée. Je ne m'explique pas pourquoi les médecins l'ont laissée sortir.

Le visage de Marc épousa soudainement une forme de neutralité qui rasséréna Brigitte.

— Pauvre femme ! On ne dirait pas ça à la voir, elle semble si charmante... En somme, je ne la connais pas beaucoup. On me l'a présentée, il y a quelques jours. Ah oui ! c'était le 20, je m'en souviens, dit-il, c'était le jour de ma fête.

Brigitte se mit à sourire.

— Drôle de coïncidence ! C'était justement le jour où elle sortait de clinique...

Elle se tut brusquement, se rendant compte de sa maladresse.

L'ingénieur fronça les sourcils.

— C'est curieux, dit-il ! Comment peux-tu connaître si exactement le jour où elle sortait de clinique ? Il la dévisagea intensément, secoua la tête et murmura comme pour lui tout seul : « Non, il n'est pas possible de supposer, après tout ce que je viens d'entendre, que vous pussiez être de grandes amies ! »

Les joues de Brigitte s'empourprèrent légèrement, si légèrement que ce détail eût pu passer inaperçu à l'oeil peu observateur, car rien d'autre dans l'expression de son visage ne se modifia. Mais comme Marc Leroyer épiait ses moindres réactions, il enregistra la légère coloration des pommettes. Néanmoins, il fut surpris de la vitesse avec laquelle elle retrouva son aplomb.

— Mon chéri, Hélène Vallée n'est pas n'importe qui. Quand on est la propriétaire des Aciéries Chabrol et qu'on roule sur l'or, on a également les journalistes à ses trousses. J'ai lu dans les journaux, dans une petite chronique mondaine, que madame Vallée sortait de clinique le 20 décembre et que sa santé lui permettait, malgré la précocité de l'événement, d'offrir son concours à une campagne de souscription pour une oeuvre de bienfaisance quelconque... C'est ainsi que se résume ma source d'information.

Elle termina son exposé en soulevant les épaules nonchalamment, comme pour signifier que son explication relevait d'une déduction évidente. Pendant tout ce temps, Marc ne cessait de l'observer, mais rien ne lui échappa. Après une courte période de réflexion, il ajouta d'un ton tout à fait neutre :

— Si ma mémoire est bonne, cette pauvre madame Vallée est sortie de clinique exactement le jour où, toi, tu rentrais de voyage. Tu es arrivée à l'aéroport à l'heure du lunch, m'as-tu dit ?

— C'est exact... et il faisait un soleil magnifique. Une journée splendide à n'en pas croire que l'hiver était arrivé.

L'ingénieur hocha la tête et ses lèvres se tintèrent d'un sourire laconique.

— Drôle de coïncidence ! Oui, en effet, drôle de coïncidence ! Comme il y en a eu des choses, le 20 décembre ! Il y en a eu un peu trop, je trouve, pour que tout cela relève du hasard. Car imagine-toi que, moi aussi, je me trouvais à l'aéroport à l'heure du lunch. L'une de mes valises ne m'avait pas suivi la veille à mon arrivée et j'ai dû retourner à l'aérogare la prendre le lendemain. Je t'ai aperçue au loin, je t'ai fait un signe, mais tu ne m'as pas vu. Évidemment, tu ne pouvais me voir ; tu étais trop éblouie par la belle limousine noire qui venait vers toi. J'ai également vu l'homme dans les bras duquel tu t'es précipitée. Vous vous êtes longuement embrassés. Je me suis approché pour être bien certain de ne pas te confondre avec une autre. Malheureusement, il n'y avait pas d'erreur possible. Eh oui ! c'était bien toi, Brigitte Dubois. Ma Brigitte... si bonne, si droite, si honnête, qui me disait dans sa dernière lettre combien elle avait hâte de me revoir... J'ai pu constater sur place que je n'étais pas le seul que tu avais hâte de revoir. Maintenant, après ce que je viens d'entendre, j'ai vaguement l'impression que la liste doit être longue...

Il soupira et la fixa d'un oeil glacial.

— Il y a autre chose aussi que tu ne sais pas et qui vient tout juste de s'éclaircir dans ma tête. Quand cet homme s'est approché de toi, il a lancé d'une voix gaillarde : « Tu es une belle canaille d'arriver ce matin, justement à l'heure où... » et là, les mots suivants m'ont échappé. Il termina sa phrase et j'ai pu saisir : « sortir de clinique pour faire ton entrée ». Tu vois, ma chère, j'étais à peine à trois mètres de toi et tu ne m'as pas vu. Le puzzle vient de se compléter. Je sais à présent qui sortait de clinique à cette heure-là ! C'était sa femme et cette femme n'est nulle autre qu'Hélène Vallée, parce que l'homme qui est venu te prendre est bel et bien Nelson Vallée, le mari de cette pauvre femme. Elle divague, m'as-tu dit ?... Tu es une belle petite garce ! On ne peut pas croire que la méchanceté peut aller si loin...

Acculée au pied du mur, Brigitte leva le nez et emprunta ses grands airs.

— Tu seras toujours un pauvre petit ingénieur de rien du tout ! Tu es un minable... Tu en as mis du temps pour comprendre !

Il lui siffla aux oreilles :

— Inutile de poursuivre. Tes insultes et tes sarcasmes me laissent complètement indifférent. Par contre, si un jour je te revois sur ma route, gare à toi, j'aurai peut-être le goût de te réduire en miettes comme en ce moment.

Les narines de la jeune fille frémirent et elle déclara, la voix pleine de défi :

— Bientôt, je serai madame Nelson Vallée. Tu as entendu, elle va demander le divorce. Alors, à ce moment-là, Marc Leroyer, rien ni personne ne pourra plus m'atteindre.

Un éclair métallique traversa les sombres prunelles de l'ingénieur.

— Quelle stupidité ! lança-t-il. Il faut être ignorant de la vie pour affirmer une aberration semblable.

Elle ricana.

— La fortune rend n'importe qui invincible.

— Si un jour, au hasard de quelques détours sordides, tu faisais connaissance avec le cancer, tu m'en reparleras.

— Dans ma famille, nous avons tous hérité d'une santé robuste. On meurt de vieillesse.

Il fit quelques pas, se retourna, et dit en la transperçant d'un regard dur :

— J'espère que tu vivras assez longtemps pour que la vie puisse te rendre ton change... Si j'étais le bon Dieu, ma petite, tu y goûterais... Oh oui ! tu ne peux pas t'imaginer à quel point tu y goûterais... Tu payerais même pour cette ressemblance avec Annie.

Et Marc Leroyer se dirigea vers la sortie, serrant contre lui les cadeaux qu'il avait choisis pour donner du bonheur à ceux qu'il aimait.

Chapitre 7

Brigitte ne fut guère ébranlée par les paroles de Marc. Elle alla même jusqu'à prétendre qu'elle s'en était passablement bien tirée. En tout cas, beaucoup mieux que dans bien des situations analogues où elle s'était empêtrée. Bien entendu, tous les hommes ne possédaient pas l'éducation de Marc Leroyer. C'était un deuxième point qu'elle accordait à l'ingénieur. Non seulement il ressemblait au Dr Jivago, mais encore il avait de belles manières avec les dames. Il dialoguait avec des mots, tandis que plusieurs ne se gênaient pas pour le faire avec les poings. Dans ces cas-là, les échanges étaient plus brutaux et surtout plus douloureux. Quant aux paroles, même les plus cinglantes ne faisaient jamais aussi mal qu'une bonne raclée. En somme, à bien y penser, Marc était un chic type. Brigitte le classerait parmi ses bons souvenirs.

Elle quitta le magasin et pénétra dans un bar où elle commanda un double whisky. Elle avait besoin de boire un verre pour s'éclaircir les idées. Elle se devait de bien réfléchir; les événements se précipitaient et le moindre faux pas pouvait être préjudiciable. Car Nelson Vallée n'était pas Marc Leroyer. Il était aussi rusé qu'un vieux politicien, méfiant comme dix et habile à déceler la moindre supercherie. Dieu, qu'il n'était pas facile à manipuler ! La plupart du temps, il fallait le prendre avec des pincettes. Il avait du tempérament. Oh que si ! Toutefois, de ce tempérament impérieux découlaient ses grandes ambitions. Jeune, Nelson n'était rien du tout. Il était parti d'en bas. Du plus bas que l'on puisse être quand on n'a ni nom ni fortune et que la pauvreté comme une teigne vous suit partout parce que le destin vous a doté d'une mère alcoolique et d'un père irresponsable. Et voyez maintenant où il était rendu ! Avec le pedigree par excellence pour devenir un voyou, il s'était juré de s'en sortir. Il avait réussi et il avait atteint les sommets. Aujourd'hui, il frayait dans les milieux les plus select de la bourgeoisie. Quel homme remarquable !

Brigitte n'avait pas terminé son verre qu'elle planait déjà auprès de Nelson dans les hautes sphères de la belle société. Elle se sentait assiégée de partout par un bonheur aux dimensions effarantes. Hélène allait demander le divorce ! Était-ce possible ? Après quatre années d'une lutte sans merci, Brigitte allait enfin atteindre son but. Elle soupira de bonheur. Quelques secondes passèrent où elle évalua ce merveilleux état d'âme, mais quand sa pensée rejoignit Nelson une ombre altéra sa joie. Ce dernier ne partagerait pas d'emblée son bonheur, puisqu'il s'était toujours vivement opposé au divorce. Elle savait qu'il perdrait quelques plumes dans l'annulation de son mariage civil, mais son habileté compenserait. En fait, le chantage étant une de ses spécialités, Nelson pourrait s'en tirer sans trop de pertes. Pendant l'heure qui suivit, Brigitte considéra les différentes facettes du problème et estima que la situation dans le contexte actuel se présentait assez bien. Il y avait lieu de croire que pour trouver enfin le repos et la paix, Hélène ferait sûrement des concessions. En outre, Brigitte savait qu'Hélène avait hérité de ses parents ses goûts simples et ses exigences modestes et que l'argent ne présentait pas pour elle le même attrait que pour Nelson. Indiscutablement, Hélène, elle, n'en avait jamais manqué. De plus, elle ne manifestait aucun penchant pour l'avarice. Il serait donc assez facile de l'inciter à un partage équitable. Après l'analyse de la situation, Brigitte, exaltée par les vapeurs de l'alcool qui s'infiltraient dans son organisme, s'avoua à elle-même qu'elle se trouvait privilégiée de tenir un rôle au sein d'une intrigue aussi palpitante. Assurément, il n'était pas question pour elle d'assister à la scène de façon passive. Bien au contraire, elle serait aux côtés de Nelson et sa tâche consisterait à l'appuyer, à le seconder dans ce débat qui s'annonçait des plus passionnants.

Brigitte quitta le bar avec l'idée bien arrêtée de montrer à Nelson que la future madame Vallée savait ce qu'elle voulait et qu'elle parviendrait, quelles que fussent les embûches, au but qu'elle s'était fixé.

* * *

Le lendemain, à l'heure même où Brigitte, révisant ses positions, pénétra dans l'appartement avec les joues blêmes, les traits tirés, les jambes chancelantes, en somme avec tous les attributs d'une femme qui, la veille, devait s'être fait avorter, Nelson Vallée s'envolait sur une ligne régulière d'Air Canada vers la Floride. Confortablement installé dans un fauteuil de première classe, Nelson observa par le hublot l'énorme Boeing 747 prendre son envol. Au moment précis où l'avion quittait la piste, il se rendit compte soudain qu'il était en vacances et qu'une belle semaine de repos s'annonçait devant lui. Ce départ précipité vers le Sud avait comme but ultime de lui permettre de réfléchir tranquillement aux derniers événements, tout en se délassant dans une ambiance agréable. En d'autres circonstances, il eût préféré visiter les pentes neigeuses du Colorado et faire du ski à volonté. Mais skier avait toujours exigé de lui une profonde concentration, et réfléchir à un problème sérieux eût été dans ce contexte presque impossible. Alors il avait choisi une destination vers le soleil, vers un lieu où la nature lui permettrait de taquiner indolemment le poisson, tout en accordant à son esprit la paix et le calme dont il avait besoin. À son arrivée à l'aéroport international de Miami, il se dirigea immédiatement vers un kiosque de location de voitures. Une demi-heure plus tard, il empruntait la direction de Key West au volant d'une Alpha Romeo rouge. Il était un peu plus de minuit quand il descendit au bar du Cubain Jose Mirandez. Nelson était rompu, il avait chaud et il avait soif. Il commanda la spécialité de la maison, le « Mirandez el Presidente », qui consistait en une forte quantité de rhum blanc, arrosé de jus de citron et de lime, dans un grand verre de glace broyée. Puis, le verre à la main, il se dirigea dehors, vers la terrasse arrière, attiré par les sons mélodieux d'une musique étrangère. Au centre d'une petite place, égayée de plantes tropicales et de bosquets fleuris, un grand jeune homme mince, très élégant, aux cheveux de jais finement bouclés, jouait sur une guitare une complainte espagnole. Un groupe de jeunes gens, assis par terre ou à demi étendus, aux cheveux plutôt longs et vêtus de tuniques et de jeans, l'entouraient, les yeux braqués sur lui. Nelson s'avança vers le groupe et prit place autour d'une table de jardin, surmontée d'un parasol. Il s'étira paresseusement, observa les jeunes gens d'un air méprisant, porta son verre à ses lèvres et se désaltéra. La nuit était calme et chaude et la voûte du ciel, parsemée d'étoiles. Une brise tiède traversa sa chemise au col ouvert, embaumant l'air d'une suave odeur de magnolia. Soudain, une jeune fille se leva et se détacha du groupe. Elle semblait très jolie. Elle paraissait aussi très jeune, à peine seize ou dix-sept ans. Un sourire généreux égaya subitement son visage. D'un geste intrépide de la tête, elle renvoya sur son dos sa longue chevelure d'ébène. Puis elle fixa d'un regard provocant l'assistance et se mit à chanter. Des sons tantôt graves, tantôt doux, au rythme de la complainte, s'échappaient de ses lèvres avec une volupté qui vous faisait vibrer jusqu'à l'âme. Elle chantait merveilleusement bien. Comme magnétisé par le chant, ou encore submergé par la fatigue, Nelson ne savait plus très bien où il en était, quand il s'aperçut qu'il ne pouvait détacher ses yeux de la jeune fille. Il était littéralement suspendu à ses lèvres et fixait avec désir les gracieux mouvements de son corps. Quand la jeune fille se tut et réintégra sa place, elle fut bruyamment applaudie. L'assistance la réclama à nouveau, mais la jeune Cubaine résista à l'appel et courut se réfugier à l'intérieur du bar, surplombé d'un petit hôtel méditerranéen, dont la clientèle se recrutait surtout parmi les penseurs et les artistes. C'était incontestablement un hôtel de second ordre qui, à première vue, aurait dû déplaire au tempérament bourgeois de Nelson. Cependant Nelson, sans qu'il sût les raisons profondes de cet engouement, adorait cet hôtel où il était descendu une dizaine de fois au cours des dernières années. Il était devenu un bon client de la maison, un client de choix, un client payant, et le maître des lieux, Jose Mirandez, s'occupait de lui personnellement. Nelson n'eut qu'à s'approcher du bar pour que le Cubain l'invitât d'un geste de la main à remplir son verre aux frais de la maison. Après vingt années en terre américaine, Jose Mirandez, un homme qui avait connu les belles années de La Havane, parlait un anglais coloré d'un fort accent espagnol. On sentait que cet accent qui faisait sourire la clientèle était devenu sa marque de commerce et que jamais il ne le perdrait, ne fût-ce que par respect pour ce pays où il avait grandi.

— Señor, dit-il, vous êtes seul ? La belle jeune fille aux cheveux blonds n'est pas avec vous ? Elle n'est pas malade au moins ?

— Elle va très bien, je vous remercie. Elle serait probablement venue, mais je ne l'ai pas invitée. Cette fois, je voulais être seul.

Le Cubain ouvrit de grands yeux étonnés.

— Señor, il n'est pas bon pour un homme d'être seul. En vacances, un homme seul est un homme triste.

Nelson eut un petit sourire moqueur. Il leva son verre au bon plaisir de son hôte et but quelques gorgées. Le Cubain pencha la tête au-dessus du bar et murmura :

— Señor, si la solitude vous pèse trop, faites-le-moi savoir...

Nelson approuva d'un clin d'oeil. Il se leva et se dirigea vers l'escalier. L'homme le suivit et demanda :

— Partirez-vous en mer dès demain, señor ?

— Oui. Cependant, je retiens ma chambre pour toute la semaine même si je prévois passer la plus grande partie de mon temps en mer...

Soudain, Nelson se tut et s'immobilisa. Une jeune fille venait de pénétrer dans la pièce. Elle était belle, terriblement belle et désirable. C'est alors qu'il reconnut en elle la jeune chanteuse cubaine. L'hôtelier s'approcha de Nelson, reluqua la jeune fille et dit fièrement :

— Cette jeune personne est ma nièce. Elle est ici pour quelques jours seulement... Cette enfant est merveilleuse. Et vous, señor, vous êtes un gentleman. C'est à elle que je pensais lorsque je vous ai suggéré...

Il n'eut pas besoin de terminer sa phrase que Nelson avait tout saisi.

— Oui, je vois, dit-il... Comme elle est splendide !

Jose Mirandez fit claquer ses doigts et la jeune fille le regarda. D'un simple mouvement de la tête, il l'invita à venir le rejoindre. Aussi obéissante que provocante, la jeune fille avança vers son oncle avec un merveilleux sourire aux lèvres.

— Señor Vallée, voici ma nièce, Christina Sanchez.

Au lieu de tendre la main, la jeune Cubaine s'approcha de Nelson, se leva sur la pointe des pieds et lui donna un baiser sur la joue.

— Je suis heureuse de faire votre connaissance, señor. Les amis de l'oncle Jose sont aussi mes amis.

Cette phrase prononcée dans un piètre anglais résonna harmonieusement aux oreilles de Nelson. Il plongea son regard dans les yeux de braise de Christina, puis dans son corsage qui se tendait à chaque respiration, et il sut immédiatement qu'il ne dormirait pas seul. Après tout, il était en vacances ! Pourquoi n'en profiterait-il pas ? « Demain, songea-t-il, demain, j'aurai tout le temps pour réfléchir, pour penser aux choses sérieuses, mais je n'aurai jamais dans cent ans une chance comme celle-ci ! »

Et Nelson grimpa l'escalier en encerclant d'un bras ferme la taille de Christina Sanchez.

Le lendemain, le soleil était déjà haut dans le ciel lorsque Nelson ouvrit les yeux. Il allongea le bras pour rejoindre le corps de sa jeune amie, et s'aperçut que la place était vide, qu'il était seul dans le lit. D'un regard rapide, il balaya la pièce, mais Christina avait disparu, elle était partie. D'un geste instinctif, Nelson plongea la main sous son oreiller où se trouvait son portefeuille. Il s'en empara et vérifia son contenu. Le compte était exact. À part les cent billets qu'il avait donnés à la jeune fille, rien ne s'était envolé. Quand il descendait dans cet hôtel, il était toujours un peu méfiant et se tenait sur ses gardes. Il se leva, prit une douche et enfila un jean. Il se rasa devant la fenêtre, tout en se gavant de beau temps et de verdure. Ensuite il passa un T-shirt et se chaussa d'espadrilles. Dans un sac à dos, il déposa un maillot de bain, un short, un chandail et un blouson de nylon. Avant de boucler sa valise, il ouvrit un compartiment secret d'où il sortit un automatique doublé d'un silencieux. Cette arme qu'il avait achetée en quittant l'armée ne lui faussait jamais compagnie. En territoire étranger, Nelson la portait toujours sur lui comme on porte un bijou précieux, avec soin et délicatesse.

Après un copieux petit déjeuner, il emprunta la direction du port où des gamins s'affairaient autour des étals. L'air sentait le poisson. Plusieurs bateaux de pêche rentraient d'une longue matinée en mer. Les excursions du matin étaient toujours les plus achalandées. Partout, il y avait des touristes-pêcheurs qui discutaient bruyamment. La pêche avait été bonne et la gaieté semblait générale. Sur les bateaux, les seconds s'affairaient à laver les ponts. La journée était splendide et la mer calme comme un grand lac scintillant sous les rayons ardents du soleil au zénith.

Nelson contourna des groupes de pêcheurs qui s'étaient formés ici et là et se dirigea, malgré la cohue, d'un pas ferme vers le kiosque de Jos Smith. Ce dernier le connaissait depuis le jour où il était venu pour la première fois à Key West. À présent, Nelson s'adressait toujours à lui pour la location de yachts de plaisance. Il était bien servi et rapidement. Une demi-heure plus tard, tenant la roue d'un bateau qui rivalisait en confort et en volume avec celui qu'il possédait à Montréal, Nelson s'éloignait de la côte, heureux de se retrouver loin de toute civilisation. À trois heures de l'après-midi, son embarcation se situait à mi-chemin entre la terre américaine et celle de Cuba. Il stoppa le moteur, descendit à la cuisine pour se faire un sandwich et remonta sur le pont pour manger. La chaleur était écrasante. Il se couvrit la tête d'un large chapeau de paille. Il ne se doutait pas qu'il faisait aussi chaud, car la vitesse de croisière apporte toujours une certaine fraîcheur. Son repas terminé, il se désaltéra d'une seconde canette de bière très froide. Il aimait bien la bière américaine. Elle était douce et légère et lui faisait moins d'effet que la bière canadienne, plus corsée. Maintenant, il se sentait très bien et la chaleur lui parut plus facile à supporter. L'heure passait et le soleil devenait moins ardent. Il se leva, fixa un appât au bout d'une ligne et la jeta à la mer. Puis il s'installa très confortablement dans un fauteuil pour réfléchir.

En mer, il se sentait bien, libre. Il retrouvait ses dix-huit ans, l'insouciance de sa jeunesse. Il se revoyait encore à cet âge, lorsque, sortant de l'école d'athlétisme, fort, musclé et en pleine forme, il allait flâner dans les rues du Vieux Montréal et rêvait de devenir un homme d'envergure, un homme riche, afin que la pauvreté ne fût plus jamais son lot. Il savait que pour réaliser son but avant d'avoir atteint un âge vénérable, il devait fréquenter un milieu bourgeois et faire alliance avec une jeune fille riche. À quinze ans, il avait quitté sa famille, son taudis, et s'était réfugié dans l'armée où on lui dispensait une instruction à la hauteur de son talent et de ses ambitions.

Très jeune, il avait compris qu'un langage soigné et des manières raffinées attiraient les jeunes filles de bonne famille. Sa haute taille, son visage racé, son élégance le rendaient populaire auprès de la gent féminine. Partout où il allait, il avait du succès et les jeunes filles l'invitaient à des soirées. Mais sa chance, la seule chance qu'il eût véritablement dans la vie, fut ce soir de bal au mess des officiers, où le hasard lui fit rencontrer Hélène Chabrol, la fille du propriétaire des Aciéries Chabrol.

Qu'Hélène fût charmante, plutôt jolie et agréable de compagnie le laissa complètement indifférent. Elle était riche et c'était tout ce qui comptait. Il se jura à l'instant même qu'elle deviendrait sa femme.

Le lendemain, mettant son portefeuille à sec, il faisait parvenir à la résidence de Joseph Chabrol deux douzaines de belles roses rouges, accompagnées d'un mot qui remerciait la jeune fille d'avoir bien voulu lui accorder quelques danses. Le samedi suivant lorsqu'il l'invita à dîner dans un chic restaurant de la ville, il se rendit compte à la façon spontanée dont elle accepta l'invitation que la gerbe de roses l'avait impressionnée. Deux ans plus tard, Hélène Chabrol était devenue madame Nelson Vallée. Puis il songea à son mariage avec Hélène. Quel drôle de mariage tout de même ! Le vieux radoteux ne voulait pas lui confier sa fille. Il n'en finissait plus d'émettre des objections. Finalement, quand Nelson eut gain de cause, il se mit à sourire, embrassa sa fiancée et serra la main du millionnaire. Il venait de parachever la meilleure affaire de toute sa vie.

Joseph Chabrol oublia ses griefs et fit les choses en grand. Quand ce dernier donnait quelque chose, il n'y allait pas du bout des doigts. La réception fut grandiose et l'industriel lui offrit sa fille avec une superbe maison en cadeau de mariage — meublée par-dessus le marché. Il payait TOUT. Et cette pimbêche d'Hélène qui choisissait les mobiliers non pas dans les collections d'exclusivité, mais dans les étalages des magasins. « Mon chéri, disait-elle, je ne veux pas vivre dans un musée, mais dans une maison ordinaire, ce qui ne l'empêchera pas d'être coquette et joliment décorée. » Quand l'installation fut complétée, Nelson demeura surpris du résultat. Hélène avait un goût extraordinaire et leur maison était magnifique ; beaucoup plus qu'il ne l'avait prévu de prime abord. Dans cette maison, la vie quotidienne avait un sens et permettait le laisser-aller, même au salon, cette pièce qui, dans bien des résidences, ne sert qu'aux visiteurs. Toutefois, il regrettait encore aujourd'hui ces sommes fabuleuses qu'il aurait pu, par la main d'Hélène, soutirer du vieux en les investissant dans des meubles de collection. Il préféra s'abstenir de songer à tout cet argent qui lui filait entre les doigts. Il était justement en mer pour parer à cette éventualité. Il ferma les yeux, se remplit les poumons d'air marin et installa le calme en lui. Nelson concentra son esprit sur le léger clapotis de l'eau contre la barque. En réalité, la mer était sur toute la surface du globe le seul endroit au monde où il pouvait réellement se détendre, se reposer, faire le vide, ou encore faire le point dans sa vie, ou prendre en toute tranquillité d'esprit une décision importante.

À cinq heures, le soleil commença à décliner à l'horizon. Nelson savait qu'à six heures en plein hiver, il ferait nuit. Et plus on se rapproche de l'équateur, plus le coucher du soleil se fait rapidement. Une brise légère se leva et la mer se rida de quelques petites vagues. Nelson ralluma ses moteurs et se mit à la recherche de quelques récifs de coraux si nombreux dans les mers du Sud. L'océan d'une pureté cristalline laissait facilement deviner ses profondeurs. Une demi-heure plus tard, il avait trouvé l'endroit propice pour jeter l'ancre afin d'y passer la nuit.

Les journées qui suivirent furent toutes identiques à la première : calmes, ensoleillées et chaudes. Nelson fit quelques belles prises et la majorité de ses repas furent un véritable régal. Il adorait le poisson et, grâce à Maria, il savait comment l'apprêter pour conserver le maximum de sa saveur. Tous les jours, sur l'heure du midi, lorsque le soleil arrivait au milieu de sa course, il s'exerçait pendant près d'une heure à la plongée sous-marine. La mer des Antilles était un merveilleux paradis pour la pratique de ce sport réservé aux audacieux. Ses eaux transparentes, ses coraux impressionnants, ainsi que la variété de sa flore et de sa faune marines faisaient de cet endroit un lieu de prédilection pour l'explorateur des eaux profondes. Toutefois, comme il était seul, il usait de prudence. Nelson connaissait les dangers de ce sport qui se pratiquait habituellement en groupe, sinon à deux ; aussi il veillait à ne pas trop s'éloigner de l'embarcation et contrôlait avec circonspection sa descente en profondeur. Il se souvenait d'une fois, où il avait été happé par un courant sous-marin ; une dizaine de minutes plus tard, après s'en être réchappé et avoir remonté à la surface, il avait dû nager près de deux kilomètres pour rejoindre le groupe. Ce souvenir avait développé chez lui un profond réflexe de prudence, qui ne le quitterait plus en plongée aussi longtemps qu'il vivrait.

Finalement, le matin du cinquième jour il mit le cap sur la terre ferme. En se levant, il vit le ciel couvert de nuages noirs. Le temps s'était brusquement rafraîchi et la mer présentait un visage rébarbatif. Il fit sa rentrée au port sous une pluie battante. Nelson était heureux de revenir à l'hôtel de Jose Mirandez, de pouvoir prendre une douche, de changer de vêtements, de s'asseoir au bar, de déguster un délicieux « Mirandez el Présidente » et de manger une bonne côte de boeuf grillée. Un heureux hasard lui permit de faire la connaissance d'une jeune Américaine, Sheryl Brooks, une jolie étudiante de l'Université de Pennsylvanie, et il passa les deux derniers jours de son séjour auprès d'elle.

Nelson quitta la Floride la veille du Jour de l'An, heureux et satisfait de ses vacances. Il avait beaucoup réfléchit à la proposition de sa femme et, maintenant, il avait pris sa décision. Il avait également résolu de garder son plan secret, donc de ne pas en informer Brigitte. Il attendrait calmement le retour d'Hélène et il agirait, ainsi qu'il l'avait toujours fait, sans précipitation, avec maîtrise et diplomatie.

* * *

Brigitte accueillit Nelson à bras ouverts. Il ne l'avait prévenue ni de son absence, ni de son arrivée ; néanmoins, elle savait qu'il rentrerait le 31 décembre et qu'il serait là pour recevoir avec elle leurs invités. Depuis quatre ans, depuis qu'ils vivaient ensemble, ils fêtaient toujours avec leurs amis le début de la nouvelle année. Aussi, lorsqu'il apparut dans la porte un peu avant neuf heures, elle lui dédia son plus ravissant sourire et ils s'embrassèrent aussi passionnément que s'ils s'étaient quittés dans l'accord le plus parfait. Brigitte, plus belle que jamais dans une jolie robe de mousseline noire, avait piqué au creux de son décolleté une fleur dans les tons d'orangé. Cela attirait les regards sur cette partie de son anatomie qui n'était pas sans charme. C'est d'ailleurs sur ces aimables rondeurs que les yeux de Nelson se braquèrent dès qu'il la vit. Il se contenta d'admirer sans lui poser de questions, et elle ne l'interrogea pas non plus. Cependant, elle déduisit à son teint hâlé et à ses cheveux pâlis par le soleil qu'il était allé faire un petit tour dans le Sud. Il était dans une forme superbe. Ce costume beige lui seyait merveilleusement bien. Elle ne l'avait jamais vu. Il avait dû l'acheter en vacances. Soudain, son esprit buta sur le mot « vacances ». Il s'était fait dorer au soleil pendant qu'elle avait passé la semaine à planifier, à préparer la réception de ce soir. Néanmoins, elle ne lui adressa aucun reproche et pas une seconde le sourire ne quitta ses lèvres. Il était revenu, il était auprès d'elle, bientôt elle serait madame Nelson Vallée, et rien d'autre ne comptait.

Au milieu de leurs invités, la soirée s'écoula à une allure endiablée. Au douze coups de minuit, ils sablèrent ensemble le champagne. Brigitte et Nelson se retrouvèrent aussitôt enlacés dans une même étreinte. Ils s'embrassèrent très longuement, après quoi ils échangèrent les voeux de la nouvelle année.

— Que l'année qui vient soit aussi bonne que celle qui se termine et nous aurons de la chance ! dit-il.

Les yeux de Brigitte brillèrent de mille éclats.

— Je veux qu'elle soit meilleure ! rétorqua-t-elle. Cette année sera l'année de notre amour. Je veux devenir ta femme, Nelson.

Leurs regards se croisèrent et demeurèrent très longtemps suspendus. Sur les lèvres de Nelson, le sourire s'éteignit graduellement. Ses traits empruntèrent lentement une expression indéchiffrable qui communiqua à l'âme de Brigitte un certain malaise. Il leva son verre à la hauteur des yeux de sa jolie compagne et murmura :

— Très bien, dit-il. Je ferai le nécessaire et tu deviendras ma femme.

Brigitte se garda bien d'éclater de joie. Elle se contenta de demander :

— Cette année, Nelson ?

— Oui, ce sera cette année, je te le promets.

Il trempa les lèvres dans son verre et savoura quelques petites gorgées du pétillant breuvage. Il l'observa quelques instants sans rien dire, puis il ajouta d'un ton pensif :

— Tu sais chérie, il y a chez toi quelque chose qui m'échappe. En réalité, je n'arrive pas à comprendre pourquoi une femme aussi indépendante que toi veut à tout prix s'enchaîner à une autre personne par des liens si étroits. Qu'est-ce que le mariage peut réellement changer entre nous ?

Elle s'abstint de lui avouer le fond de sa pensée. Car elle n'était certainement pas pour lui dire qu'une épouse habile peut toujours soutirer à son époux fortuné une somme considérable si jamais il y avait divorce... Et puis, en cas de décès précoce du mari, la femme légitime devient l'héritière... tandis qu'une concubine doit toujours se contenter des miettes. En somme, elle avait tout à gagner d'un contrat de mariage.

Brigitte se mit à sourire candidement. Elle contourna la vérité en déployant devant son compagnon une tout autre facette du problème. Elle lança avec un naturel désarmant :

— Nous sommes identiques, Nelson. En plus de l'amour que nous partageons et de cet attrait physique que nous avons l'un pour l'autre, il y a aussi chez chacun de nous l'ambition d'atteindre les sommets. Si je deviens ta femme, donc liée à toi par un contrat, nous aurons un même objectif et plus rien n'arrêtera notre ascension.

Nelson hocha légèrement la tête. Il avait écouté le plaidoyer de la jeune femme avec une attention soutenue. Il scruta son visage pour essayer de détecter la moindre faiblesse, la plus petite supercherie. Mais en vain. Brigitte termina son explication en se nichant dans les bras de Nelson. Elle caressa son menton de ses lèvres et, quand elle comprit qu'il était sous son charme et qu'elle le possédait entièrement, elle leva son verre et ajouta :

— Si tu tiens ta promesse, mon chéri, c'est-à-dire si je deviens ta femme, de mon côté, je te certifie que je prendrai les dispositions qui s'imposent pour ne jamais avoir d'enfants puisque tu n'y tiens pas.

— Enfin ! dit-il en lui rendant ses baisers, tu deviens raisonnable. Que veux-tu que l'on fasse d'un enfant, toi et moi ? C'est encombrant et ça ne sert qu'à créer des embêtements.

— Pour être franche, je suis tout à fait d'accord avec toi. En somme, un enfant ne devait servir qu'à te lier à moi davantage, au cas où tu aurais refusé de divorcer.

— Si tu crois que je ne l'avais pas deviné ! Tu n'as jamais été enceinte, n'est-ce pas, Brigitte ?

Elle eut un sourire félin, le regarda de biais et déclara solennellement :

— Ça mon cher, tu ne le sauras jamais !

— À ton aise, mon trésor ! dit-il en empruntant lui aussi ses grands airs. Dans ce cas, tu ne sauras jamais, toi non plus, où j'ai passé cette dernière semaine et ce que j'ai fait pendant mon absence !

Brigitte haussa négligemment les épaules.

— Tu n'as pas besoin de me dire que tu t'es rendu à Key West et que tu es allé en mer toute la semaine.

La surprise figea le visage de Nelson. Et pour une des rares fois dans sa vie, ce visage d'habitude si impénétrable se dépouilla de ce masque étudié et devint subitement semblable à celui d'un petit garçon, limpide et naïf.

— Comment l'as-tu su ? demanda-t-il sans aucune suspicion. Je n'en ai soufflé mot à personne...

Brigitte, qui ne cessait de l'observer, fut prise d'un fou rire.

— Je t'assure, reprit-il, je n'en ai parlé à personne.

Elle s'approcha de lui et l'embrassa dans le cou.

— Mon beau chéri, il faut bien dire que tu n'as pas été très original dans le choix de tes voyages ces dernières années... Et puis, ajouta-t-elle, tes jeans, tes maillots, bref, tous tes vêtements sentent le poisson à plein nez. Tu vois bien que je n'ai pas eu besoin de faire fonctionner toutes mes cellules grises pour parvenir à cette simple déduction.

Nelson souleva un sourcil et pinça affectueusement la joue de Brigitte.

— Tu es une petite femme perspicace. Ton intelligence est à la dimension de ta beauté, mon chou. Néanmoins, il doit bien y avoir une toute petite question qui doit tracasser ce joli petit crâne.

— Laquelle ? demanda-t-elle vivement.

— Si je t'ai plu, c'est dire que je peux plaire à bien des femmes, tu es d'accord ?

— D'accord.

— Eh bien ! si j'étais toi, je me demanderais...

Il s'interrompit pour mieux la faire languir. Elle s'impatienta.

— Je me demanderais quoi ?

— Si je t'ai été fidèle...

Elle le dévisagea pendant quelques secondes, puis tourna la tête et regarda quelques couples qui bavardaient joyeusement devant le feu de la cheminée.

— Non, je ne te le demanderai pas, dit-elle.

— Pourquoi ?

Cette fois, avant de répondre, elle le fixa bien dans les yeux.

— Si je te le demandais, qu'est-ce qui te retiendrait ensuite de me poser la même question ?... Et je ne voudrais pas avoir à te répondre. Aurais-tu oublié, Nelson, que nous nous ressemblons ? D'ailleurs, c'est probablement pour ça que nous sommes si bien ensemble. Vois-tu, chéri, l'amour que je préconise pour nous deux fait de nous des êtres libres. Le mariage ne changera en rien cette théorie. Tu es né libre et moi aussi...

Il la regarda s'éloigner avec ce magnifique sourire qui confondait tous les hommes qui la côtoyaient. Cette femme était un être exceptionnel et il le savait. Parmi toutes celles qu'il avait connues, aucune ne lui arrivait à la cheville. Oui, pour elle, il ferait le nécessaire et deviendrait un homme libre. Il s'approcha de l'immense baie vitrée et contempla la ville qui sommeillait à ses pieds.

« Oui, se dit-il, je deviendrai un homme libre et cette liberté m'apportera la fortune. À nous deux, ma chère petite femme adorée. »

Chapitre 8

Pendant cette quinzaine délicieuse où le soleil de Tahiti avait tranquillement doré sa peau, Hélène Vallée, transposée dans cet univers si proche du paradis, avait apprivoisé son esprit à jongler avec des idées nouvelles. Tout au long de ces jours divins baignés d'une éclatante beauté, une étonnante victoire s'imposait déjà à sa conscience. Dans ces quelques jours, elle avait réussi à dresser une barricade entre le passé, ce terrible passé qu'elle venait de vivre, ainsi que celui qu'elle avait connu ces dernières années, et la vie nouvelle qu'elle entrevoyait devant elle, calme, paisible, ensoleillée de liberté.

Lentement, elle s'était familiarisée avec cette idée du divorce, qui lui apparaissait au début si rebutante parce que contraire aux principes de sa foi et à cette image si stéréotypée de l'union réussie. Oui, elle était parvenue à affronter cette idée sans toutefois altérer sa notion du mariage tel qu'elle le concevait, indissoluble, béni pour le meilleur et pour le pire. Finalement, elle avait compris que dans son cas, il ne s'agissait plus de principes, mais avant tout de survie.

Un soir, lorsque sa décision fut assimilée et qu'elle l'eut même amadouée, elle se rendit sur la plage, retira de sa main gauche l'anneau d'or, et après l'avoir longuement observé, le jeta bravement à la mer. La nuit était claire. Une lune énorme contemplait son courage. Quand elle détacha ses yeux de l'océan, elle s'aperçut qu'elle pleurait, que ses joues étaient mouillées de larmes. Plus tard, en poursuivant son chemin, elle se rendit compte que ce geste difficile qu'elle venait de poser, lui avait mérité son premier pas vers la liberté. Ensuite, la conquête de l'indépendance se ferait graduellement, peut-être même à son insu. Hélène en ressentit soudain un soulagement inexprimable, car elle était à présent convaincue que cette alliance, sur laquelle elle se penchait si souvent, la maintenait, en raison de la fidélité qu'elle lui inspirait, dans un état de résignation qui frôlait l'esclavage. Dépourvue de ce symbole, elle se sentait maintenant comme dégagée d'un poids, et la route qu'elle s'était tracée lui apparut tout à coup moins sinueuse. Les jours qui suivirent raffermirent sa décision. Plus elle pensait au divorce, plus il s'imposait à son esprit comme un impératif, une fin prochaine à ses malheurs. Néanmoins, pendant les longues heures de réflexion qu'elle s'accordait, elle savait que pour tourner définitivement la page sur le passé, il lui faudrait commencer par vider son coeur de ce torrent d'amertume, de ressentiment, et même de haine, accumulés ces derniers temps contre Nelson. Mais Hélène se connaissait bien, elle savait aussi que dans sa poitrine la haine et l'amour ne palpitaient pas au même rythme, qu'ils avaient toujours été en équilibre instable. Dès que son mari ne pourrait plus lui faire de mal et dès qu'il n'aurait plus aucun droit sur elle, le fléau de l'amour l'emporterait, et la pitié surgirait, éteignant sur son passage les cendres fumantes de la haine.

Selon elle, le véritable problème se situait ailleurs, à

un degré beaucoup plus proche, beaucoup plus à sa portée. Et c'était un problème gigantesque. Si souvent il l'avait écrasée... il lui avait déjà fait tant de mal. Comment parviendrait-elle à redresser le mal accompli? Comment ferait-elle pour liquider de son subconscient ce sentiment de rejet que Nelson, en la délaissant, avait fait naître ? Oui, comment ferait-elle ? Encore ce soir, en cet instant même où elle y songeait, elle se sentait parcourue d'un malaise, d'une douleur qui lui pinçait le coeur. Beaucoup de femmes étaient dans son cas, elle le savait. Toutes les femmes délaissées souffraient de cette façon. Mais elle, Hélène Vallée, n'était pas tout à fait une femme comme les autres. Elle faisait partie d'une élite. Elle avait un nom, symbole de puissance, et elle était riche, excessivement riche. Et tout cela, tout ce qui faisait d'elle une femme à part, elle l'avait offert à son mari sans aucune restriction uniquement parce qu'elle l'aimait et qu'elle voulait le voir heureux. Combien de femmes avaient au monde la possibilité de faire cela? Oui, combien de femmes dans une grande ville comme Montréal pouvaient donner une fortune à un homme et le hisser au sommet d'une puissante industrie ? Le nombre lui apparaissait si infime et l'incongruité si évidente qu'elle se laissa tomber sur le sable en couvrant son visage de ses mains. Elle se mit à pleurer doucement. Et pour la millième fois elle se répéta qu'elle ne méritait pas un sort aussi cruel, aussi humiliant. Pendant toute leur vie commune, elle avait été pour son mari une épouse aimante, attentive, diplomate, sachant demeurer dans l'ombre pour lui laisser toute la place au soleil. Elle lui avait aussi cédé ses droits avec discrétion pour ménager son orgueil masculin et jamais, au grand jamais, elle n'avait discuté ses décisions. Malgré tous ses efforts, malgré tout l'amour que contenait son coeur à l'endroit de Nelson, elle avait échoué, lamentablement échoué. Un sentiment d'échec et de dévalorisation germait de plus belle dans son esprit quand elle eut terminé ce retour sur elle-même. Elle avait sûrement des torts ; tout le monde en a, car personne n'est sans défaut. Elle s'interrogea longuement. Où avait-elle manqué ? Et quand cela avait-il commencé ? Peut-être n'était-elle pas assez indépendante ? Nelson adorait les êtres fiers, volontaires, déterminés. Oui, c'était ça ! Elle le savait maintenant, elle avait trop marché dans son ombre. Nelson, pour la voir, devait se retourner ; elle se tenait comme un bon domestique, un pas derrière le maître. Après tout, comment peut-on être émerveillé par quelqu'un que l'on ne voit pas, et considérer comme son égal quelqu'un qui ne sait pas s'imposer, qui ne sait pas manifester ses idées ou faire valoir ses positions ? Déjà un tort de son côté. En poursuivant son analyse, elle en reconnut d'autres. Quand elle revint à l'hôtel deux heures plus tard, un profond sentiment de culpabilité se mêlait au reste. Avec cette petite tendance masochiste que développent facilement les êtres extrêmement sensibles, Hélène se donnait un mal prodigieux à décortiquer les événements, à évaluer sa conduite pour finalement aboutir à l'évidence qu'elle avait eu des manquements partout. Puis, devant sa glace, elle examina son visage, considéra son anatomie. Rien dans tout cela ne se révélait être d'une grande perfection et de toute première fraîcheur. La beauté et la jeunesse de Brigitte Dubois étaient si éclatantes qu'elles réduisaient à néant les quelques charmes qu'elle pouvait encore avoir. Quel atout précieux que la beauté ! Et la jeunesse donc ! Dieu, quelle misère pour une femme que de perdre sa jeunesse ! Du même coup, elle perd souvent toute sa valeur. La jeunesse de nos jours est devenue la meilleure valeur marchande. La télévision, le cinéma, les journaux, bref tous les médias exploitent ce thème avec force. Veut-on faire valoir une idée, vendre un produit quelconque, on flanque le tout d'une personne jeune, dynamique, pour l'animer, lui donner de l'attrait, le mettre en valeur, afin de pouvoir l'exploiter au maximum. Tout est tellement centré sur la jeunesse que les autres, les moins jeunes, n'ont plus l'air d'être dans le coup. Et cela est encore plus évident chez les femmes que chez les hommes. Effectivement, il est reconnu que les femmes vieillissent plus mal que les hommes. À cinquante ans, un homme bien conservé est encore extrêmement séduisant. Il peut jouer facilement les don Juans, se faire des petites amies, et, s'il est habile, avoir une maîtresse capable de se pâmer d'amour pour lui. D'ailleurs la chose est si fréquente, qu'on préfère la taire plutôt que d'en parler. Quelles sont les femmes du même âge, même parmi les mieux conservées, qui pourraient se vanter d'en faire autant ? Ici, l'injustice est d'autant plus criante que le combat est disproportionné.

Hélène, assise sur le pied de son lit, face à la glace, comprenait cela. Bientôt la quarantaine lui tomberait dessus, et, déjà, elle se sentait déclassée. Quel âge terrible pour une femme, que celui qui la relègue dans le deuxième camp ! La jeunesse de Nelson aussi s'enfuyait, mais en écartant Hélène de sa vie, il avait pris soin de se choisir une maîtresse jeune comme pour prolonger la durée de sa propre jeunesse.

Si elle mettait de côté ses principes, il lui restait la possibilité de refaire sa vie. Des milliers de gens séparés ou divorcés le font. Mais quelle sorte d'hommes pourrait-elle rencontrer sur son chemin ? À son âge, le choix était plutôt restreint et les occasions, moins nombreuses. En réalité, il lui faudrait choisir parmi les hommes qui ont déjà pris des engagements avec d'autres personnes, car il arrive qu'à une certaine étape de la vie, des hommes foncièrement libres, il n'y en a plus. Hélène fit la grimace. Cela ne l'intéressait pas de s'approprier l'homme d'une autre femme, d'une autre famille. Faire à quelqu'un d'autre le mal qu'on lui avait fait à elle ! Non, ce n'était pas son genre. Oh! Seigneur, pourquoi la vie est-elle si pénible, parfois?

Hélène ne voulut plus penser. Sa gorge était crispée et ses mains, moites de sueur. Ce soir, elle se sentait terriblement malheureuse. Demain, en se levant, elle savait que, dès qu'elle contemplerait la mer, une paix bienfaitrice l'envahirait et elle considérerait la vie d'un oeil différent. Mais ce soir, rien n'allait plus, et elle éprouvait un cafard terrible. Il était plus de minuit. Jamais elle n'arriverait à s'endormir avec des idées pareilles. Alors elle se leva, passa une robe légère et descendit au bar-salon dans l'espoir de rencontrer des amis avec qui parler.

Deux jours après son arrivée, Hélène avait quitté le Hilton pour s'installer dans ce petit hôtel extrêmement sympathique en bordure de la mer, dont les propriétaires, des gens dans la cinquantaine, étaient des Français qui avaient grandi jadis dans le même patelin que son père, en France. Hélène les avait rencontrés. Ils avaient fait connaissance. C'étaient des gens très aimables, pleins de vie, et qui adoraient faire la conversation. Hélène s'amusait en leur compagnie. Ils l'avaient surnommée gentiment «Notre petite cousine du Canada». Devant la clientèle, cela lui valait un statut particulier. Quant aux autres clients qui fréquentaient l'hôtel, ils étaient pour la plupart des Français qui arrivaient de tous les coins du monde. Plusieurs étaient des habitués de la maison qui venaient passer les vacances de Noël à Tahiti. L'ambiance, quoique distinguée, était des plus chaleureuses et Hélène, dans la salle à manger ou au bar, ne se sentait jamais seule. Il y avait toujours des personnes charmantes avec qui parler. Le premier soir de son arrivée, à sa visite des lieux, le hasard l'avait conduite dans cet hôtel où elle avait dîné. L'atmosphère était si amicale qu'immédiatement après le repas, elle s'informa des disponibilités de la maison, visita les deux chambres qui leur restaient, fit son choix et prit la décision de venir s'y installer. Tout était plus sobre qu'au Hilton, mais également moins impersonnel. Par la suite, elle ne regretta jamais son choix.

Les fêtes de Noël et du Nouvel An avaient été célébrées comme de belles fêtes familiales et tout le monde s'était réellement amusé. Depuis bien des années, Hélène traversait pour une fois les Fêtes sans ressentir de vague à l'âme. Au Jour de l'An, elle avait téléphoné à tante Agnès pour lui offrir ses voeux. Elle lui avait parlé assez longuement pour savoir qu'à Noël, ils étaient allés tous les quatre à la messe de minuit, qu'il avait neigé toute la nuit, pour le plus beau Noël blanc depuis bien des années.

Elle avait su aussi que Marc Leroyer était retourné en Arabie le 28 décembre. Il était parti préoccupé et les petites, pour leur part, avaient eu beaucoup de chagrin à se séparer de lui. Plus tard, elle avait également réussi à rejoindre Lyne aux Bahamas pour lui souhaiter une bonne année. Hélène avait appris que sa belle-soeur venait à peine d'arriver à Nassau où ses amis avaient loué un charmant petit cottage, « très vieillot » avait-elle précisé, en bordure de la mer. Il avait semblé assez insignifiant à Lyne que les portes et les fenêtres du chalet, qui avaient subi l'usure du temps, ne fermassent plus, que le toit coulât et qu'une perpétuelle odeur de moisi habitât la maison, étant donné que l'endroit était ravissant, calme, retiré et parfaitement conçu pour un travail de création. Au bout du fil, Hélène avait souri, alors que Lyne, tout au long de leur conversation, avait paru parfaitement heureuse des circonstances qui l'entouraient. L'appel, comme d'habitude, s'était terminé sur des remerciements et sur les sempiternelles promesses de donner des nouvelles. À Richard O'Neil, ainsi qu'à l'ingénieur Renaud, Hélène s'était contentée d'adresser un télégramme. Ce jour-là, elle avait également pensé à Nelson, mais c'était tout. Elle le voyait avec Brigitte à ses côtés et son séjour à la clinique lui était revenu d'un seul coup. Puis elle s'était abstenue de réfléchir pour ne pas gâter sa journée. Un pique-nique sur la plage avait été annoncé, tandis que le soir au dîner un bal costumé aurait lieu dans la salle à manger. Au bar, en sirotant tranquillement un verre de punch, elle se mit soudainement à sourire en songeant au plaisir qu'elle avait eu à préparer son costume avec du papier crêpé. Il y avait des règles à respecter et personne ne devait dépenser plus de sept dollars pour se déguiser. Hélène avait fabriqué en quelques heures avec les moyens du bord, qui consistaient en fil, aiguille et colle, une jolie robe de ballerine. Elle avait eu l'idée de passer sous la robe un maillot de bain, au cas où celle-ci céderait. Par pure coïncidence, tout le monde avait eu la même pensée. Il y avait eu des concours et le jury à l'unanimité lui décerna un premier prix pour le choix des couleurs et le quatrième pour l'originalité du modèle. Ensuite, la soirée s'était poursuivie en jeux et en danses. Tous les costumes avaient été mis à l'épreuve durement, si bien qu'après minuit tout le monde s'était retrouvé en maillot de bain. Pendant toute la fête, le champagne avait égayé les esprits. De très vieilles chansons à répondre avaient été accueillies sous des tonnerres d'applaudissements. Les rires avaient fusé de partout. Quelqu'un qui avait très chaud cria : « Tout le monde à la mer. » C'est ainsi que le groupe avait accueilli les premières lueurs de l'aube en barbotant dans les eaux claires du Pacifique. Selon Hélène, aucun Jour de l'An à l'étranger n'avait été réussi comme celui-là. Quand elle prit l'avion une semaine plus tard, Hélène éprouva du chagrin à quitter Tahiti.

— Vous savez, lui dit monsieur Perru, le propriétaire de l'hôtel, il y a longtemps que je n'ai pas eu autant de plaisir au temps des Fêtes. Cette année, les gens étaient plus gais que d'habitude, comme s'ils étaient plus heureux de vivre.

— L'année prochaine, je reviendrai, lui promit Hélène, et j'emmènerai avec moi une tante qui m'est très chère.

Mais Hélène, en répondant cela, ne savait pas que l'avenir serait bien différent de celui qu'elle imaginait.

* * *

Sur le chemin du retour, Hélène fit un arrêt à Los Angeles. Il y avait maintenant deux ans qu'elle n'avait pas vu Diane Brien et le bonheur de la revoir avait dissipé l'accablement qu'elle avait éprouvé à l'idée de rentrer chez elle. Diane Brien était de loin la meilleure amie qu'elle eût jamais. Les deux jeunes filles s'étaient connues à l'âge de quatorze ans au collège où elles poursuivaient toutes les deux des études classiques, et leur amitié, au fil des années, ne s'était jamais ternie. Elles étaient de tempérament identique et partageaient des goûts analogues. Quand vint le temps d'un choix de carrière, Hélène se dirigea vers les Beaux-Arts, tandis que Diane s'inscrivait à des cours de chant au Conservatoire de Boston. Elle possédait une magnifique voix de soprano et Hélène avait alors la certitude qu'un jour elle deviendrait célèbre. Malheureusement, Diane, avec tout le talent dont elle était pourvue, se maria l'année suivante avec un étudiant de Harvard, devint enceinte et, faute d'argent, dut interrompre ses cours de chant. Ses parents s'objectèrent à son mariage, parce que le fiancé était juif, et lui coupèrent les vivres. Douze mois plus tard, Diane mettait au monde une petite fille, puis un garçon l'année suivante. Lorsque le jeune époux termina son doctorat, le troisième était en chemin. Le couple s'installa en Californie où Wayne Goodman poursuivait dans l'étude de son père une brillante carrière d'avocat.

Diane Brien, avertie par télégramme de la visite d'Hélène, se rendit à l'aéroport prendre son amie. Au premier coup d'oeil, Hélène s'aperçut qu'elle était toujours une femme heureuse. Diane et Wayne formaient un couple extrêmement uni. Elle vit que la petite flamme du bonheur pétillait toujours dans ses jolies prunelles brunes pailletées d'or. Son visage, aux traits délicats, conservait une fraîcheur de jeune fille. Sa beauté était éclatante avec ce teint de pêche et cette magnifique chevelure blonde qu'elle portait mi-longue depuis des années. Toutefois, sa silhouette, alourdie par six maternités, demeurait un peu grassouillette et c'est ainsi qu'elle accusait ses trente-huit ans. Elles avaient toutes les deux le même âge et leur anniversaire se situait l'une en juillet et l'autre au mois d'août.

Quel plaisir elles avaient à se retrouver! C'était comme si leur adolescence leur sautait au visage d'un seul coup. Une bouffée d'air frais pleine de joyeux souvenirs. Elles se regardèrent, se sourirent, puis se jetèrent dans les bras l'une de l'autre. Seul le petit Steve, un bambin de quatre ans, accroché aux jupes de sa mère, adressait à cette étrangère un regard hostile. Hélène ouvrit son sac à main et tendit au petit garçon une tablette de chocolat. Elle avait l'habitude maintenant. Quand elle venait chez Diane, elle prenait soin de remplir son sac de sucreries. La maison était pleine d'enfants et ça la rendait plus attrayante. Comme les autres fois, ce fut miraculeux, le petit se mit à lui sourire et, obéissant aux ordres de sa mère, il lui donna un petit baiser sur la joue.

— Quel enfant délicieux! s'exclama Hélène. C'est ton plus beau.

— J'ai fait un petit extra. C'est mon dernier.

Puis Diane passa son bras sous celui d'Hélène et l'entraîna vers la sortie.

— Dieu! que tu as bonne mine, dit-elle en souriant

de plaisir. Tu es dans une forme éclatante, ma chère! Quelle bénédiction que la santé! La dernière fois que je t'ai vue, tu sortais de clinique. Tu faisais pitié à voir. Tu étais tellement changée que j'en avais le coeur tout à l'envers. J'ai eu réellement peur pour toi, tu sais.

Diane avait prononcé cette dernière phrase avec un frisson dans la voix. Elle était toujours pleine de compassion à l'égard de ceux qu'elle aimait. Après un petit silence, elle ajouta cette fois d'un ton joyeux:

— En te voyant, je constate avec ravissement que tout s'est arrangé pour toi, que tout va mieux maintenant.

— Oui, ça va.

Hélène eut soin de dire cela avec conviction. Il n'était pas question de lui raconter ses malheurs en arrivant. Un peu plus tard, elle aurait tout le temps de le faire. Elles étaient très ouvertes entre elles. Les secrets n'existaient pas dans leurs confidences. Évidemment, il y a des choses à l'intérieur de chaque être humain qui ne se racontent pas. Cela fait partie intégrante de l'individu. Diane et Hélène n'allaient jamais au-delà de cette limite.

Sur le chemin de la maison, elles bavardèrent allégrement de tout et de rien, potinant avec plaisir, se racontant mille choses, riant de bon coeur. Elles ne jouaient pas la comédie des snobs, elles étaient vraiment heureuses d'être ensemble. Une heure plus tard, elles arrivaient à Bel-Air où les Goodman avaient emménagé l'année précédente. La Jaguar de Diane s'immobilisa devant une superbe demeure qu'Hélène n'avait pas encore vue. C'était une résidence princière, entourée de vastes pelouses avec de multiples pièces somptueusement meublées, dont la majorité des fenêtres donnaient une vue sur la piscine ou sur le court de tennis ou encore sur un magnifique golf qui faisait face à la façade de l'autre côté de la rue. Hélène en avait plein les yeux. Pourtant, elle avait l'habitude des jolies choses ; mais cette fois, elle était réellement éblouie.

— Seigneur ! C'est un véritable paradis chez toi. Jamais je ne t'aurais crue installée dans un palais. Vraiment, je suis très heureuse pour toi.

Diane était ravie. Ses prunelles dorées scintillèrent de fierté. C'est tout juste si elle ne ronronnait pas de plaisir. Quand elle était jeune, elle enviait Hélène de vivre aussi richement. À présent, elle n'enviait plus personne. Un destin généreux lui avait réservé à elle aussi un sort privilégié.

— Le père de Wayne est aujourd'hui à la retraite. Depuis deux ans, mon mari est seul à la tête du bureau. Il s'est taillé une belle clientèle et, parmi ses clients, il y a des gens célèbres. Tout ça fait boule de neige, tu comprends ?

Hélène hocha légèrement la tête, les lèvres teintées d'un sourire malicieux.

— La grande aventure, quoi !

— Presque.

Et plus tard, Diane lui raconta en détail, lorsqu'elles furent de nouveau seules après le repas du soir, la fulgurante ascension de son mari. Wayne était venu dîner avec sa famille, mais aussitôt le repas terminé il s'était excusé et était sorti. Le soir sur semaine, il avait toujours des clients à rencontrer.

— Vois-tu, souligna Diane, je serais parfaitement heureuse si Wayne était plus souvent à la maison. Il travaille très fort. Parfois, j'ai peur qu'il ne tombe malade. Les maladies cardiaques sont fréquentes dans sa famille. Comment le trouves-tu ?

— Il a l'air en pleine forme. Il a seulement pris quelques livres depuis la dernière fois où vous êtes venus chez moi. Tout de même il est encore à l'âge où l'effort ne tue pas. Non, vraiment, il a l'air très bien. La fatigue ne se lit pas sur ses traits. Évidemment, dit-elle pensive, c'est ton mari et être prévoyant n'a jamais fait de tort à personne.

Diane approuva et parut songeuse. Après un court silence, elle se leva et alla à la cuisine chercher la cafetière. Tout en remplissant les tasses, elle demanda :

— Et puis toi, Hélène, comment vas-tu ? Je veux dire : comment vas-tu réellement ?

Hélène détourna la tête et regarda par la baie vitrée l'épaisse obscurité de la nuit qui s'étendait partout. Sa gorge se noua et ses lèvres furent saisies d'un léger tremblement que Diane aussitôt enregistra comme une espèce de sonnerie d'alarme. Subitement son coeur se serra sans qu'elle sût dire exactement pourquoi. Elle prit la main libre d'Hélène et la pressa dans la sienne. Elle était glacée.

— Qu'y a-t-il ?... Je t'en prie, Hélène, qu'est-ce qui ne va pas ? Nelson te ferait-il encore du mal ?

Hélène hocha la tête sans la regarder. Elle ferma les yeux et ses cils se bordèrent de larmes.

— Est-ce si grave ? demanda Diane, alarmée. Oh ! je t'en prie, raconte. Tu m'inquiètes vraiment.

Sur les instances de Diane, Hélène s'ouvrit et, pendant l'heure qui suivit, lui raconta ses malheurs. Quand elle eut terminé son récit, elle s'aperçut que Diane avait les yeux pleins d'eau.

— Ma pauvre fille, on se croirait au cinéma. C'est inimaginable ! On ne peut pas savoir jusqu'où la méchanceté peut aller. Ton mari est un salaud ! Oh ! je le déteste.

Diane renifla et s'essuya les yeux.

— Je ne te laisse pas partir ! Tu vas vivre ici avec

nous jusqu'à ce que ton divorce soit prononcé. Tu es mariée à un malade. C'est visible. Il veut t'anéantir, il veut te détruire. Oh ! pourquoi ne m'as-tu pas mise au courant de la situation ? Tu as passé tout l'automne à la clinique et je ne l'ai pas su. Pourquoi ne m'as-tu pas téléphoné ? Je serais allée vers toi immédiatement.

Hélène la gratifia d'un sourire aimable.

— Tu es vraiment une soeur pour moi. Toute cette bonne volonté de partager mes malheurs me touche énormément. Crois-moi : si je ne t'ai pas mise au courant, c'est que je n'ai pas eu le temps de le faire. Tout s'est passé si vite, si tu savais. À la clinique, je n'avais pas le téléphone dans ma chambre. D'ailleurs, je n'aurais pu en supporter la vue. Quoi qu'il en soit, tout cela va cesser bientôt. Le divorce est mon unique porte de sortie.

— Oui, fit Diane. Mais en attendant, tu vas demeurer ici avec nous.

— Non, je ne peux pas. C'est très aimable à toi d'insister mais je dois rentrer chez moi. Dans ce divorce, il y a trop de choses à régler avec les avocats pour le faire à distance. Je ne veux pas en sortir trop perdante. N'oublie pas que Nelson est très habile.

Diane lui prit les mains et la supplia :

— Sincèrement, je préfère que tu restes ici avec moi. J'ai peur. J'ai réellement peur pour toi.

— Tu t'en fais trop ! Il ne peut pas m'arriver plus de mal que j'en ai eu récemment.

— Hélène, s'il attentait à tes jours !

— Diane !

— Je suis sérieuse : s'il voulait te tuer ! Les gens sont tellement bizarres à notre époque. Il y a plus de maniaques qu'on ne le croit. Les journaux sont pleins de drames, c'en est la preuve! Les gens ordinaires se pensent toujours à l'abri de ces choses-là. Ça n'arrive qu'aux autres, se plaît-on à dire partout. Moi, je suis de nature plus méfiante que toi ; mieux vaut tout prévoir.

Hélène se mit à sourire.

— Tout de même, Diane! Nelson est ambitieux, cupide, dominateur, mais il n'est pas un criminel. Après seize ans de mariage, je le saurais!

— Je ne le sais pas si tu le saurais!... Tu es trop bonne. Pour détecter la méchanceté chez les autres, il faut la connaître un peu chez soi. Tu n'as aucune défense naturelle, même pas la méfiance, ma pauvre enfant!

Hélène sourcilla.

— Je te promets que je vais essayer de m'améliorer.

— Tu es une cause désespérée. Ça je le sais depuis toujours.

Diane ne badinait pas. Son visage, un peu tendu, réfléchissait.

— Écoute, dit-elle permets-moi de discuter de tout ceci avec mon mari. Comme avocat, il en a connu des situations compliquées. Son opinion pourrait nous être un précieux guide.

Hélène accepta. Au retour de Wayne, lorsqu'ils furent seuls dans leur chambre à coucher, Diane se mit en devoir d'expliquer la situation d'Hélène à son mari. Il l'écouta attentivement comme il le faisait toujours quand elle lui parlait. Quand elle eut terminé, il dit simplement :

— Nelson n'a jamais été pour Hélène un bon mari. Ses torts sont nombreux, je te le concède, et elle a de bonnes raisons de divorcer. Toutefois, il y a aussi une autre facette à ce problème, que tu ne vois pas ou que tu ne veux pas voir. Hélène semble en excellente santé physique, mais qui te dit que sa santé mentale est aussi bonne? Des maladies mentales, ça existe! Qui te dit également que le téléphone sonnait vraiment? que la sonnerie n'était pas seulement dans la tête d'Hélène? Cela, seuls les médecins peuvent le prouver. Un autre fait me porte à m'interroger. Supposons qu'elle n'était pas réellement malade, alors pourquoi les médecins l'auraient-ils gardée à la clinique pendant trois longs mois? Après tout, ces médecins ne sont pas des amateurs, mais bien des spécialistes qualifiés. Et ce n'était pas son premier stage, si je ne m'abuse.

Face à des questions aussi logiques, Diane ne savait plus du tout à quoi s'en tenir. Mais l'idée qu'Hélène pût être atteinte d'une maladie psychique la terrifia littéralement. Elle ne pouvait le croire. Ça n'avait aucun sens. Hélène était si calme, si logique, son raisonnement toujours si mesuré, jamais d'excès dans ses paroles. Non, vraiment, ce n'était pas là le comportement d'un cerveau malade. Wayne se trompait, et les médecins qui avaient posé leur diagnostic également. Nelson les avait influencés. C'était une abominable machination contre Hélène. Tout le monde voulait du mal à Hélène. Sa pauvre petite Hélène. Toute la nuit, Diane jongla avec la question. Elle parvint à fermer l'oeil quelques heures seulement. Au matin, elle était tendue et guère plus avancée. Wayne la rassura.

— Ma chérie, tu as une tendance à tout dramatiser. Depuis que je te connais, tu te fais toujours de la bile à propos de tout et de rien. Tous les malheurs que tu avais prédits ne sont jamais arrivés. Voyons, Nelson est trop malain pour éliminer sa femme froidement! Que fera-t-il de cet héritage s'il est en prison?

Après le départ des enfants pour la classe, Hélène et Diane prirent leur petit déjeuner sur la terrasse tout près de la piscine.

— Wayne croit que j'exagère, fit Diane, que Nelson n'a pas l'allure d'un dangereux criminel.

Hélène se redressa.

— Bien sûr qu'il n'est pas un dangereux criminel ! Ce n'est qu'un bourreau à la petite semaine. Ne te fais pas de souci pour moi. Tout va bien aller à l'avenir. Après mon divorce, je reviendrai et, cette fois, je passerai toute une semaine avec toi.

— Et nous jouerons au tennis tous les jours, souligna Diane avec plaisir. Il n'y a que toi au monde pour ne pas me trouver une joueuse médiocre.

— Seuls les champions peuvent se permettre de juger. Pas les autres !

Chapitre 9

Agnès Mercier ressentait depuis une quinzaine de jours une profonde lassitude. Chaque matin, au réveil, elle devait se faire violence pour se tirer du lit. Néanmoins, lorsque les fillettes paraissaient dans sa chambre, elle les accueillait avec le sourire et leur tendait les bras. Elles grimpaient dans son lit et, bien au chaud sous les couvertures, écoutaient des histoires qu'elle puisait dans le répertoire de son enfance. De cette façon, jusqu'à neuf heures, Agnès pouvait les retenir auprès d'elle et garder le calme dans la maison. À neuf heures précises, le cadran de Marc sonnait et les enfants, en entendant la sonnerie, quittaient la chambre comme des furies et se réfugiaient dans le lit de leur père. Marc adorait cet instant où ses filles arrivaient en courant et se jetaient littéralement sur lui. C'était le plus beau moment de la journée. Il les serrait dans ses bras, les embrassait à en perdre le souffle et riait avec elles jusqu'à ce que tante Agnès les convie tous à la cuisine pour le petit déjeuner. Ensuite, chacun revenait dans sa chambre, s'habillait, faisait son lit, et tous ensemble, ils mettaient de l'ordre dans la maison. Tous les après-midi, Marc sortait avec Mélissa et Stéphanie. Il les emmenait ordinairement patiner et laissait tante Agnès se reposer. Il savait bien que la vieille demoiselle n'avait pas l'habitude de vivre avec tant de monde et devait parfois trouver la tâche un peu lourde. Marc comprenait parfaitement cela. Quant à lui, les enfants ne le fatiguaient jamais. Il aurait pu être parfaitement heureux à travailler dans une garderie ou encore à enseigner à une classe d'enfants turbulents. Autrefois, il adorait bercer les petites et donner un biberon ; même changer les couches n'avait jamais été pour lui une corvée, alors que cela rebutait la majorité des pères. Avec quel plaisir il se souvenait des belles années où Mélissa et Stéphanie étaient encore des bébés. À cette époque, le samedi était la plus belle journée de la semaine. Ce jour-là, Annie prenait congé, allait chez le coiffeur, faisait des courses, alors que lui s'occupait des enfants, les faisait manger, jouait avec elles, les baignait et les mettait au lit. C'était merveilleux. Le samedi soir, une gardienne, qui leur avait été recommandée et en qui ils avaient totalement confiance, prenait la relève et Marc invitait sa femme à dîner au restaurant. Ensuite, ils allaient au cinéma terminer la soirée. Ça, c'était le bon temps ! Ça, c'était la belle vie ! Annie était toujours heureuse de ces sorties et le soir, lorsqu'ils rentraient, ils avaient toujours le goût de faire l'amour. Marc adorait sa femme. Et puis Annie était si jolie, si attirante qu'il avait constamment le goût d'elle. Au lit, il s'étonnait toujours de la voir si passionnée, si voluptueuse. Son étonnement lui venait sans doute de ce que ce visage plein de candeur et d'innocence pût dissimuler si parfaitement le brasier qui la consumait. Mélissa et Stéphanie avaient été conçues au cours de ces nuits où leur amour avait atteint des sommets vertigineux. « Les enfants nés de l'amour font toujours de beaux enfants », se plaisait à affirmer Annie. Et sa théorie se révélait véridique. Mélissa et Stéphanie étaient toutes les deux des enfants merveilleuses. Marc souriait, incrédule.

— Évidemment, elles sont jolies. Elles te ressemblent tant !

Plus tard, lorsque Annie se retrouva enceinte une troisième fois, elle avait couru vers lui pour le lui apprendre et avait déclaré en souriant :

— Cette fois, mon chéri, ce sera un garçon et il te ressemblera.

Marc avait été ravi. Il avait serré Annie dans ses bras et l'avait embrassée longuement.

— Oui, cette fois, ce sera un garçon, avait-il approuvé.

Mais l'enfant ne vint jamais au monde, ni les deux autres qui devaient former le chiffre cinq, nombre qu'ils avaient déterminé au début de leur mariage comme devant être celui de leur progéniture. Car Annie, six mois plus tard, mourait foudroyée par un mélanome de la peau. Tout comme ses parents, Annie avait succombé au cancer. Cette invincible maladie fauchait les membres de cette famille les uns après les autres. Parfois, Marc, lorsqu'il y songeait, craignait pour ses filles. Pourtant, il savait que le cancer n'était pas une maladie contagieuse, mais l'hérédité c'était tout à fait autre chose. Et Marc avait peur. Il avait beau surveiller de près leur santé, les faire suivre régulièrement par le médecin, au moindre malaise, il s'inquiétait. Tante Agnès le rassurait :

— Ne vous en faites pas, Marc, elles sont pleines de vie ! Vous ne les perdrez pas. Elles vont vous enterrer.

— Je l'espère bien, disait-il en esquissant un sourire pâle.

Puis un soir, la veille du départ de Marc, quand les petites furent couchées, tante Agnès vint rejoindre l'ingénieur au salon pour lui parler. Un problème la tracassait.

— Mélissa me semble très préoccupée par quelque chose et j'ignore ce que c'est.

— Je n'ai pas remarqué, dit-il, surpris.

— Elle a pleuré la nuit dernière et ce soir, lorsque je l'ai mise au lit, elle est devenue subitement toute triste.

Marc s'inquiéta. On discernait l'affolement dans son regard.

— Elle n'est pas malade, au moins ?

— Oh ! non, ce n'est pas cela.

Marc respira. Il réfléchit et opina :

— Mélissa est très sensible. À chaque séparation, elle est toujours un peu traumatisée. Quoi qu'il en soit, demain, je lui parlerai.

Marc avait beaucoup à faire le lendemain. Il devait boucler ses malles, passer au bureau rencontrer l'ingénieur en chef, discuter avec le directeur des finances et, dans l'après-midi, se présenter à l'aéroport une heure avant le départ. Il voulait également avoir le temps de parler à Mélissa, de la rassurer, de s'occuper aussi de Stéphanie et de les dorloter un peu toutes les deux avant de les quitter pour une période aussi longue. Il ne les reverrait pas avant mai ou juin. Cinq longs mois qu'il lui faudrait traverser seul, sans la présence de ses deux petites filles. À cette pensée, le coeur lui fit mal. Cinq mois, une éternité ! Sa peine s'amoindrit à l'idée que c'était leur dernière séparation. Ensuite, il ne les quitterait jamais plus.

Le lendemain matin très tôt, alors que toute la maisonnée dormait encore, Mélissa s'évada de sa chambre sur la pointe des pieds et vint se blottir contre son père.

Le contact du petit corps chaud réveilla Marc. Il ouvrit les yeux et aperçut Mélissa dans sa longue chemise de nuit bleue, ses beaux cheveux blonds encadrant un visage ruisselant de larmes.

— Oh ! mon petit amour, qu'est-ce qu'il y a ? demanda-t-il, en soulevant la tête et en observant la fillette d'un air tout bouleversé. Je ne peux supporter de voir pleurer ma petite fille, juste avant mon départ. Oh ! chérie, dis à papa ce que tu as.

Mélissa pleurait de plus belle. Dans un geste d'abandon, elle passa ses bras autour du cou de son père et dissimula son visage au creux de son épaule. Il la serra dans ses bras et la berça doucement pour la consoler.

— Ne pleure pas, mon petit chou, et raconte-moi tout de suite ton gros chagrin.

Soudain, il entendit une petite voix noyée de larmes qui disait :

— Oh ! papa, je ne veux pas que tu t'en-en-ailles. Je m'en-ennuie trop quand tu es loin-in.

Maintenant, le petit corps de Mélissa était secoué de gros sanglots. Marc en eut les larmes aux yeux. Il se sentait désemparé. Machinalement, il se mit à caresser ses cheveux et à couvrir de petits baisers le haut de son visage, comme pour absorber par ces gestes affectueux le trop-plein de son immense chagrin.

— Je t'en prie, Mélissa, ne pleure plus. Écoute papa. Ne pleure plus. Je ne peux supporter de te voir pleurer de cette façon. Ça me crève le coeur !

Mélissa fit de violents efforts pour se dominer. Malheureusement, les sanglots s'étranglaient dans sa gorge.

— Oh ! papa, je suis-is très-ès mal-alheureu-euse.

— Ma petite fille qui est très malheureuse maintenant. Pourtant, chérie, hier lorsque nous patinions ensemble, tu n'avais pas l'air d'une petite fille malheureuse. Qu'est-ce qui s'est produit depuis ! Tu n'es pas bien avec tante Agnès ?

La fillette fit signe que oui de la tête.

— Tu l'aimes bien, n'est-ce pas ?

Mélissa répondit dans un geste affirmatif.

— Écoute, chérie, si je te faisais une promesse que c'est la dernière fois que nous sommes séparés, c'est-à-dire que lorsque je reviendrai à la fin du printemps, papa n'ira plus jamais travailler loin de ses petites filles, plus jamais, je te le promets. Est-ce que ton gros chagrin s'en irait ?

La petite fille ouvrit de grands yeux émerveillés. Elle souriait avec ravissement, tandis que de grosses larmes roulaient encore sur ses joues.

— C'est vrai ? dit-elle. Tu n'iras plus jamais travailler en avion ? Plus jamais ?

Marc secoua la tête en souriant.

Il saisit le haut du drap et sécha les larmes de Mélissa. Puis il se pencha sur le petit visage et l'embrassa à plusieurs reprises.

— Ça pique, dit-elle.

— Oui, je sais. Mais ce n'est pas si terrible que ça. Ta mère ne se plaignait jamais. Je l'embrassais très souvent avant de me raser. C'est elle qui me l'a dit. Maintenant, ça va ? demanda-t-il.

Elle ne répondit pas et baissa les yeux. Après un petit silence, elle murmura :

— Papa, je ne veux pas que tu te maries avec cette fille.

Marc écarquilla les yeux.

— Seigneur ! mais avec quelle fille ?

— Brigitte !

Marc demeura estomaqué. Il n'avait jamais parlé de Brigitte, ni à ses filles, ni à personne. Il se mit à jouer les innocents.

— Qui ça, Brigitte ?

— Je ne sais pas, dit-elle. C'est la dame que tu as appelée dans ton sommeil l'autre nuit. Je me suis levée pour aller aux toilettes et j'ai vu que tu parlais tout bas. Je pensais que tu voulais me dire quelque chose, alors je me suis approchée de ton lit, mais j'ai vu que je m'étais trompée parce que tu disais : « Brigitte, Brigitte, je t'aime. Ne t'en va pas, chérie. Je veux t'épouser. »

Marc ravala sa salive. Un malaise le parcourut. Il se ressaisit.

— Oh ! non, mon trésor. C'était un rêve. Papa ne veut pas se marier.

Mélissa eut un rire radieux.

— C'est bien vrai ! C'était juste un mauvais rêve ?

— Oui, c'était juste un mauvais rêve, dit-il.

Elle était si heureuse qu'elle prit son père par le cou et lui donna un énorme baiser sur la joue. Face au grand bonheur de sa fille, Marc ne laissa point paraître sa déception. Néanmoins, un voile de tristesse ternit son regard. Mais cela échappa à l'enfant. Quelques instants plus tard, il demanda d'une voix impersonnelle :

— Tu ne veux pas que je me remarie, Mélissa ?

— Non.

— Pourquoi ?

— Dans ma classe, à l'école, il y a le père de Nicolas qui s'est remarié et sa nouvelle maman n'est pas gentille avec lui.

— Je vois, dit-il. Et si nous en choisissions une très gentille ?

— Comme tante Agnès ?

— Oui, aussi gentille que tante Agnès.

— Alors, tu pourrais épouser tante Agnès. Stéphanie et moi, on la connaît bien, on serait d'accord.

Marc demeura interdit. Il prit un moment pour se retrouver.

— Je ne peux pas épouser tante Agnès... parce qu'elle est une parente, et on ne peut se marier entre parents. La loi le défend.

— Alors, Hélène ? Pourquoi pas, Hélène ? Elle est très gentille. Elle raconte de belles histoires. Elle fait de beaux cadeaux et elle aime les petits enfants. À part ça, je la connais bien. C'est pas une étrangère. Avec elle, toi aussi, tu serais bien. Elle te regardait l'autre jour avec de jolis yeux.

— Ma chérie, Hélène est déjà mariée.

La fillette parut consternée, alors que Marc au contraire se sentit soulagé. La façon de raisonner de l'enfant le rasséréna. « Elle aime les petits enfants. Elle, je la connais. C'est pas une étrangère. » L'amour et la peur de l'inconnu. L'inconnu surtout effarouchait toujours les enfants. De tout temps et de toutes générations, ils avaient été et étaient de petits êtres obstinément conservateurs. Par chance, avec beaucoup d'habileté, ils pouvaient aussi devenir très malléables. La journée où le goût et l'opportunité lui viendraient de se choisir une épouse, Marc saurait à présent comment procéder. Il respira soudain avec aisance. Du même coup, il avait résolu le problème de sa fille ainsi que le sien. Alors, il ajouta pour clore la discussion :

— De toute façon, papa ne veut pas se remarier

maintenant. Nous en reparlerons plus tard, quand tu seras devenue une grande fille. D'accord ?

— D'accord ! dit-elle gaiement.

* * *

Après le départ de Marc pour l'Arabie Saoudite, la maison devint subitement très calme. Tante Agnès dut faire preuve d'une grande imagination pour parvenir à égayer les fillettes. Jamais encore elle ne les avait vues aussi tristes. Avec quel raffinement elle s'efforçait d'animer leurs jeux, mais les petites n'y mettaient aucun entrain. À la télé, leurs émissions préférées ne semblaient plus exercer sur elles le même attrait. Parfois, les larmes remplissaient leurs yeux et on sentait qu'elles faisaient l'une et l'autre un profond effort pour ne pas pleurer. À les voir agir ainsi, tante Agnès en avait le coeur tout chaviré. Ce ne fut réellement qu'après le Jour de l'An et lorsqu'elles furent retournées à l'école que la vie s'égaya et redevint comme auparavant. À la maternelle, entourée de petits camarades insouciants et joyeux, Stéphanie faisait un agréable apprentissage de l'école tout en s'amusant beaucoup. Elle revenait toujours à la maison de bonne humeur et très gaie, avec plein de choses à raconter. Quant à Mélissa, elle rencontrait à cette nouvelle école deux ou trois petites élèves avec lesquelles elle se plaisait bien et à qui elle avait décerné le titre d'amies. De plus, les deux fillettes adoraient leur professeur ; si bien que la reprise des classes fut salutaire pour tout le monde.

Tante Agnès se trouva également soulagée par l'absence des enfants. Depuis Noël, elle se sentait terriblement fatiguée. C'était une drôle de fatigue qu'elle ne parvint pas tout de suite à identifier ou à définir, car elle ne l'avait jamais ressentie. Elle avait l'impression d'être grugée de l'intérieur, comme si la vie se retirait d'elle tranquillement. Devant Marc et les petites, elle avait dissimulé de son mieux cette pénible lassitude, mais à présent qu'elle se trouvait seule à la maison, elle se reposait très fréquemment au cours de la journée dans l'espoir de retrouver son énergie d'antan. Finalement, la semaine s'écoula sans qu'aucune amélioration ne se fit réellement sentir. Elle était désespérée ; elle qui avait eu jusqu'à ces derniers mois une santé robuste. À la voir, elle paraissait plutôt frêle. Mais de ce petit bout de femme jaillissait une énergie peu commune qui soulevait l'admiration de son entourage. Elle accomplissait en quelques heures une somme de travail qui surprenait tout le monde. L'inaction était un mot proscrit de son vocabulaire. Depuis la retraite, elle ne s'était jamais arrêtée. Agnès Mercier avait rempli son temps de bien des façons. Du bénévolat, des cours de langues, des études en informatique, bref tout ce qui méritait, selon elle, un certain intérêt. À présent, rien n'allait plus. Elle était subitement devenue une vieille femme. Chaque jour, elle s'observait dans la glace ; mais ce matin, à la vue de ses traits tirés, de ses petites lèvres exsangues, elle s'apitoya sur elle-même. C'est alors qu'elle songea à consulter son médecin. Elle lui téléphona sur-le-champ et, grâce à sa débrouillardise, elle réussit même à lui parler. Le docteur Benoît était un ami de longue date et il l'invita à passer le voir le matin même. À onze heures pile, elle se présenta à son bureau, et quand elle revint chez elle un peu après midi son moral était à terre, mais elle eut l'agréable surprise de la visite d'Hélène.

— Mon Dieu, tante Agnès, vous êtes bien pâle ! Êtes-vous malade ? Je ne vous ai jamais vue si abattue, souligna Hélène, en observant attentivement le doux visage qu'elle venait d'embrasser.

— Oui, tu as raison. J'ai quelques petits problèmes, et je crois que ton retour va me faciliter les choses. Je ne me sentais pas très bien ces derniers temps et j'ai visité le médecin ce matin. Il m'a dit que je dois aller quelques jours à l'hôpital pour des examens. Dans ces circonstances, la présence de mes petites nièces me complique un peu la vie. Elles sont trop jeunes pour se garder toutes seules et je ne peux les confier à n'importe qui, tu comprends. S'il leur arrivait quelque chose, Marc ne me le pardonnerait jamais. Alors, j'ai pensé à toi. Est-ce que tu pourrais me remplacer à la maison pendant mon absence ?

— Bien sûr, je viendrai. Mais est-ce grave, tante Agnès ?

— Mais non, ce n'est pas grave, mais non. Il ne faut surtout pas t'alarmer, ma petite fille. Ce ne sont que des examens de routine, tout simplement. Je suis un peu plus fatiguée que d'habitude et le docteur Benoît est très prudent à cause de mes antécédents.

L'angoisse s'inscrivit sur le visage d'Hélène. Elle savait que le frère ainsi que les deux soeurs de tante Agnès, dont l'une était la mère d'Annie, avaient été emportés par le cancer. Maintenant, dans sa famille immédiate, Agnès Mercier demeurait la seule encore vivante.

— Il ne faut rien laisser au hasard, lança Hélène d'une voix saccadée. Votre vie m'est très précieuse, vous ne l'ignorez pas. Vous et moi, nous n'avons personne d'autre au monde...

Tante Agnès lui tapota la main.

— Je te défends bien de te tracasser de la sorte. Je suis délicate, mais très coriace. Je parie même que le jour où tu me mettras en terre, tu seras devenue une vieille femme toute courbée et toute ridée. Tu auras même une canne pour te supporter.

Hélène se mit à sourire.

— Je dois donner une réception vendredi, donc

après-demain. Ensuite, je serai libre. Je pourrai venir garder les fillettes quand cela vous conviendra.

— Le médecin m'avait suggéré le début de la semaine prochaine. Je le rappellerai pour lui confirmer ma réponse. Je te remercie, chérie. (Elle se mit à sourire.) J'avais une sorte d'intuition que je pourrais compter sur toi, puisque j'avais presque donné mon assentiment. Depuis ton enfance, tu as toujours été tellement serviable.

Plus tard, assise au salon, une tasse de thé entre les mains, Hélène se mit en devoir de raconter son voyage à la vieille demoiselle. Elle le fit avec beaucoup de plaisir et de raffinement. Son tempérament artistique lui insufflait une façon tellement vivante de décrire les paysages, de parler des gens qu'elle avait rencontrés, de faire surgir certains détails amusants, que ceux qui l'écoutaient avaient presque l'impression de faire partie de l'excursion. Elle termina son récit en rapportant les paroles qu'elle avait dites au propriétaire de l'hôtel en le quittant.

— Tante Agnès, je vous invite à Tahiti l'hiver prochain. J'ai déjà réservé deux chambres pour les vacances des Fêtes.

Dans les beaux yeux bleus de tante Agnès, la fatigue avait disparu. Elle semblait aussi heureuse qu'une petite fille lorsqu'elle acquiesça, le sourire aux lèvres. Puis le ton d'Hélène redevint sérieux et elle lui parla du divorce. Le mot ne sembla pas impressionner l'ancienne secrétaire des présidents Chabrol. Elle ne broncha même pas lorsque Hélène l'eut prononcé. Elle se contenta de l'observer longuement, mais on sentait que, derrière ce regard, Agnès Mercier était perdue dans ses réflexions. Finalement, elle dit :

— Je savais qu'un jour ou l'autre, tu en viendrais là. Ton père, le jour même de ton mariage, me l'avait prédit. Tu as fait preuve d'une grande endurance, Hélène. Je connais bien des épouses qui n'auraient jamais additionné seize ans de mariage avec Nelson Vallée. Tu as vraiment tout tenté pour sauver ton mariage ; c'était ton devoir, et je te félicite. Je te félicite également pour le courage que tu as eu de prendre cette décision. Parce que ce n'est jamais facile de réagir, de couper les ponts, quelles que soient les circonstances. La nature humaine a des tendances particulières à créer des habitudes et les rompre nous perturbe toujours un peu.

Tante Agnès se tut, avala une gorgée de thé et reprit cette fois du ton ferme, moins complaisant, de la femme d'affaires.

— À présent, quand comptes-tu engager les procédures ? Je crois qu'il ne faut pas hésiter, le plus tôt serait le mieux.

— À la mi-janvier, répondit Hélène de sa voix calme. Nelson est déjà au courant de mes intentions. Nous devons nous rencontrer pour mettre certaines choses au point. Nous irons faire du ski ensemble au mont Tremblant et nous profiterons de la circonstance pour discuter.

— Tu perds ton temps à discuter avec Nelson. Tes intérêts seraient bien mieux protégés si tu discutais avec tes avocats. Méfie-toi de lui, Hélène. Je suis convaincue, parce que je le connais bien, que le divorce ne doit pas entrer dans ses intentions. Les intérêts en jeu sont trop importants. Il en sortira perdant, qu'il le veuille ou pas. Et ça, il le sait ! Ton père a agi de sorte que tu sois bien protégée par ton contrat de mariage.

Agnès Mercier s'interrompit un moment. Un éclair brilla soudain dans son regard, puis elle se mit à secouer la tête par petits coups.

— Vraiment, Hélène, j'ai beau réfléchir, je n'arrive toujours pas à comprendre qu'il veuille divorcer, conclut-elle... Mais pas du tout. Et quand je ne comprends pas, cela me tracasse toujours.

— Évidemment, l'idée ne lui plaît pas, reprit Hélène. Mais il n'aura pas le choix d'accepter ou de refuser. J'en ai assez et j'exige que nous divorcions.

Le cerveau d'Agnès Mercier était alarmé. Elle savait qu'Hélène, en face de Nelson, ne pouvait lutter à forces égales. Cette pauvre enfant était sans méfiance. De plus, elle avait hérité en bloc du tempérament généreux de sa mère. Alors, pendant l'heure qui suivit, avant l'arrivée de l'école des enfants, Agnès Mercier se fit un devoir de conseiller la fille de Joseph Chabrol sur le déroulement des procédures à suivre. Elle lui suggéra aussi les noms de quelques bons avocats qu'elle devait absolument consulter. Elle passa également en revue tous les points où Hélène devait se protéger davantage et elle discuta avec celle-ci d'une foule de détails auxquels cette dernière n'avait pas pensé. Rien dans cette discussion n'échappa à la vieille demoiselle. Sa magnifique intelligence, enrichie d'une longue expérience, avait cerné l'ensemble du problème et elle savait avant toute chose qu'elle se devait de protéger l'héritage d'Hélène contre l'agresseur. Tant d'années de labeur intense avaient concouru à l'ériger, qu'elle n'était pas prête de son vivant à le voir passer en des mains étrangères. Personne ne peut accepter de plein gré de voir disparaître l'oeuvre de plusieurs vies sans se rebeller. Le combat serait rude. Mais Agnès Mercier ne lâcherait pas. Face à Nelson Vallée, elle se savait la seule pouvant lutter adéquatement. Elle ferait le contrepoids.

— Écoute, chérie, poursuivit-elle. Tu ne prendras aucune décision, même dans les discussions avec les avocats, avant de me consulter. Tu ne dis jamais à Nelson que je t'épaule. Je ne veux même pas qu'il soit mis au courant que nous nous voyons, encore moins qu'il sache que nous discutons ensemble.

— Pourquoi tous ces avertissements, tante Agnès ? Vous savez très bien que Nelson ignore que nous nous fréquentons encore. Après la mort d'Alain, il m'avait interdit de vous voir. Il croit que je lui ai obéi. Par la suite, j'ai toujours gardé le silence le plus discret sur nos relations. Je suis certaine qu'il ne connaît pas davantage l'endroit où vous demeurez. Depuis que vous avez quitté votre emploi et donné votre démission, vous avez changé trois fois de domicile. Pourquoi le craignez-vous ainsi ?

— J'ai de très bonnes raisons d'agir comme je le fais.

Quand Agnès Mercier prononçait cette phrase, c'est qu'elle n'avait pas le goût d'en dire davantage. Mais cette fois, Hélène riposta :

— Je veux savoir pourquoi, tante Agnès. Je crois que j'y ai droit, non ?

Agnès considéra Hélène d'un regard tendre et se mit à sourire.

— Tu as changé ces derniers temps, chérie. Je t'aime bien quand tu prends cet air déterminé, comme en ce moment. Eh bien, je vais te dire pourquoi Nelson me hait tant. C'est une très longue histoire. Pour bien comprendre, il faut remonter quelques années en arrière. Savais-tu que ton père, Hélène, ne prenait jamais une décision importante sans me consulter ? En premier lieu, il en parlait toujours avec Richard et François Renaud, puis lorsqu'il connaissait leur opinion, c'est avec moi qu'il discutait en dernier avant de se prononcer définitivement. Je n'ai pas la prétention de croire que c'était justifié, mais c'est ainsi que les choses se passaient. Puis, un jour, un peu avant de donner sa démission et de céder la présidence à Alain, Joseph nous fit venir tous les trois dans son bureau pour discuter d'un problème confidentiel. La réunion devait être secrète.

C'est alors qu'il nous dit que pour une meilleure administration de la maison, il devrait accorder plus de privilèges à Nelson avant la passation des pouvoirs, car il estimait son gendre meilleur administrateur que son fils. De nous trois, je fus la seule à m'opposer formellement à cette idée. Richard présentait des objections, mais d'emblée il ne se prononçait pas contre. Quant à l'ingénieur Renaud, il se contenta de faire valoir son point de vue sans prendre réellement position. Donc ton père, sur mon conseil, ignora complètement la présence de Nelson et Alain devint président à part entière.

« Puis le mois qui précéda la mort d'Alain, nous nous sommes retrouvés en pleines négociations avec une importante firme de voitures japonaises. À la même époque, nous étions également en pourparlers avec le gouvernement en vue de l'obtention d'une subvention pour rénover l'usine, afin d'augmenter notre taux de production. Finalement, le ministère agréa notre demande et nous obtînmes la subvention la veille de la signature du contrat avec les Japonais. Comme la campagne électorale débutait, le ministre se réserva le privilège d'annoncer publiquement la nouvelle. Nous nous pliâmes à son désir et chacun, à la direction, reçut l'ordre de respecter la consigne.

« Or, le matin suivant, un article écrit par la journaliste Michèle Fontaine faisait la manchette des journaux. »

— Oui, je me souviens, dit Hélène, pensive. Un article d'une demi-page racontait en ses moindres détails l'entente de trois cent millions de dollars que nous venions de signer avec Kyoto Industries, ainsi que les accords gouvernementaux concernant la subvention. Oui, je me souviens ! Alain était si fâché qu'il donna l'ordre de congédier celui qui avait ébruité la nouvelle.

— Oui. Quel que soit le rang du traître, la porte

l'attendait, reprit Agnès, avec encore au fond des yeux une étincelle de colère. Après un moment, elle ajouta, le regard tourné vers le passé :

— Personne n'a été congédié, parce que nous n'avons jamais découvert l'auteur de la trahison. La journaliste non plus ne fut jamais retracée. Elle avait disparu de la circulation.

Agnès se tut et parut à nouveau accablée au souvenir de cette énigme qui, aujourd'hui, encore, lui paraissait un mystère. Elle pencha un peu la tête en avant et transperça Hélène de son beau regard intelligent.

— Par la suite, j'ai mené ma propre enquête pour connaître le fond de cette affaire, poursuivit-elle. J'ai épluché tous les dossiers des cadres pour essayer de trouver un indice. Car il m'apparaissait indubitable que le traître devait se trouver parmi les cadres, puisque seuls ces derniers étaient au courant de toute l'affaire. Malheureusement, ce travail ne donna aucun résultat concluant, car rien d'important n'attira mon attention, hormis un fait qui venait de l'extérieur et qui me troubla. Une compagnie qui s'appelait Alpha Trust et dont le siège social était situé aux Bahamas avait acheté, le jour qui précéda la nouvelle dans les journaux, pour deux millions de dollars d'actions dans notre compagnie. Trois semaines plus tard, ces mêmes actions, qui avaient grimpé de façon astronomique, étaient revendues le matin même du jour de la mort d'Alain, avant qu'elles n'aient subi aucune baisse... Ce parfait synchronisme m'est toujours également apparu comme une énigme...

Tante Agnès approcha la tasse de ses lèvres et sirota une gorgée de thé. Elle s'absorba dans ses pensées quelques instants, puis elle poursuivit :

— De plus, à la même époque, nous fûmes alarmés par un important détournement de fonds au sein de la compagnie. Pour en avoir le coeur net, Alain chargea Nelson d'éclaircir l'affaire. Tu sais, ma chérie, combien la vieille secrétaire de ton père est de nature soupçonneuse ? Eh bien ! oui, pour moi, ce détournement de fonds avait une relation quelconque avec Alpha Trust. Cette déduction, soit dit en passant, n'était basée sur aucune preuve concrète. C'était plutôt une sorte d'impression qui avait pris forme sur l'évaluation des personnes et des événements. Alors, je m'armai de courage et je mis Alain au courant de mes observations. Il me suivit dans la salle de conférences et il m'écouta avec une profonde attention, sans dire un seul mot. À un certain moment, je crois que mes soupçons rejoignaient les siens, car à mesure que je parlais, je voyais la déception s'inscrire sur ses traits. Son regard s'était voilé et il parut soudainement très préoccupé.

— Y avait-il quelqu'un à la direction que vous suspectiez ? demanda Hélène.

Agnès hocha la tête et son regard devint songeur.

— Oui, fit-elle. Aussi bizarre que la conjoncture des événements le démontrait, il me semblait logique que Nelson eût quelque chose à voir avec ce détournement de fonds.

— Nelson ? s'exclama Hélène, stupéfaite, mais ça n'avait aucun sens, tante Agnès !

— Je ne suis pas de ton avis, reprit la vieille secrétaire d'une voix calme et mesurée. Ton mari a toujours mené un grand train de vie... plus encore que tu ne le crois. Selon mes calculs, il était le seul à la direction qui vivait au-delà de ses moyens.

— Tante Agnès, Nelson était mon mari ; le mari de la copropriétaire des Aciéries Chabrol. Très bien ! Suivons l'hypothèse que son salaire personnel n'eût pas été suffisant à l'époque. Alors, dites-moi ? Pourquoi voler autrui quand il n'avait qu'à piger dans mon propre compte de banque ?

— Pourquoi, Hélène ?... Peut-être parce qu'il ne désirait pas, tout simplement, devoir donner certaines explications que tu aurais pu exiger ?

Hélène baissa les yeux et se mit à réfléchir. Agnès soupira et reprit son exposé.

— Quoi qu'il en soit ce jour-là, j'ai compris à l'expression du visage d'Alain qu'il épousait le fond de ma pensée. Il réfléchit longtemps sans dire un seul mot. Son silence, à la longue, me troubla beaucoup. J'avais l'impression que mes révélations venaient de faire déborder la coupe. Entre Nelson et Alain, à ce moment-là, les relations n'étaient pas très bonnes. Ils se fuyaient réciproquement. Finalement, Alain me donna congé et me pria de ne rien dévoiler de tout cela à personne. Quand je quittai le bureau ce vendredi soir, il était encore dans la salle de conférences, son visage était appuyé dans ses mains et il semblait très malheureux.

« Le lundi suivant, il demanda à Nelson de le suivre sur l'aire d'atterrissage. Ils ont discuté dehors très longtemps. Par la fenêtre, je vis que la discussion était des plus animées. Plus tard, lorsque Nelson réintégra son bureau, il avait toujours cet air impassible qu'il affichait partout. Je ne vis pas Alain le reste de la journée. Une sorte de pressentiment me suggéra que le moment était propice pour prendre des vacances. On était en juillet, il faisait beau, et j'avisai Richard que je partais pour quinze jours. Je mis de l'ordre dans les papiers d'Alain et je quittai le bureau plus tard que d'habitude. Tout le monde était parti, à l'exception de Nelson que je croisai dans le hall d'entrée. Je fis mine de l'ignorer, mais il me barra le chemin. Soudain, une peur étrange m'envahit. Il me retint par le bras et, en levant les yeux vers lui, je vis que son regard me fusillait. Mon coeur battait très fort. Je voulais avoir l'air brave, mais je sentais l'angoisse me paralyser. C'est alors qu'il me lança d'une voix métallique :

— Il y a des choses que je n'oublie jamais, mademoiselle Mercier. Entre autres, les ennuis que l'on me cause.

« J'essayai d'être courageuse et je soutins son regard d'acier. Néanmoins, je sentais ses doigts se serrer autour de mon bras comme un étau. Subitement, je pris conscience que j'étais sa prisonnière. La peur me coupa le souffle. Les idées les plus saugrenues m'assaillirent. C'est alors que l'idée me vint qu'il pourrait m'assassiner froidement et que personne ne pourrait me venir en aide.

— Je vous hais, marmonna-t-il entre ses dents.

« Tout à coup, à l'autre bout du couloir, une porte s'ouvrit et un préposé à l'entretien apparut. Je retrouvai mon aplomb, d'autant plus qu'il me semblait dans la force de l'âge et très robuste. Nelson vit aussi l'employé et me lâcha le bras. Alors, je débitai à ton mari tout ce que j'avais sur le coeur à son sujet depuis tant d'années. Dans mon classeur, il y avait un dossier que j'avais dressé sur sa malhonnêteté. À mesure que je parlais, je voyais son visage pâlir et la haine remplir ses yeux. Je lui dis en terminant :

— Je ne sais pas ce qui s'est passé entre Alain et vous, ce matin, mais j'espère qu'il va vous mettre à la porte. C'est tout ce que vous méritez. Vous êtes une crapule de la plus belle espèce, Nelson Vallée. Vous ne valez pas grand-chose. Je pars en vacances, mais ce sont les recommandations que je ferai au président en rentrant.

« Il eut un petit rire strident. »

— Alain n'est pas à vos pieds comme l'était le vieux.

— C'est ce qu'on verra ! dis-je d'un ton provocant.

« Et je tournai les talons sans me préoccuper de ce qu'il ajoutait. Toutefois, je n'ai jamais oublié ses dernières paroles. Parce que ce furent réellement les dernières. Nous ne nous sommes plus jamais revus par la suite. Quelques jours plus tard, l'hélicoptère d'Alain explosait en plein ciel. »

Hélène avait tout écouté d'une oreille attentive. Elle n'avait pas bronché. Tante Agnès ferma les yeux, renversa sa tête en arrière et la fatigue la submergea.

— Quelles ont été ses dernières paroles, tante Agnès ?

Quand elle rouvrit les yeux, Agnès Mercier paraissait revenir de très loin. Une profonde lassitude s'inscrivait sur ses traits. On lui aurait facilement donné dix ans de plus. Le corps frêle se redressa. Puis la vieille demoiselle articula lentement et prononça, d'une voix très neutre, comme si tout cela ne la concernait plus maintenant :

— Je vous hais tant, Agnès Mercier, que si un jour nous nous croisions dans un lieu solitaire, je vous jure que votre vie ne tiendrait pas à grand-chose.

Hélène eut un haussement d'épaules.

— Tante Agnès, ne vous tracassez pas avec cela. Nelson est très mauvais perdant et il s'emporte facilement. Combien de fois ai-je entendu de ses lèvres des paroles comme celles-ci et jamais il n'a mis ses menaces à exécution. Bien des hommes sont comme lui. Il ne faut surtout pas les prendre au sérieux.

— Tu as raison, chérie. Bien des hommes ne méritent pas d'être pris au sérieux. Or, Nelson n'est pas comme les autres. Je le sais parce que je l'ai vu à l'oeuvre pendant bien des années. Crois-moi, tu n'es pas assez prudente avec lui. Ne pèche pas par excès de confiance.

Ne le rencontre plus sans la présence de tes avocats. Méfie-toi, Hélène. Méfie-toi ! Nelson atteint toujours son but.

Agnès se tut et prit la main d'Hélène dans la sienne dans un geste de réconfort.

— Sois prudente, mais ne crains pas, chérie, je suis suffisamment consciente pour te protéger.

Tante Agnès se leva péniblement et alla dans sa chambre s'étendre sur son lit. Quelques minutes plus tard, elle sombrait dans un sommeil profond. Hélène ferma doucement la porte et s'installa au salon avec les journaux pour attendre l'arrivée des fillettes de l'école.

Chapitre 10

Dès son arrivée au bureau, ce vendredi matin, Richard O'Neil se rendit immédiatement auprès de Nelson Vallée pour lui remettre les documents que celui-ci, la veille, lui avait réclamés. Debout près de la fenêtre, vêtu de son lourd manteau de chat sauvage, Nelson venait de dicter une lettre et semblait impatient de partir lorsque Richard apparut. Il s'empara aussitôt du dossier, l'enfoui dans son attaché-case et, d'un pas rapide, se précipita vers l'aire d'atterrissage. Dans l'embrasure de la porte, il s'arrêta quelques secondes, juste le temps de dire à son directeur :

— J'ai l'impression que l'entrevue avec ce client américain sera plus longue que prévue, étant donné l'importance du dossier. Je ne m'attends pas à revenir du lac Marois avant le début de l'après-midi. Ce matin, monsieur Markus Friedrich, d'Allemagne, doit téléphoner. Auriez-vous l'obligeance d'avertir la standardiste de vous transmettre l'appel ? Dites à monsieur Friedrich que je serai à Bonn au début de la semaine prochaine et que j'entrerai en contact avec lui dès mon arrivée.

Sur ce, Nelson s'engouffra à l'extérieur dans l'air glacial du matin et Richard, quelques minutes plus tard, vit l'hélicoptère s'envoler dans un ciel gris et terne. La météo n'avait prédit aucune précipitation de neige, mais Richard était convaincu qu'il allait neiger. Son regard se détacha du firmament et s'abattit sur la pile de documents qui reposait sur sa table de travail. À cette époque de l'année, la production allait rondement et tout le monde à l'aciérie était surchargé. Néanmoins, après avoir averti la téléphoniste, donné quelques directives à sa secrétaire et répondu à deux appels, il prit le temps de boire tranquillement un café avant de se mettre au travail. Richard avalait le fond de sa tasse, lorsqu'il se rendit compte que sa pensée voltigeait encore au restaurant où, la veille au soir, il avait mangé avec Hélène. Deux jours plus tôt, il avait reçu d'elle cette invitation à dîner, comme elle le faisait parfois lorsqu'elle voulait le voir à l'insu de tous pour lui parler confidentiellement, et il s'était rendu avec plus d'empressement que d'habitude au rendez-vous. La dernière visite d'Hélène avait ravivé en lui certains sentiments qu'il avait éprouvés jadis et que, depuis son mariage, il s'était refusé à entretenir. Toutefois, il n'avait jamais pu maîtriser la situation de façon parfaite, car, après tant d'années, dès qu'il entendait sa voix au téléphone ou qu'il la rencontrait par hasard, son coeur faisait des bons dans sa poitrine. Cette fois-ci, en apercevant Hélène dans la pénombre de l'établissement, il l'avait trouvée plus attirante que jamais. Sa mise était, bien sûr, impeccable et ses vêtements, choisis avec raffinement. Mais, cette fois, cette attirance venait d'ailleurs. Il y avait chez elle quelque chose de plus subtil, de plus pénétrant, qu'il n'identifia pas tout de suite. Elle débordait de vie, d'assurance. Il lui sembla aussi qu'elle dégageait cette allure désinvolte qu'ont les jolies femmes dans les messages publicitaires à la télévision. Son teint doré par les mers du Sud lui donnait un éclat particulier. Tout à coup, ses jolis yeux noisette se mirent à pétiller de plaisir en le voyant venir. Elle semblait si heureuse de le voir que Richard avait un peu perdu la tête... Il l'avait prise dans ses bras pour lui faire les voeux de la bonne année. Tant pis, si on était déjà au 20 janvier ! Puis, emporté par une fougue intérieure, il l'avait longuement embrassée sur la bouche. Hélène, sous l'effet de la surprise, n'avait pas réagi tout de suite. Au début, elle avait éprouvé un certain plaisir à être emprisonnée par des bras aussi puissants. Plus tard, elle fut incapable de résister, comme si sa volonté annihilée subitement refusait d'agir. Puis le visage rougi par l'émotion, elle s'était lentement dégagée de son compagnon et, tout en lui tenant la main, bouleversée comme une collégienne, elle l'avait entraîné dans un sourire figé vers leur table. Ils avaient bu leur consommation l'un en face de l'autre, sans trop se regarder, un peu gênés de leur comportement. En sirotant son deuxième verre, Richard avait retrouvé son aplomb. Il s'était lancé dans un long discours sur les aciéries, si bien qu'Hélène n'eut guère besoin de poser de questions. Plus tard, lorsque le calme fut parfaitement rétabli en elle, elle l'instruisit de ses volontés et l'avisa qu'elle ne tiendrait pas sa promesse de présider les réunions mensuelles, jusqu'à l'obtention de son divorce.

— Vous avez parfaitement raison de ne pas affronter Nelson pendant cette période critique, fit Richard. De toute façon, je serai là pour veiller sur vos intérêts... Comme je l'ai toujours fait, ajouta-t-il en posant sur elle un très long regard amoureux.

Hélène le remercia dans un sourire. Finalement, de nouveau intimidée par l'attitude de son compagnon, elle se déroba à son regard trop insistant et souligna, les yeux rivés sur sa tasse de café :

— Il se peut que je m'absente pour quelque temps

lorsque les avocats n'auront plus besoin de moi. J'irai peut-être en Europe, je ne sais pas encore. Auriez-vous l'obligeance, Richard, de verser dans mon compte personnel tous les revenus qui me sont dus, tant et aussi longtemps que je ne vous aviserai pas du contraire. Je préfère dissimuler le plus de fonds possible à Nelson, vous comprenez.

— Bien sûr, chère. D'ailleurs, personne ne vous comprend mieux que moi. Vous agissez avec circonspection, exactement comme votre père le ferait.

Ils continuèrent de bavarder longtemps. Parfois, Richard lui prenait la main avec tendresse, lui faisait des recommandations, l'exhortait à la prudence et l'incitait à limiter sa générosité envers Nelson. La soirée était avancée, quand Richard reconduisit Hélène chez elle. Celle-ci lui causa une très grande joie, lorsque devant sa porte, elle lui avoua :

— Après mon divorce, lorsque je reprendrai les aciéries en main, il se peut, Richard, que je vous nomme directeur général à la place de Nelson. Sous cet angle nouveau, est-ce que vous accepteriez de retarder de quelques années l'heure de la retraite ?

Tout d'abord, il fut surpris, puis il éclata d'un rire généreux, communicatif. Il souriait encore lorsqu'il passa un bras autour des épaules d'Hélène et la rapprocha de lui.

— Dites-moi, chère enfant, sur quelle tablette allez-vous déposer votre mari ?

— Oh ! vous n'y êtes pas du tout, puisqu'il assumera votre fonction.

Richard, le regard pensif, se mit à hocher la tête par petits coups.

— Autrement dit, les rôles seront inversés, si je comprends bien.

Il se tut, puis se pencha sur elle. Sa main caressait sa joue.

— Je pourrais également assumer le rôle de l'époux, si vous voulez... Je vous aime tant, Hélène, murmura-t-il d'une voix douce.

Et il déposa sur ses lèvres un baiser de feu, plein d'amour et de volupté.

— Oui, je vous aime, reprit-il. Je vous aime depuis si longtemps. Je voudrais faire l'amour avec vous, ma petite fille chérie. Je sais que je pourrais vous rendre heureuse comme vous ne l'avez pas été depuis très longtemps. Ce soir, personne ne m'attend à la maison. Ma femme est partie avec des amies à la Barbade, pour quinze jours. Nous sommes seuls tous les deux, Hélène chérie. Pourquoi ne pas confondre nos deux solitudes en nous blottissant l'un contre l'autre dans un grand lit? Passer une nuit ensemble, ce serait merveilleux... Une seule nuit pour sceller notre pacte... Nous serions si bien, vous et moi, ne croyez-vous pas?

Hélène était étourdie. Tout valsait dans sa tête. Elle flottait littéralement. Son coeur s'agitait comme celui d'une amoureuse. Et puis... Richard l'attirait physiquement. Plus d'une fois, elle se l'était imaginé nu. Il devait être splendide. À vingt ans, elle ne le voyait pas avec les mêmes yeux. Certes, à cette époque, elle le trouvait séduisant, mais il n'exerçait pas sur elle le même attrait qu'aujourd'hui. Le fossé de l'âge s'était estompé entre eux avec les années. En vieillissant, Richard avait acquis une certaine forme de raffinement qui le rendait extrêmement sympathique. Depuis quelques années, il accordait également à sa tenue vestimentaire un soin plus marqué. Il était devenu un homme très élégant qui attirait les regards. Richard plaisait aux femmes et Hélène n'ignorait pas qu'il en était flatté. Toutefois, ce soir, blottie dans ses bras, Hélène ne pensait qu'à l'attrait physique qu'il lui inspirait. Son visage, que ses lèvres venaient d'effleurer, dégageait une si douce odeur de lavande et elle se sentait si bien, serrée contre lui, qu'elle ne sut jamais par la suite où elle puisa la force de lui rappeler qu'il n'était pas un homme libre et que, de son côté, elle ne voulait pas être la cause du chagrin d'une autre femme.

Alors, très vivement, Hélène s'était évadée de la voiture et avait gagné l'entrée de la maison sans se retourner; de peur, en le regardant, d'être incapable de résister à la tentation une seconde fois.

* * *

Hélène dormit très mal. Les cauchemars peuplèrent son sommeil. Des sonneries de téléphone ne cessèrent de la tourmenter. Elle se réveilla à deux reprises, l'estomac soulevé par des nausées. Le corps inondé de sueurs, elle courait à la salle de bains et vomissait au prix de multiples efforts. Au souper, elle avait mangé des moules et c'était la deuxième fois, se rappela-t-elle soudain, qu'elle en était malade. Elle devait être allergique à ces mollusques et elle l'ignorait. Finalement, elle se rendormit un peu avant l'aube, faible et épuisée. Quand son réveille-matin sonna à huit heures, elle ne savait plus si sa santé lui permettait d'aller skier le jour même avec Nelson au mont Tremblant.

Sans hâte, elle se leva, alla à la cuisine et prépara un thé bien chaud. Quinze minutes plus tard, elle but une seconde tasse et avala quelques biscuits sans ressentir aucune nausée. Elle marcha un peu dans la maison pour évaluer ses forces. Puis, comme elle se sentait bien, elle décida de ne pas annuler sa journée de plein air. À neuf heures trente, comme elle l'avait promis, elle serait au rendez-vous que Nelson lui avait fixé.

* * *

Nelson posa son hélicoptère sur la piste d'atterrissage de l'aéroport de Cartierville, après en avoir obtenu la veille l'autorisation de la direction. De l'aciérie à l'aéroport, le trajet s'était effectué en onze minutes, tel qu'il avait été prévu. Tout était étudié, parfaitement réglé et, jusqu'à maintenant, son plan fonctionnait à la perfection. Personne ne se douta, pendant les quelques instants où il demeura dans l'appareil, qu'il se changeait. Il sortit de l'hélicoptère, vêtu d'un pantalon de ski et d'un anorak. Toutefois, pendant sa hâte la couture arrière du pantalon avait cédé. Il haussa les épaules. Après tout, cela n'avait aucune importance. Il quitta la piste d'un pas rapide et se dirigea vers le parking où une voiture grise de location qu'il avait expressément choisie le plus anonyme possible, terne, sans éclat, et déjà couverte par le calcium de la rue, l'attendait. Il ouvrit le coffre arrière de la Chevrolet, y plaça une petite mallette, et à la vue de son équipement de ski, il échappa un sourire furtif. Exactement dix-sept minutes plus tard, il arrivait au rendez-vous qu'il avait fixé à Hélène et celle-ci, pour une fois, était à l'heure et semblait grelotter bien qu'emmitouflée dans un manteau de fourrure très sport.

Nelson, en mari courtois, descendit ouvrir la portière à sa femme et s'occupa de ses bagages, tout en la remerciant encore une fois d'avoir bien voulu le rejoindre à cette entrée de l'autoroute pour économiser le temps. Il avait également été question entre eux que Nelson ne s'absenterait que pour la journée. Quant à Hélène, elle avait réservé à l'hôtel du mont Tremblant un petit bungalow pour une période de trois jours et elle espérait ardemment que le soleil fût de la partie pour réchauffer l'air glacial de la matinée.

Le trajet se fit merveilleusement bien. Dehors, le

paysage ployait sous une neige épaisse. Il avait neigé plusieurs jours d'affilée et toute la campagne étincelait d'une blancheur immaculée. Pas un brin d'herbe n'apparaissait dans les champs. Les sapins verts, lourds de leur parure, charmaient la vue. Hélène ne regrettait plus d'être venue. C'était magnifique ! De plus, Nelson semblait de bonne humeur, riait fréquemment, se comportait en gentleman... si bien qu'elle en oublia aussi ses sensations de flottement, ainsi que les nausées qui l'assaillaient encore. Tout d'abord, ils discutèrent de vacances, de voyages, puis lentement la conversation glissa sur le sujet qui les réunissait. Tout au long du dialogue, Nelson parlait doucement, sans jamais hausser la voix. Hélène était épatée. Elle n'en croyait pas ses yeux. À présent, elle se devait d'admettre qu'il avait bien changé, tout comme elle, au cours de ces derniers mois, et elle le lui avoua.

— Je ne te reconnais plus, Nelson. Il y a quelque chose en toi de différent... Tu es devenu plus humain... Je crois que vivre loin de moi te convient merveilleusement bien.

Il haussa les épaules.

— Non, je ne crois pas. C'est seulement une impression... Tu sais, Hélène, j'ai beaucoup réfléchi de mon côté et je n'ai pas changé d'idée. Je ne veux pas divorcer. Et toi, es-tu bien sûre que tu désires mettre un terme à notre union ? Tu m'as dit que tu n'avais pas encore consulté d'avocat. Alors, il est toujours temps de changer d'avis.

— Non, Nelson. À présent, notre mariage n'est plus qu'une façade. Pour moi, il ne veut plus rien dire... Par contre, si tu rompais avec Brigitte, si tu revenais vivre à la maison et si tu me promettais d'être un époux aimable, fidèle et aimant, là, je crois que j'y réfléchirais... que je te donnerais peut-être une seconde chance... Avec le temps et de la gentillesse, j'arriverai peut-être à t'aimer de nouveau. Qui sait ?

Pour la première fois du voyage, le sourire quitta les lèvres de Nelson et son visage devint impénétrable. Par chance, ils arrivaient à l'hôtel du mont Tremblant. Nelson stoppa sa voiture devant l'entrée, vint pour ouvrir sa portière et se ravisa volontairement.

— Seigneur ! J'oubliais. Mon pantalon s'est décousu en arrière, je ne peux me présenter à la réception. Aurais-tu l'obligeance d'y aller toi-même ? Tiens. Prends ces billets, ils exigeront le plein montant tout de suite, puisque tu loges dans un bungalow.

Hélène voulait se servir de sa carte de crédit, mais Nelson insista et elle accepta l'argent. Comme elle s'apprêtait à descendre, elle considéra Nelson d'un regard étonné.

— Dis-moi, comment feras-tu pour skier, s'il y a une fente dans ton pantalon ?

— Essaie de trouver du fil et une aiguille quelque part.

Vingt minutes plus tard, Hélène revint, triomphante ; sa clé dans une main, du fil noir et une aiguille dans l'autre. Nelson la remercia.

Le bungalow, un peu en retrait par rapport aux autres, présentait une excellente situation. Il était constitué de trois pièces propres et accueillantes, meublées rustiquement. Une cheminée de pierre donnait au vivoir une allure intime et confortable. C'était le petit chalet idéal pour un couple de jeunes mariés. Nelson déposa les équipements de ski dans l'entrée et la valise de sa femme dans la chambre. Il en profita pour fermer la fenêtre.

— C'est frisquet ici, dit-il.

Hélène retira son manteau, ouvrit sa valise et en sortit un gilet de ski.

— Non, ne le mets pas, dit Nelson. Nous n'allons pas skier maintenant.

Hélène interrompit son geste.

— C'est vrai, fit-elle en souriant. Je dois d'abord recoudre ton pantalon.

— Non, pas la peine. Nous ne skierons pas aujourd'hui.

Cette fois, elle lui lança un regard interrogateur.

— Ah non ! Et qu'allons-nous faire ?

Une idée farfelue lui passa par la tête. La situation lui apparut soudain grotesque et drôle en même temps. Prise de fou rire, elle se laissa tomber sur le bord du lit.

— Vraiment, Nelson ! Tu as de ces idées, parfois... Je te parle de divorcer et toi, tu veux faire l'amour.

— Déshabille-toi ! ordonna-t-il.

Le ton fut si brusque qu'Hélène tressaillit. Déroutée, elle l'observa quelques secondes. C'est alors qu'elle vit la méchanceté envahir lentement son visage et la haine durcir ses traits. Il n'avait pas changé du tout. C'était le même Nelson qu'autrefois. Hélène avala difficilement sa salive. Elle s'était cruellement méprise.

— J'AI DIT DE TE DÉSHABILLER, articula-t-il, en martelant les mots.

La gifle qu'elle reçut en plein visage la contraignit d'obéir. Étourdie, chancelante, elle retira aussitôt son chandail, son pantalon de ski, ainsi que sa combinaison isothermique. Dans un geste précipité, Nelson s'empara des vêtements et les éparpilla sur le plancher. Hélène, à demi nue, les yeux brouillés de larmes, s'accablait de reproches. Pourquoi aussi n'avait-elle pas suivi à la lettre les conseils de tante Agnès, qui lui avait suggéré d'éviter Nelson ? Ne pas discuter avec lui sans la présence de ses avocats ? Oh ! comme la chère vieille demoiselle avait eu raison de lui prêcher la prudence. Quelle idiote elle était donc d'avoir cru un seul instant que cet homme pouvait changer! Maintenant sa naïveté était bien punie. Elle était seule, seule avec cet être démoniaque, sans aucune défense.

— Non, pas la peine de retirer ton soutien-gorge et ton sous-vêtement. Ça suffit comme ça!

Hélène ne comprenait plus. Elle fixa son mari d'un regard inquisiteur, et soudain, à la vue des vêtements épars sur le sol, un éclair jaillit dans sa tête, en même temps qu'une peur atroce l'étreignait de partout. Le visage de la jeune femme devint instantanément plus blanc qu'un drap.

— Nelson... que vas-tu faire?... balbutia-t-elle péniblement.

Il sortit de sa veste une bouteille pleine de capsules orangées et la déposa sur la table de chevet, tout près du lit.

— Tu vas avaler ça bien docilement et tu vas mourir sans t'en rendre compte.

À la vue des vêtements en désordre, elle avait subitement deviné qu'il voulait la tuer. Mais la mort dont il parlait était plus douce, moins barbare que celle qu'elle venait d'imaginer... Qu'importe, la mort était la mort!

— Je ne veux pas mourir! hurla-t-elle brusquement.

Nelson se jeta violemment sur sa femme et, d'un geste intrépide, lui bâillonna la bouche d'une main puissante.

— Si tu cries encore une fois, je te jure que je te flanque une balle dans la tête. Compris?

Et il balança devant les yeux effrayés d'Hélène le revolver qu'elle avait vu si souvent. Elle cessa sur-le-champ de s'agiter, la peur la paralysa et son corps tout entier se couvrit d'une sueur froide. La voyant se maîtriser, Nelson relâcha lentement son étreinte. Puis, l'arme toujours pointée sur sa femme, il se leva, alla à la salle de bains, et, sans la quitter des yeux, revint avec un grand verre d'eau fraîche qu'il déposa sur la table à côté de la bouteille de médicaments. Hélène s'était rassise dans une attitude prostrée et sanglotait désespérément.

— Pourquoi veux-tu te débarrasser de moi? demanda-t-elle dans un grand effort, entre deux sanglots.

Nelson alluma une cigarette avec une maîtrise remarquable.

— Tout à l'heure dans la voiture, quand je t'ai demandé très aimablement de renoncer au divorce, expliqua-t-il, tu l'ignorais, mais tu as eu ta dernière chance. Si tu avais accepté, nous serions ici à discuter d'une entente plutôt qu'à préparer ton suicide. Je t'ai prévenue, mais tu n'as pas compris. Le divorce ne m'intéresse pas. Il ne peut pas m'intéresser, car je ne veux renoncer à aucun des droits et privilèges que j'ai acquis par le mariage. Mieux vaut que tu saches aussi cela une fois pour toutes. Je ne t'ai jamais aimée, Hélène Chabrol. Je ne t'ai épousée que pour le prestige, l'argent et le pouvoir que mon alliance avec l'acier m'apporterait. Mais cela non plus, tu ne l'as jamais compris. Il n'y a que le vieux et sa putain de secrétaire qui savaient lire dans mon jeu. Cependant, ton père a eu l'intelligence de ne pas s'interposer trop longtemps entre nous. Ainsi, il a sauvé sa tête. De son côté, Agnès Mercier a eu la sagesse de s'éclipser à temps, sinon elle aurait connu le même sort qu'Alain : une mort prématurée.

— Que veux-tu dire? demanda Hélène dans un sursaut de vie.

Les lèvres de Nelson se contorsionnèrent pour dégager un rictus.

— Je peux bien te l'avouer à présent, puisque tu vas mourir. Oui, ton cher petit frère, ainsi que tu le nommais autrefois, a voulu me mettre à la porte un jour pour détournement de fonds. Je lui ai suggéré de ne pas mettre ses menaces à exécution, que j'allais trouver une façon de le rembourser. Il n'a rien voulu entendre. Puis il était sur le point de découvrir qu'Alpha Trust, c'était moi. Alors, je n'avais plus le choix. Comme je ne voulais pas renoncer à la belle vie que je menais, j'ai dû l'éliminer. Dans l'armée, vois-tu, j'étais un maître dans l'art d'installer des charges explosives. Ce fut l'affaire d'une demi-heure. Pendant la nuit, j'ai placé les explosifs dans l'hélicoptère et fixé la minuterie qu'Alain a déclenchée en allumant le moteur. Le lendemain, je me suis arrangé pour qu'on le réclame à l'aciérie des Cantons de l'Est. J'ai eu une chance terrible. Tout s'est produit parfaitement, à la seconde exacte, et l'hélicoptère a explosé audessus du fleuve. Je savais qu'à cet endroit les recherches s'avéreraient impossibles, qu'on ne pourrait jamais trouver les causes véritables de l'explosion. En dépêchant des équipes de secours sur les lieux de l'accident, je ne courais aucun risque et, de plus, j'évitais les soupçons. Qui aurait osé m'incriminer? Sans doute, seul Alain aurait pu le faire. Mais il était disparu. Donc, je n'avais plus aucune crainte. De plus, en éliminant Alain j'améliorais ma situation. Je grimpais d'un rang. Dans ta douleur, toi non plus tu ne t'es doutée de rien, et tu as même eu la pertinence de me nommer directeur général. Les années qui suivirent furent merveilleuses. Oui, je peux bien te l'avouer aujourd'hui : ce furent de bonnes années. J'étais le grand patron, avec un salaire astronomique, et je n'avais de comptes à rendre à personne. Puis, voilà que subitement une simple idée de divorce surgit dans ma vie pour venir mettre en péril l'apogée de ma carrière ? Oh non ! surtout pas ça. Pas un détail aussi insignifiant. Je ne te laisserai pas faire, ma petite... Ta mort va résoudre le problème.

Hélène était anéantie par tout ce qu'elle venait d'entendre. Son visage ruisselait de larmes. À l'intérieur de sa poitrine, un couteau n'en finissait plus de lacérer son coeur. De toute sa vie, elle n'avait jamais eu si mal. Lancinante, démesurée, la douleur éclatait en elle de partout. Cet homme était un monstre, un malade, et le destin avait permis qu'elle l'eût comme époux. C'était terrible ! D'une injustice inimaginable ! Elle était mariée avec un fou dangereux et, après seize ans de mariage, elle venait tout juste de s'en rendre compte. En outre, il était si habile dans sa folie qu'il avait voulu la faire passer pour folle en vue de l'écarter de sa route. Après cet échec, il avait tout simplement planifié de la tuer. Car il tuait ainsi tous ceux qui lui barraient la route. Les vertiges l'assaillirent et elle se renversa sur le lit, pleurant toutes les larmes de son corps. Nelson l'entendit murmurer :

— Tu as tué Alain... Tu as tué mon frère... Tu es un monstre. Oh ! que je te déteste. Oh ! que je te hais, Nelson Vallée... Et tu veux me tuer aussi...

— La ferme ! tonna-t-il. J'en ai marre de t'entendre. Prends tes capsules et finissons-en au plus tôt !

Hélène souleva sa tête et, le visage ravagé par la détresse, le regarda avec mépris.

— On t'inculpera de ma mort. Tu ne pourras pas toujours échapper à la justice, espèce de salaud !

— Ta mort aura l'apparence d'un suicide, ma chère ! Ton dernier stage en clinique a duré trois mois et tu viens juste d'en ressortir. Tout le monde, les médecins y compris, ne verront dans ce suicide qu'un aboutissement malheureux à une profonde dépression nerveuse. Quant à moi, j'ai des alibis partout. Mon plan est au point. Personne ne pourra jamais me suspecter. Non, ne te préoccupe pas pour moi. Tout a été prévu.

— La clinique... comme je te hais... Ma mort, tu l'as décidée depuis bien longtemps. Bien avant que je te parle de divorce.

Nelson haussa les épaules.

— En réalité, c'est Brigitte qui a eu l'idée de te faire interner. Nous espérions un jour réussir à te faire aliéner. J'aurais été en quelque sorte tuteur de tous tes biens. Hélas ! ça n'a pas marché, fit-il en soupirant.

Hélène se redressa. Un espoir de vie se mit à luire dans ses yeux.

— Écoute, Nelson, je ne veux pas mourir. Je n'ai que trente-huit ans et je tiens à la vie autant que toi. Il y a sûrement encore une possibilité de s'entendre. Je vais renoncer au divorce et tu mèneras ta vie comme tu l'entendras. Je n'exigerai rien. Je te le promets.

— Oh non ! Maintenant tu sais trop de choses. Nous avons atteint le point du non-retour. Nous ne pouvons plus revenir en arrière. Je t'ai avoué que j'ai tué Alain, que je t'ai fait interner, qu'à l'aciérie, j'ai détourné des fonds ; bref, si tu vis, je serai toujours à ta merci.

— Mais à qui pourrais-je le dire ? Qui va me croire ? Une personne qui sort d'une clinique psychiatrique ne peut être digne de foi. Tu le sais bien. De plus, cette confession n'est pas banale à faire. Elle sort de l'ordinaire, tu peux me croire. Toute personne normale, sans aucun dossier médical, éprouverait de la difficulté à faire pareille déclaration sans se voir classer parmi les fous. Alors, moi, dans ma situation, qui voudra bien m'entendre ?

Nelson sourcilla.

— Évidemment, personne ne te croira dans les mois qui viennent. Mais dans deux ou trois ans, la situation aura changé, d'autant plus que personne ne décèlera chez toi la moindre faiblesse. Alors, à ce moment-là, avec la fortune que tu possèdes et la qualité des gens que tu consulteras, je me retrouverai à l'ombre pour le reste de mes jours. C'est un risque que je ne peux courir.

Comme une pauvre bête traquée, Hélène se jeta à ses pieds.

— Je te jure que je ne te dénoncerai jamais.

Il eut un sourire railleur.

— Allons donc!...

Elle le supplia de toutes ses forces.

— Combien? Combien veux-tu?

— Je ne veux rien te demander. Je suis ton héritier légal, puisque nous n'avons pas eu d'enfants. Ta mort me donnera tout.

— Je t'en prie, Nelson. Je peux t'écrire un acte de donation. Je te donne les aciéries. Elles valent des millions.

— Ta gueule! lança-t-il. J'aurai la possibilité de me servir tout seul. Je t'ai dit que tu en savais trop. Il est trop tard, nous ne pouvons plus revenir en arrière.

Il la tira par le bras, la souleva et la jeta sur le lit. Puis il ouvrit la bouteille de barbituriques et lui tendit trois capsules avec le verre d'eau.

— Maintenant, avale!

Hélène pleurait. Elle secouait la tête en mordant ses lèvres.

— Avale, j'ai dit.

— Je ne veux pas. Je... Je ne peux pas, fit-elle en claquant des dents.

Nelson pointa son arme et appuya le canon entre les deux yeux de sa femme.

— Quelle mort préfères-tu ? Le revolver ou les capsules. Je te laisse le choix. Tu sais qu'on peut également se suicider avec un revolver ?

D'une main inerte, Hélène prit les capsules et les déposa gauchement sur sa langue. Finalement, pour réussir à les avaler, elle but un demi-verre d'eau.

Dans un geste de colère, Nelson lui arracha le verre des mains.

— Imbécile ! Ton estomac n'est pas une baignoire. Cette fois, tu prendras trois capsules avec deux gorgées seulement.

— Je ne peux pas. Je ne pourrai jamais.

Il déclencha la gâchette et les capsules passèrent avec un minimum d'eau.

— Continue, dit-il, et presse-toi. Je dois être à Montréal au début de l'après-midi.

Hélène ne l'écoutait plus. Ses yeux fixaient avec horreur la bouteille qui lui donnerait la mort. Elle vit que celle-ci contenait soixante unités.

— Soixante... murmura-t-elle, désespérée.

— Oui. Soixante. La dose est assez forte, paraît-il, pour tuer un cheval. Mais ne crains pas, la mort arrive en douceur. Tu ne t'en rendras pas compte. N'est-ce pas une belle mort ?

— Je te hais, espèce de sadique ! Tu es un fou dangereux. J'espère que la jutice réglera ton compte. Sinon, je te souhaite de finir tes jours dans un asile.

Une demi-heure plus tard, il restait une vingtaine de capsules à avaler et, déjà, elle présentait des signes de fatigue. Il lui en donna pour finir quatre à la fois, et leur absorption nécessita trois grands verres d'eau.

Quand Hélène eut terminé, elle somnolait légèrement. Nelson souleva les couvertures et étendit avec précaution le corps affaissé d'Hélène entre les draps blancs, comme dans un linceul.

« Je ne mourrai pas... Je ne mourrai pas » furent les dernières paroles que Nelson entendit prononcer de la bouche de sa femme.

Chapitre 11

Pendant toute la demi-heure qui suivit, Nelson ne quitta pas sa femme des yeux. Assis dans le fauteuil près de la fenêtre, il l'observait s'enfoncer tranquillement dans le sommeil de la mort. Puis sans aucune nervosité, il mit des gants, se leva, vida le cendrier dans les cabinets et le nettoya parfaitement. Il effaça également ses empreintes sur la bouteille de capsules, ainsi que sur le verre d'eau et sur tous les endroits où il avait posé les mains. Il ramassa le manteau de fourrure d'Hélène et le déposa sur le fauteuil. À la vue des vêtements épars sur le sol, il se ravisa et jugea qu'il était préférable de les ranger sur la chaise. Hélène était une femme ordonnée et même dans le creux d'une dépression elle n'aurait pas jeté ses vêtements par terre. Ses yeux firent le tour de la pièce, observèrent chaque détail avec circonspection et s'immobilisèrent soudain sur le sac à main, qu'il jugea trop à la vue sur la table. Il le prit et vérifia son contenu. Nelson sourit à la vue des nombreuses cartes d'identité. Hélène était membre de plusieurs associations et chaque carton exprimait clairement l'adresse et les numéros de téléphone de l'abonnée. C'était excellent. La police ne se perdrait pas en de vaines recherches. D'ici vingt-quatre heures, il serait sans doute prévenu de la mort de sa femme. Le portefeuille dissimulait également une variété de cartes de crédit et, en tirant la fermeture éclair, Nelson découvrit plusieurs gros billets. Son visage se rembrunit à la pensée que des mains malhonnêtes pourraient s'en emparer. Toutefois, il n'y toucha pas, estimant normal avec la fortune d'Hélène qu'il en fût ainsi. Il referma le sac à main et le déroba à la vue d'un éventuel brigand en le déposant sous le manteau de fourrure. De nouveau, il fit le tour de la pièce et chaque détail fut méticuleusement inspecté. Quand il conclut que tout était parfait, qu'aucun indice ne pourrait laisser suspecter une présence criminelle, il s'approcha du lit, se pencha sur Hélène et observa longuement sa respiration. Celle-ci lui parut régulière, quoique légèrement plus lente. Sans aucun doute, elle vivait encore. La mort ne surviendrait pas avant quatre ou cinq heures. De toute façon, Nelson pouvait partir en toute tranquillité. Le sommeil d'Hélène était si profond qu'elle ne pourrait même pas soulever sa tête si un incendie éclatait dans la pièce. Nelson présumait qu'à la pâleur du visage de sa femme, ainsi qu'à l'inertie du bras qui pendait à côté du lit, elle devait se trouver à ce moment précis dans l'antichambre de la mort. Avant de quitter le bungalow, il prit bien soin d'afficher sur la poignée extérieure de la porte l'avis « Ne pas déranger », de sorte que personne ne puisse pénétrer à l'intérieur avant le lendemain. Il fallait donner à la drogue le temps de terminer son oeuvre. Finalement, Nelson s'aventura jusqu'à sa voiture lorsqu'il fut certain de ne rencontrer âme qui vive sur son chemin.

Le trajet du retour se fit rapidement, sans aucun problème. Il était satisfait, mais extrêmement tendu, lorsque deux heures et demie plus tard, il franchissait la porte de son bureau. Par chance, il ne croisa personne, ni dans le hall, ni dans les couloirs. Il s'isola dans sa pièce de travail et se laissa tomber dans son fauteuil avec un tel soulagement qu'il n'aurait jamais cru possible d'être aussi rompu. Calé au fond des coussins moelleux du siège, le menton appuyé dans ses mains, Nelson ferma les yeux et chercha à se détendre. Nul doute qu'il aurait préféré passer en revue les événements de la matinée pour bien mémoriser les détails, mais il en fut incapable. La moindre réflexion nécessitait un effort trop ardu. Alors, il s'abstint de penser. Longtemps, il demeura ainsi suspendu à cette bienheureuse léthargie qui coulait dans ses veines et qui devenait de plus en plus envahissante. Son esprit se concentra uniquement sur les mouvements de sa respiration et l'air qui gonflait ses poumons allégeait également son cerveau. Il devenait de plus en plus léger et il se sentait flotter dans l'atmosphère comme une bulle d'air qui se promène dans les cieux au gré du vent. Nelson ne sut pas combien de temps se prolongea cette merveilleuse sensation de demi-conscience, mais lorsqu'il ouvrit les yeux, sa secrétaire, Madame Blais, qu'il n'avait pas entendue entrer, se tenait devant lui. Il surprit dans son regard une lueur d'inquiétude.

— Est-ce que vous vous sentez bien ? demanda-t-elle, angoissée.

Nelson sourit faiblement.

— Oui, Toutefois, je suis un peu fatigué. Cette entrevue de la matinée a été difficile, mais ça va. Je vous remercie.

— Mon Dieu ! vous m'avez fait peur. En vous voyant les yeux fermés, j'ai cru que vous n'alliez pas bien, tout comme ce pauvre monsieur O'Neil.

Nelson redressa la tête.

— Que voulez-vous dire ? Est-il arrivé quelque chose à monsieur O'Neil ?

— C'est terrible, dit la secrétaire d'un ton alarmé. Ce matin, pendant votre absence, monsieur O'Neil a été transporté d'urgence à l'hôpital. L'ingénieur Renaud discutait avec lui dans son bureau, lorsque monsieur O'Neil s'est senti subitement très mal. Il s'est plaint de douleurs à l'estomac. Puis, en se levant, il a perdu conscience et s'est étendu sur le sol en grimaçant. Immédiatement, nous avons fait venir une ambulance. Monsieur Renaud a accompagné son ami à l'hôpital. Depuis, nous n'avons eu aucune nouvelle de lui.

Nelson s'était levé. Ce visage si parfaitement impassible éprouvait de la difficulté cette fois à dissimuler son émotion. Il se dirigea vers le bar et se servit un cognac. Préoccupé, les yeux rivés à son verre, il demanda :

— Est-ce le coeur, pensez-vous ?

Madame Blais soupira.

— J'en ai bien peur, dit-elle. Souvent les êtres les plus robustes sont les plus vulnérables quand il s'agit de malaise cardiaque. Monsieur Renaud était si affecté quand il est monté dans l'ambulance qu'il en avait les larmes aux yeux. Ce sont de très bons amis. Ils travaillent ensemble depuis si longtemps.

— Ne nous alarmons pas trop vite. Richard est fort comme un chêne et ce n'est pas la première tempête qui va l'emporter.

— Je l'espère, dit-elle. Monsieur O'Neil est réellement l'âme de cette maison. S'il partait, la vie ne serait plus la même ici.

— Soyez sans crainte, il vivra. Les chênes sont ordinairement séculaires.

La voix avec laquelle Nelson prononça cette affirmation était glaciale, glaciale comme l'air de ce jour de janvier. La sonnerie du téléphone rappela madame Blais dans son bureau, si bien qu'elle prêta une oreille distraite au timbre de voix de son patron. Seul, devant sa fenêtre, Nelson, piqué au vif et blessé dans son orgueil par la remarque spontanée de sa secrétaire, observait d'un regard d'acier les quelques flocons de neige qui dansaient devant ses yeux. « Qu'ils crèvent, qu'ils crèvent donc tous et que je connaisse enfin la liberté et la paix », laissa-t-il échapper dans un murmure. Puis Nelson se mit à penser combien le destin lui facilitait les choses. Quelle heureuse coïncidence, tout de même ! Hélène, d'ici une heure ou deux, rendrait l'âme. Quant à Richard, sa vie ne tenait que par un fil. C'était l'euphorie ! Les deux êtres les plus encombrants et qu'il détestait le plus dans la vie s'éteindraient en même temps. Quelle joie ! Quel bonheur ! Ce jour était béni entre tous. Ce vendredi, 21 janvier, demeurerait à jamais un jour de réjouissance. La fin de l'esclavage, le commencement d'un nouveau règne. Les Chabrol n'existaient plus et leur clan, avec la retraite prochaine de François Renaud, serait dissous à jamais.

Un peu avant cinq heures, le téléphone sonna dans le bureau de Nelson. La voix de l'ingénieur Renaud vibrait au bout du fil.

— J'ai une très belle nouvelle à vous communiquer, Nelson. Richard prend du mieux. Il n'a pas été victime d'une attaque cardiaque, comme nous le craignions tous. Il souffre tout simplement d'un empoisonnement alimentaire qui aurait été occasionné probablement par l'absorption de moules la veille au soir. D'ici vingt-quatre heures, tout sera rentré dans l'ordre. N'est-ce pas merveilleux ?

Au bout du fil, Nelson respirait lourdement. Sa mâchoire se contracta et son visage blêmit. La colère transforma hideusement les traits de son visage. Ses mains se crispèrent sur l'appareil. Sa bouche devint sèche et sa gorge se noua. Avec difficulté, il prononça, d'un ton qui se voulait réjoui :

— Oui. Vous avez raison. C'est merveilleux.

* * *

À l'ouest, par-delà les montagnes enneigées, le soleil traversait une masse de nuages gris pour lécher de ses derniers rayons les pentes de ski où les derniers skieurs du samedi, bravant le froid du jour encore plus vif à l'heure du crépuscule, savouraient avec nostalgie leur dernière descente de la journée. Déjà l'ombre du soir se faufilait entre les sapins qui bordaient le petit chalet où, depuis plus de vingt-huit heures, Hélène reposait. À l'intérieur de la chambre, une odeur fétide, suffocante, se mêlait à la chaleur de la pièce.

La tête de biais, penchée sur le bord du lit, les paupières closes, le corps figé, Hélène ne savait pas encore qu'elle vivait. Son organisme s'évadait lentement du coma où la drogue l'avait précipitée et celle-ci inhibait presque totalement le fonctionnement de son cerveau. En réalité, le sommeil l'avait entraînée dans un voisinage si proche de la mort qu'elle ne vivait en ce moment précis que par ses sens. Une violente envie d'uriner se heurtait à une soif atroce. Toute la vie de son corps se résumait dans ces deux impératifs.

Quelques instants plus tard, Hélène ouvrait légèrement les yeux. Lentement, son cerveau se ranimait. Puis elle sentit une douleur lancinante venir de la nuque. Avec de multiples efforts, elle ramena sa tête sur l'oreiller et la douleur se dissipa tranquillement. Par la suite, elle mit près de dix minutes à se rendre compte qu'elle ne sentait plus du tout son bras droit qui pendait le long du lit. Avec l'aide de sa main gauche, elle le ramena finalement sur elle après plusieurs tentatives. Il était froid comme du marbre et elle comprit qu'il devait être complètement engourdi. L'obscurité s'étendait dans la pièce. Hélène regarda autour d'elle et, en tournant les yeux vers la table de chevet, elle aperçut une lampe, mais son regard s'accrocha au verre d'eau posé tout près. Elle essaya de soulever la tête et, à force de concentration, parvint également à se retourner sur le côté pour que sa main gauche, la seule qui lui obéissait, pût rejoindre le verre. Cet acte exigea un effort si important que lorsqu'elle parvint à le saisir, elle échappa presque tout son contenu sur son visage. Malgré une profonde déception, cette fraîcheur lui fit du bien. Quelques instants plus tard, elle réussissait à porter le verre à ses lèvres et à boire lentement les quelques gorgées qui s'y trouvaient encore. Ce breuvage la régénéra. Ses idées s'éclaircirent et elle se sentit revivre soudainement. Une heure plus tard, de peine et de misère, Hélène se leva, alluma la lampe, et se dirigea vers la salle de bains en dépit des nombreux vertiges qui l'assaillaient. Elle y arriva laborieusement, tout en s'appuyant sur les meubles qui jalonnaient son chemin. Elle ressentit un tel bienfait lorsque sa vessie fut vidée qu'elle se mit à sourire à cette merveilleuse sensation de soulagement. Puis elle s'accrocha à l'évier pour se relever, ouvrit le robinet et but... et but longtemps, se gavant d'eau glacée. L'eau était si froide qu'une douleur aiguë lui sillonnait les gencives. Quand sa soif fut étanchée, Hélène respira à pleins poumons l'air frais de la salle de bains qui pénétrait par la fenêtre entrouverte. Ensuite, ses yeux se posèrent sur la baignoire et elle n'hésita pas longtemps. Des mains sans force travaillèrent ardument pour ouvrir les robinets. Le moindre mouvement exigeait, dans les circonstances, un effort considérable. Après plusieurs essais, elle y parvint. Exténuée, elle retira ses sous-vêtements et fit couler sur son corps un puissant jet d'eau fraîche. Dix minutes plus tard, Hélène sortait de la douche, et tout en grelottant, elle s'aperçut avec soulagement que le pouvoir générateur de l'eau avait comme débarrassé son corps d'une lourde carapace qui la rendait impuissante. Son esprit flottait encore, parfois le sommeil l'engourdissait, mais tous ses membres y compris son bras droit, répondaient au contrôle de sa volonté. Et ça, c'était formidable. Une puissante victoire sur l'inertie. Cependant, quand elle revint dans la chambre, de violentes nausées l'envahirent. L'air nauséabond de la pièce était irrespirable et la prenait à la gorge. D'instinct, elle suspendit son souffle et réussit à ouvrir la fenêtre pour aérer. Puis ses yeux se posèrent sur le tapis et elle décela tout de suite d'où venait ce relent infect. Tout contre le lit, à la hauteur de l'oreiller, un grand cercle humide, jaunâtre, légèrement visqueux et composé de sécrétions gastriques souillait la moquette. Hélène avait beau réfléchir, elle ne savait pas du tout comment cela c'était produit. Elle en déduisit qu'elle avait dû vomir pendant son sommeil. Puis un nouveau point d'interrogation s'imposa tranquillement à son esprit. Pourquoi avait-elle dormi dans ce lit ? Ses yeux firent le tour de la pièce. Tout lui semblait inconnu. Elle éprouva soudain la certitude désagréable de n'avoir jamais vu cette chambre auparavant. Elle ignorait aussi la raison de sa présence en cet endroit. Sa mémoire n'était plus qu'un immense trou béant. Cependant, ses bonnes manières firent surface et lui rappelèrent qu'il était malséant de souiller le bien d'autrui. D'un pas chancelant, Hélène retourna dans la salle de bains, s'empara d'une serviette, l'imbiba d'eau et se mit en devoir de nettoyer les dégâts. Quand elle eut terminé, la moquette avait retrouvé son éclat et la senteur ne frappait plus son odorat, mais Hélène, que cet effort avait épuisé, se sentait extrêmement lasse. Le sommeil la happait de nouveau. D'un oeil fixe, elle toisa le lit avec convoitise. « Je suis si fatiguée, dit-elle. Je devrais me reposer encore. » Brusquement, cette idée devint chez elle un impératif. Hélène rejoignit son lit et laissa tomber sa tête sur l'oreiller avec abandon. Par hasard, avant de fermer les yeux, son regard se posa sur la table de chevet, et c'est alors qu'elle remarqua la bouteille de médicaments vide. Elle prit le flacon entre ses mains et lut à haute voix la posologie inscrite à la machine sur un bout de papier blanc qui ne portait aucune identité. « 60 unités de sécobarbital. Prendre une capsule au coucher contre insomnie. » Pourtant, elle ne souffrait pas d'insomnie. Plus maintenant. Pourquoi avait-elle donc ces médicaments en sa possession ? De toute façon, elle n'en prenait jamais. Longuement, elle observa l'étiquette, cherchant à éclaircir ce point obscur.

Soixante unités... Elle leva les yeux et dit : « Soixante capsules orangées... » Tout à coup, elle buta sur cette phrase... Soixante capsules orangées et... et... elle le savait maintenant... qu'elle devait en avaler trois à la fois avec quelques gorgées... non, deux gorgées d'eau... Hélène leva la tête, se rassit très droit dans son lit et murmura d'une voix impersonnelle : « La dose est assez forte, paraît-il, pour tuer un cheval. » La mémoire lui revint d'un seul coup. De nouveau la peur, avec cette même poussée incontrôlable, l'habita entièrement, tandis que des sueurs glaciales apparaissaient déjà sur son corps.

NELSON... NELSON, SON MARI, AVAIT VOULU LA TUER.

Des yeux affolés fixèrent de nouveau la bouteille et, dans l'espace d'un instant, des images effroyables défilèrent devant elle avec une acuité extraordinaire. Son cerveau avait retrouvé subitement toute sa lucidité et fonctionnait à un rythme terrifiant. À présent, elle se revoyait dans cette même pièce, éclairée par la lumière du jour, avec le canon du revolver appuyé contre son front. Chacune des paroles de Nelson lui revint à l'esprit. Sa description de la mort d'Alain, sa propre supplication de lui faire grâce et l'irrévocabilité de sa sentence de mort. Condamnée, elle revivait avec stupeur ces dernières secondes de vie où elle avalait des capsules trois à la fois avec deux gorgées d'eau, des capsules qui devaient la précipiter dans la mort.

Les larmes aux yeux, secouée par d'horribles tremblements, Hélène s'évada vivement du lit. Ses pieds se posèrent sur le cercle humide du tapis. Son regard s'abattit sur le plancher et elle comprit soudainement que c'était grâce à cette indigestion, qui avait dû survenir au début de son sommeil, qu'elle vivait encore. Son estomac malade depuis la nuit précédente s'était rebellé contre une ingestion abusive d'eau et de drogues irritantes. Les moules qu'elle avait mangées avec Richard, la veille, l'avaient sauvée de la mort. Un détail aussi dérisoire qu'une simple allergie, survenue au moment crucial, avait préservé sa vie. « Oh ! Merci, mon Dieu », murmura-t-elle dans ses larmes.

Hélène avait beau se raisonner, elle n'arrivait pas à se calmer. Elle pleurait et tremblait sans cesse. L'idée que Nelson se tenait dans les parages, qu'il pouvait revenir, la hantait. Et s'il surgissait dans la pièce et la trouvait vivante ? Elle ne pourrait jamais courir assez vite pour éviter la balle qu'il lui destinerait. Avec une terrible maladresse, des mouvements incohérents, elle s'habilla le plus rapidement possible. Quitter cette chambre au plus vite et fuir loin de là s'inscrivaient dans sa tête comme des leitmotive. D'un dernier regard, Hélène balaya la pièce et, à part le lit défait, rien ne paraissait de l'effroyable tragédie qui s'était déroulée dans la chambre. Une second tour d'horizon lui certifia qu'elle ne laissait rien derrière elle. Soudain, ses yeux se heurtèrent à la bouteille de capsules. Hélène vint pour la jeter à la poubelle et se ravisa. Elle eut la bonne idée de l'enfouir dans ses poches. Une fois dehors, avec sa paire de skis et ses bottines dans une main, sa valise dans l'autre et son sac en bandoulière, elle comprit que le flacon de verre vide était la seule pièce à conviction contre Nelson.

Avec tout son barda, Hélène n'avait pas marché deux cents mètres qu'elle se sentit épuisée, incapable d'avancer. Le poids qu'elle transportait était trop lourd pour ses maigres forces. Elle consentit à se défaire de ses skis. Elle les abandonna sur un banc de neige tout près de la boutique de l'hôtel qui longeait son chemin. Maintenant libérée de ce fardeau encombrant, elle avançait avec plus d'aisance bien que, par moments, des faiblesses l'assiégeaient. L'air glacial du soir la ranimait, puis de nouveau les vertiges la tourmentaient. Hélène comprit qu'elle avait très faim. Mais elle n'avait pas le temps de s'arrêter pour manger un morceau. Nelson pouvait apparaître à n'importe quel moment. Elle contourna l'hôtel d'un pas rapide. Sur son chemin, elle croisa un couple de vacanciers. Hélène entendit l'homme dire à sa femme :

— Nous aurions dû réserver une table à la salle à manger. Le samedi soir, c'est toujours la même chose : une heure d'attente.

Dans la tête d'Hélène, les pensées s'embrouillèrent. Cet homme devait se tromper. Nous étions le vendredi soir et non le samedi. Elle s'immobilisa sur-le-champ et interrogea sa montre. Celle-ci, à sa grande stupéfaction, indiqua le 22 janvier et non le 21. Déconcertée, ahurie, elle reprit ses bagages et poursuivit son chemin. Elle ne sentait plus ni la faim, ni les vertiges. Longtemps, elle marcha sur la grand-route sans distinguer l'isolement du lieu. Une sorte de demi-conscience la pénétrait et elle semblait vivre hors des limites du temps. Une seule idée stagnait dans son esprit. Elle avait dormi trente heures d'affilée et avait réussi à échapper à la mort. NON, NELSON NE LA RATTRAPERAIT PLUS.

La rapidité avec laquelle elle déambulait l'essoufflait rapidement. Malgré le froid de la nuit, Hélène avait chaud et son corps transpirait abondamment. Le vent se leva. Des flocons de neige se mirent à tomber, lui pincèrent le visage et la tirèrent de sa torpeur. Alors, Hélène se rendit compte soudain qu'il faisait nuit noire et qu'aucune maison n'apparaissait dans la campagne. Elle était seule sur la route, vulnérable au moindre étourdissement, sans âme qui vive pour lui porter secours. La panique l'envahissait de plus belle, lorsque dans son dos, un quart d'heure plus tard, deux phares se dessinèrent au loin. Aussitôt, elle s'éloigna de la route et observa d'un oeil inquiet le véhicule venant vers elle. Elle espérait ardemment que ce ne fût pas Nelson, sinon elle était perdue. Au fur et à mesure que l'automobile approchait, Hélène se sentait rassurée. La voiture semblait être un modèle compact. De fait, une Renault s'immobilisa à sa hauteur. La vitre givrée de la portière s'abaissa et elle vit apparaître le visage sympathique d'un homme normal.

— Votre voiture est-elle tombée en panne ? lui demanda-t-il d'une voix aimable.

— Non, dit-elle, je suis à pied... Je pensais trouver un taxi sur la route.

Étonné, il sourcilla.

— Un taxi, ici... sur cette route ? Mais d'où sortez-vous ? Il n'y a pas une seule maison dans les parages !

Un peu gênée, Hélène répondit d'une voix à peine audible.

— Oui, je sais... Je viens de l'hôtel et... comme le froid...

— Vous marchez depuis l'hôtel ?

Mal à l'aise, elle hocha la tête, évitant le regard de l'homme. À présent, l'automobiliste la considérait d'un air suspect.

— Ce sont là tous vos bagages ? demanda-t-il.

— Oui, dit-elle. J'ai eu quelques problèmes avec mes skis et j'ai dû les laisser à la boutique de l'hôtel, crut-elle bon d'ajouter.

— Allez, grimpez, et mettez votre valise ainsi que vos bottines sur la banquette arrière.

— Vous êtes très aimable, dit Hélène, en s'exécutant.

Assise sur le fauteuil avant, tout près de cet inconnu au visage honnête, aux yeux noirs très vifs, Hélène se sentait en sécurité. Jamais Nelson ne pourrait la retrouver ici. Ses muscles se décontractèrent et elle réussit à se détendre. Il faisait si bon au chaud dans la voiture que l'envie de sommeiller la reprit. Une profonde lassitude l'accablait. Dormir. Dormir encore pour ne plus jamais être tourmentée par cette affreuse sensation de fatigue.

— Vous avez l'air épuisée, dit l'homme en se tournant vers elle.

— Oui, vous avez raison. Je suis extrêmement fatiguée. Cette interminable marche m'a rompue et j'ai faim. Une faim atroce. Je n'ai pas mangé depuis plusieurs heures.

Hélène se mordit les lèvres. Elle n'aurait pas dû dire cela. Car aussitôt elle vit dans le regard de son voisin qu'il la trouvait bizarre. Un long silence suivit. Finalement, il dit :

— Sans être indiscret, est-ce que je peux vous demander où vous allez ?

— À Montréal. Mais ne vous préoccupez pas de cela, je descendrai où vous vous arrêterez et je continuerai en taxi.

— Vous avez de la chance, j'habite à Laval.

Puis ils roulèrent quelques kilomètres sans ajouter

un seul mot. Devant eux, au loin, une enseigne lumineuse surgit de la nuit pour annoncer une station-service. Au tournant de la route, une seconde indiquait un restaurant.

— Si vous voulez, nous allons descendre ici prendre une bouchée, dit l'homme en stoppant sa voiture devant l'établissement. J'ai une de ces faims, moi aussi. Je n'ai pas soupé. Au fait, je m'appelle Normand. Et vous ?

— Hélène.

Ils mangèrent avec appétit le rôti be boeuf qui était au menu du jour. Normand commanda une deuxième portion de tarte au sucre qu'il jugeait excellente.

— Skier toute la journée par un froid pareil ouvre l'appétit, souligna-t-il.

Hélène approuva dans un sourire.

— Oui. J'en sais quelque chose.

À eux deux, ils burent toute la cafetière que la serveuse avait déposée sur la table. Le chaud et stimulant breuvage communiqua à Hélène une énergie nouvelle. Maintenant, elle se sentait beaucoup mieux. Ils quittèrent la salle à manger, repus et satisfaits de leur repas. À la caisse, Hélène insista pour payer les deux additions. Normand s'objecta, mais elle finit par le convaincre en déclarant :

— Vous me rendez un très grand service en me véhiculant. De toute façon, si j'avais voyagé en taxi la dépense aurait été beaucoup plus forte que le prix de votre repas. Allez, donnez-moi votre addition... Pour me faire plaisir. Après tout, c'est normal que je vous dédommage un peu et cela ne m'appauvrira pas. Je suis millionnaire, ajouta-t-elle, en riant.

Il rit aussi. Elle paya. Et dehors il lui prit galamment le bras. Une mince couche de glace recouvrait la neige. Ils roulèrent pendant plus d'une heure en bavardant de choses et d'autres. Hélène apprit que Normand était professeur de géographie au cégep, qu'il avait trente et un ans, qu'il vivait avec une jeune fille qui se prénommait Sylvie, qu'il l'aimait beaucoup, et que pour le moment ils étaient en désaccord et elle était partie. Il expliqua :

— Nous sommes ensemble depuis cinq ans. Nous formons un couple heureux, sans problèmes. Sylvie est partie pour repenser sa façon de vivre. Elle prétend que nous devons nous marier pour atteindre une plus grande stabilité dans l'avenir. Moi, je ne crois pas que le mariage puisse apporter une stabilité quelconque. Dans ma famille, sur cinq enfants, deux sont officiellement divorcés, un troisième est séparé et seule ma plus jeune soeur semble heureuse en mariage. Mais elle n'est mariée que depuis deux ans.

Hélène l'écouta attentivement et ne fit aucun commentaire. Perdue dans ses réflexions, elle détourna la tête et regarda par la fenêtre la neige qui tombait avec plus d'intensité.

— Et vous, Hélène, que pensez-vous du mariage dans le contexte actuel des idées ?

Sa vue s'embrouilla, tandis qu'un spasme lui étranglait l'estomac. Quelques instants plus tard, elle réussit à dire d'une voix sereine :

— Je crois sincèrement que, malgré l'effondrement de bien des mariages, c'est encore une excellente institution pour les gens de bonne volonté.

Il la regarda en souriant.

— Je gage que vous êtes mariée et heureuse ?

Hélène tourna vers Normand un visage défait. Des larmes bordaient ses cils. Elle secoua la tête.

— Non, dit-elle. Je suis sur le point de divorcer.

Il parut consterné et soupira :

— Voyez-vous, partout, c'est la même chanson ! Les gens mariés ont de la difficulté à vivre heureux. Le mariage n'apporte pas la stabilité.

— Pourtant, j'ai la conviction, renchérit-elle, que dans le mariage le bonheur est possible. Avant tout, il faut bien choisir son compagnon. Ensuite, apprendre à pratiquer l'indulgence et acquérir plus de compréhension.

— Votre recette me semble excellente. Alors, pourquoi êtes-vous confrontée à un échec ?

Hélène regarda droit devant elle pour ajouter :

— J'ai très mal choisi mon conjoint... C'est un pauvre type... un malade... Un déséquilibré mental qui... par moments, devient très violent. Voyez-vous, Normand, dans mon cas, le divorce est une porte de secours... Une question de survie.

Un silence lourd suivit les dernières paroles d'Hélène. Dehors, le vent tournait à la tempête. Des bourrasques soulevaient des nuages de neige, réduisant la visibilité. En peu de temps, les conditions routières devinrent difficiles. Des bancs de neige se formaient çà et là sur la chaussée. Normand concentra toute son attention sur la conduite de son véhicule. Bientôt, il fut dans l'impossibilité de poursuivre un dialogue quelconque. Ils roulèrent pendant près de trois heures à vitesse réduite dans la poudrerie, devinant la route plus qu'ils ne la voyaient. Finalement, ils atteignirent Laval et Normand quitta l'autoroute pour emprunter une voie secondaire à peine carrossable. Une tempête de neige s'abattait avec virulence sur la région, paralysant tout sur son passage. Heureux, mais épuisé, Normand stoppa son véhicule dans le stationnement souterrain d'un vaste édifice à logements multiples. Il dit à sa compagne :

— Je ne peux vous déposer chez vous, tel que je me l'étais proposé. Les routes sont impraticables. Vous ne pourrez davantage circuler en taxi. Il ne vous reste plus qu'à accepter mon hospitalité. Demain, les chemins seront déblayés et je me ferai un plaisir d'aller vous reconduire à Montréal.

Hélène savait que Normand avait raison, qu'il ne lui restait aucune autre solution. Elle considéra d'un oeil bienveillant cet homme bon et aimable qui lui ouvrait sa maison. Elle n'aurait pas su ce soir où aller dormir. Toute la nuit, elle serait protégée, barricadée dans cette forteresse anonyme. Jamais Nelson ne pourrait la dénicher là. Cette tempête était un bienfait du ciel et cet homme, un être merveilleux.

Toute la nuit, Hélène dormit d'un sommeil profond et paisible dans l'autre chambre du logement. Il était près de onze heures le lendemain, lorsqu'elle s'éveilla. La maison était sans bruit. Normand devait dormir encore. Elle s'habilla et quitta l'appartement. Un taxi l'attendait en bas. Sur la table d'entrée, tout près du téléphone, une note exprimait sa gratitude.

Bonjour Normand.

Vous ne pourrez jamais soupçonner à quel point votre aide, la nuit dernière, m'a été précieuse. Ce geste humanitaire que vous avez eu pour moi est gravé pour toujours dans ma mémoire. Je vous souhaite d'être heureux. Vous êtes du nombre des hommes de bonne volonté.

Si, un jour, je puis à mon tour être utile, n'hésitez pas à m'appeler. Je me souviendrai de vous.

Hélène

Son numéro de téléphone suivait et, sous la note, un billet de cent dollars était dissimulé.

Chapitre 12

Depuis quinze jours, depuis qu'elle avait reçu ce carton d'invitation, Brigitte vivait dans l'euphorie. Pour le moment, elle n'aspirait à rien de plus que d'aller à cette soirée. Une amie lui avait appris que James Field, l'un des dieux de la publicité américaine, viendrait probablement de New York pour assister à cette brillante réception offerte par la plus imposante agence publicitaire de Montréal à l'occasion de leur cinquantième anniversaire de fondation. La direction de la maison la conviait, elle, Brigitte Dubois, au nombre des invités de marque, lui offrant ainsi la chance de sa vie. Brigitte n'en croyait pas ses yeux. Comme tous les mannequins, elle connaissait de nom le grand James Field et rêvait de le rencontrer. Sa photo paraissait très souvent dans les magazines à sensation et Brigitte lisait toujours avec avidité les articles qui le concernaient. Cet homme extrêmement populaire semblait s'amuser beaucoup à défrayer constamment les manchettes des journaux. Les journalistes ne tarissaient pas de colporter des âneries sur sa vie sentimentale, des plus fracassantes. Il en était maintenant à sa huitième ou neuvième épouse et, bien qu'il ne payât pas d'apparence — il était petit, gros et chauve — on lui prêtait la réputation d'être le plus grand tombeur de femmes de son époque. Néanmoins, malgré ce côté extravagant de sa personne, partout on le décrivait comme un génie de la publicité et son nom inspirait le respect à l'échelle mondiale. Les cover-girls les plus célèbres d'Amérique et d'Europe lui devaient leur fortune... Et Brigitte savait cela. Tous les soirs, en rentrant chez elle, elle relisait le carton d'invitation et en rêvait pendant des heures. Pour cette occasion exceptionnelle, elle visita les boutiques de mode les plus chic plusieurs jours d'affilée. Finalement, elle arrêta son choix sur une superbe toilette d'un bleu lavande qui mettait en valeur toute sa personne, aussi bien l'éclat de son visage, l'azur de ses yeux et ses magnifiques cheveux blonds que les autres charmes de son corps. Brigitte, ce samedi soir, en se contemplant dans la glace, croisa les doigts nerveusement et espéra avant toute chose ne pas passer inaperçue.

Nelson pénétra dans la chambre, l'observa et demeura muet d'admiration. Jamais il ne l'avait vue aussi belle. Sa beauté, ce soir-là, était saisissante.

— Pour l'amour du ciel, où vas-tu ? s'enquit-il comme s'il sortait d'un rêve.

— Mais qu'est-ce que tu fais ? Tu n'es pas encore habillé. Oh ! je t'en prie, dépêche-toi, Nelson, sinon nous allons être en retard. C'est notre soirée.

— Quelle soirée... ?

Brigitte s'impatienta.

— D'où sors-tu, veux-tu bien me le dire ? Je te parle de cette réception depuis quinze jours et tu oses me demander quelle soirée !

Nelson se laissa tomber sur le lit, ferma les yeux et se passa la main dans les cheveux.

— J'avais complètement oublié, dit-il, en soupirant. C'est ce soir que tu dois rencontrer ce vieux maquereau de James Field.

Insultée, Brigitte se retourna et lança sèchement :

— Seigneur, sors du lit et va prendre ta douche !

— Je suis fatigué, chérie. Non, vraiment, je n'ai pas le goût de sortir.

Les yeux de Brigitte pétillèrent de colère.

— Je regrette, mais ce soir nous sortons !

— J'ai mal à la tête, gémit-il.

— Fais comme tout le monde, prends deux cachets d'aspirine et tu n'en parleras plus !

— Je veux rester à la maison et me reposer. Tu ne sembles pas te rendre compte que j'ai eu une semaine harassante et que je prends l'avion demain pour l'Allemagne.

Désemparée, Brigitte adoucit sa voix.

— D'accord, tu as eu une semaine harassante comme d'habitude. Tu as toujours des semaines harassantes, fit-elle, en haussant les épaules. Par contre, aujourd'hui, tu n'as rien foutu de la journée. Tu n'as fait qu'écouter les nouvelles à la radio et lire les journaux. Ce régime me paraît assez récupérateur, ne trouves-tu pas ? Il me semblerait normal que ce soir tu t'aères un peu l'esprit. Il y a chez toi quelque chose qui ne tourne pas rond, aujourd'hui. Qu'est-ce que c'est ?

Évidemment, Nelson était un homme trop intelligent pour dévoiler à sa compagne ou à qui que ce soit d'autre, qu'il avait assassiné sa femme la veille. Dans pareille situation, il n'avait confiance en personne. Même pas en sa propre mère.

Ce soir-là, Nelson était nerveux. Il espérait un téléphone de la police, le prévenant de la mort d'Hélène. Les journaux du soir, pas plus que les nouvelles à la radio, n'avaient mentionné la découverte d'un cadavre dans un chalet des Laurentides. Mais il ne voulait pas s'énerver. Il désirait prendre les choses calmement. En réalité, il n'attendait pas de nouvelles officielles avant le dimanche midi. Sa hâte d'en finir, d'être rassuré, portait son esprit à vouloir précipiter les événements. Ensuite, dès que la mort d'Hélène serait confirmée par les autorités médicales, tout se passerait bien ; car il connaissait parfaitement son scénario. Son plan était au point dans sa tête, tous les détails avaient été pensés. Puis le temps apaiserait les choses et, dans quelques semaines, quand la vie normale reviendrait, il pourrait tranquillement enterrer son meurtre dans quelque coin obscur de sa mémoire. Après, il n'y penserait plus. Nelson poursuivrait sa vie comme si rien ne s'était passé et il deviendrait à nouveau un homme heureux.

Il regarda Brigitte et dit doucement.

— Il n'y a rien du tout, chérie. Mais sois gentille et vas-y sans moi.

Exaspérée, Brigitte s'énerva.

— Écoute, Nelson, cette soirée est la plus importante de ma vie. Je veux rencontrer cet homme et je ne peux y aller sans toi.

— Pourquoi ? Ça ne sera pas ta première sortie toute seule !

— Cette fois, c'est différent. Tu dois m'accompagner.

— Ne sois pas ridicule. Tu n'as pas besoin de moi pour rencontrer un homme. Me prends-tu pour un imbécile ?

— Tu as raison, dit-elle, offusquée. Je n'ai jamais eu besoin de l'aide de qui que ce soit pour faire la connaissance d'un homme, et personne n'est mieux placé que moi pour le savoir. Mais cette fois, le problème est d'un tout autre ordre. Ne crois-tu pas que ce serait d'un goût douteux que je me présente à cette brillante réception sans escorte ?

Nelson éclata de rire.

— Autrement dit, tu n'aimerais pas avoir l'air de ce que tu es !

Brigitte s'éloigna du lit, les yeux en larmes.

— Espèce d'enfant de salaud ! cria-t-elle. Tu mériterais que je te tue.

Il se mit à rire de plus belle.

— Tu n'en serais pas capable et, de plus, tu commettrais là la pire erreur de ta vie.

— Je n'en suis pas si certaine.

Nelson releva la tête et s'appuya sur son coude.

— Dis-moi : comment ferais-tu pour épouser un mort ?

— Toi et tes promesses... Va te faire foutre !

— Que penses-tu du mois de juin pour se marier ?

Brigitte revint sur ses pas et essuya ses larmes. Cette fois, son visage épousait une forme de détermination peu commune.

— Si tu ne m'accompagnes pas ce soir, je ne t'épouserai jamais, Nelson Vallée.

Ils se regardèrent un long moment sans dire un seul mot. Finalement, Nelson lança un long sifflement.

— Bon Dieu, tu y tiens à ce bonhomme !

— Oui, fit-elle. Cet homme peut m'apporter la célébrité et pour rien au monde je ne le laisserai filer sans tenter ma chance. Que veux-tu, mon cher, je suis comme toi, je vise les sommets !

Nelson fronça les sourcils et déboutonna sa chemise.

— Puisque c'est comme ça, je vais t'accompagner, dit-il. Mais c'est bien pour te faire plaisir, car je n'ai aucune envie de sortir et d'aller à cette soirée de péteux de broue.

Brigitte lui sauta au cou et l'embrassa.

— Nous n'y resterons pas longtemps, je te le promets, mon chéri. À onze heures, nous pourrons rentrer, j'en aurai fini avec ce James Field.

— Tu ne pécherais pas par excès de confiance, non ?

La soirée fut des plus décevantes, car James Field ne vint pas et ne donna pas le moindre signe de vie. Amèrement déçue, Brigitte, voyant le temps qui filait trop vite et cet énergumène qui n'arrivait toujours pas, éprouvait de la difficulté à retenir ses larmes. Souvent, lorsqu'elle souriait, son sourire était si figé que les muscles de son visage en devenaient douloureux. Malgré tout, elle se comporta comme une grande dame et personne de son entourage, à part Nelson, ne put déceler l'ampleur de sa détresse. Toutefois, sa beauté fut remarquée et des gens importants l'approchèrent pour lui faire des offres intéressantes. Plusieurs milliers de dollars dansèrent devant ses yeux, si bien que Brigitte tenta de se convaincre qu'elle n'avait pas complètement perdu son temps. Mais, sur le chemin du retour, sa déception était si profonde et sa colère si vive, qu'elle se mit à tempêter contre ce James Field. De son côté, Nelson, irrité d'avoir été contraint à s'éloigner du téléphone, avait les nerfs en boule.

— Fiche-moi la paix avec ce type. C'est entendu, c'est un fils de pute comme tous les autres et je ne veux plus en entendre parler. Alors, boucle-la !

Ulcérée, Brigitte se tut, tout en réprimant une violente envie de hurler. Les larmes qu'elle avait maîtrisées si courageusement toute la soirée surgirent derrière ses paupières et inondèrent ses yeux comme un torrent. Elle se mit à pleurer comme une petite fille, sans amour-propre, sans aucune gêne. Les larmes brillaient encore dans ses yeux lorsqu'ils arrivèrent à leur appartement. Brigitte savait qu'elle ne pourrait dormir cette nuit sans prendre un somnifère. Son chagrin était trop lourd, sa peine incommensurable. Dans la pharmacie, elle avala la dernière capsule orangée qui lui restait. Elle chercha sa nouvelle prescription de barbituriques qu'elle s'était procurée la semaine précédente et, comme elle n'arrivait pas à la trouver, elle interrogea Nelson, déjà au lit.

— Je n'en sais rien, dit-il d'un ton très neutre... Tu as dû l'égarer quelque part, comme d'habitude. Maintenant, laisse-moi dormir.

Brigitte haussa les épaules et se coucha, le coeur à la dérive. Le médicament l'apaisa et elle s'endormit rapidement.

Il était midi le lendemain, lorsqu'elle s'éveilla dans une forme superbe. Nelson était déjà debout, elle le trouva au salon en train de lire les journaux du matin. La radio fonctionnait à bas volume et débitait un bulletin météorologique. Brigitte l'embrassa et vint s'asseoir dans le fauteuil d'en face.

— Bonjour, chéri, dit-elle avec entrain.

Sans lever les yeux de sa lecture, Nelson répondit par un petit signe de tête. Elle sourcilla et fit une nouvelle tentative.

— Tu n'as pas l'air en grande forme, souligna-t-elle.

— Non, je ne le suis pas.

— As-tu mal dormi ?

— Oui.

— Pourquoi ?

— Les problèmes, ma chère !

Assise sur le bout du fauteuil, Brigitte sentait l'atmosphère se vicier entre eux et, aujourd'hui, elle n'avait pas le goût de se quereller.

— Je te remercie pour hier. Ç'a été très chic de ta part de m'accompagner.

Nelson ne répondit pas et continua de lire ses journaux. Sans se laisser intimider par l'attitude de son compagnon, Brigitte poursuivit :

— J'aimerais que nous reparlions de la belle proposition de mariage que tu m'as faite hier.

— Tiens, à présent que ton James Field s'est évanoui en fumée, voilà que ma petite affaire t'intéresse !

— Elle m'a toujours intéressée.

Il l'observa et dit, après réflexion :

— Pas maintenant, je n'ai plus la tête à ça.

Brigitte comprit à quel point sa réponse de la veille l'avait offensé.

— Je t'offre mes excuses, dit-elle. Et quand voudras-tu que nous en rediscutions ?

— Plus tard.

Décidément, son orgueil en avait pris un coup. La blessure était profonde. « Toutefois, il faudra bien qu'il en revienne », se dit Brigitte. Mais il n'était pas l'homme le plus facile à manier. Tant pis, elle n'avait pas le goût d'attendre et, comme elle voulait en savoir davantage, elle s'obstina dans cette voie et demanda :

— Hélène a-t-elle engagé des procédures de divorce ?

En entendant prononcer le nom de sa femme, Nelson fixa sa compagne et crut préférable de changer son fusil d'épaule. Ses traits s'adoucirent soudain. Il ne désirait pas éveiller sa suspicion. Brigitte était douée d'un flair stupédiant.

— Non, pas encore, fit-il d'une voix aimable. Mais je crois qu'elle le fera bientôt.

— Et tu accepteras de divorcer ? Alors là, tu m'étonnes !

Il eut un petit sourire malicieux.

— Je poserai MES conditions...

Sur ce, la sonnerie du téléphone retentit brusquement et remplit toute la pièce. Nelson cessa de respirer. Son sang ne fit qu'un tour.

À l'intérieur de sa poitrine, son coeur battait à tout rompre. Mais aucune émotion ne transpira sur son visage. Sans se départir de son calme, il demanda à Brigitte de répondre.

C'était inutile, elle se dirigeait déjà vers l'appareil. Une voix amie arriva au bout du fil et la jeune femme entretint la conversation pendant près d'une heure, au grand désespoir de Nelson. Tout le reste de l'après-midi, le téléphone demeura muet. L'heure du départ approchait. Il devait quitter la maison dans une demi-heure pour ne pas être en retard à l'aéroport, et ce satané téléphone qui ne sonnait toujours pas. Nelson se tracassait. Se pouvait-il que la police, à l'heure qu'il était, ne fût pas encore prévenue ? Que les préposés à l'entretien n'eussent pas encore découvert le cadavre d'Hélène ? Évidemment, tout était possible. Froidement, il évalua tous les angles du problème et jugea la situation normale. Il voulait aller trop vite. C'était l'erreur que commettaient tous les criminels : celle d'en finir au plus tôt. Les quelques minutes qui suivirent, il les consacra à se tempérer, à conditionner son esprit à la patience. Cette période de récupération lui fut salutaire. La nouvelle surviendrait pendant qu'il serait en Allemagne. C'était parfait. Tout s'arrangeait à son avantage. Ce voyage atténuerait les soupçons. Cette idée lui fit un bien immense, le rasséréna.

Avant de quitter l'appartement, Nelson eut la bonne idée de téléphoner à Richard pour prendre de ses nouvelles et, comme ce dernier allait mieux, il en profita pour lui donner quelques directives. Il crut préférable d'ajouter en terminant :

— Je vous en prie, Richard, prenez congé demain. Votre santé est plus importante pour l'aciérie que ces quelques heures de travail.

Richard le remercia et ses paroles, ainsi que Nelson l'espéra, le touchèrent profondément. Celui-là, se dit Nelson, en raccrochant, est dangereux et je dois l'avoir de mon côté pour quelques mois encore, tant que la succession ne sera pas réglée.

Brigitte alla déposer Nelson à l'aéroport un peu avant six heures. Ils s'embrassèrent longuement dans l'intimité de leur voiture. Avant de passer la barrière, il la serra de nouveau dans ses bras.

— Je t'aime, Brigitte. Tu le sais, n'est-ce pas ?

Elle hocha la tête et lui sourit.

— Nous n'avons pas fait l'amour depuis trois jours. La semaine sera longue.

— Oui, elle le sera pour moi aussi, dit-il. Il faut comprendre que ces derniers jours je n'étais pas en très grande forme. À mon retour, nous reprendrons le temps perdu.

Puis il lui tendit un bout de papier sur lequel étaient inscrits le nom et le numéro de téléphone de l'hôtel où il descendait à Bonn.

— Si tu as un problème quelconque, n'hésite pas à

m'appeler. Au fait, chérie, ne jette pas les journaux pendant mon absence, j'aimerais les consulter en rentrant. J'ai entendu dire que le gouvernement veut réviser ses politiques sur les importations industrielles et je veux me tenir au courant. Ça nous concerne directement.

Brigitte répondit dans l'affirmative et lui offrit ses lèvres une dernière fois.

— Bon voyage, mon chéri.

— À bientôt, mon ange.

* * *

Il était une heure de l'après-midi le même jour, lorsque Hélène sonna à l'appartement de tante Agnès. Cette maison, désormais, devenait son unique refuge. C'était le seul endroit familier qui lui restait pour vivre en toute sécurité. Sur son parcours, elle s'était arrêtée dans un restaurant où elle avait avalé un copieux déjeuner. Pourtant, en dépit des deux bons repas qu'elle avait mangés et de l'excellente nuit qu'elle avait passée, Hélène n'arrivait toujours pas à se débarrasser de ce sentiment de flottement, d'irréalité qui l'emprisonnait depuis la veille. Ce matin, à son réveil, la glace lui avait retourné d'elle une image si floue qu'elle avait eu peine à se reconnaître. Son regard surtout était différent, il n'était pas le sien, il était vitreux comme celui des drogués.

Tout de suite, en l'apercevant, tante Agnès soupçonna qu'il se passait quelque chose d'étrange.

— Entre, ma chérie. Pose ici ta valise et tes bottines de ski et donne-moi ton manteau.

— C'est bien calme ici. Où sont Stéphanie et Mélissa ? demanda Hélène en retirant ses bottes.

— Au cinéma. Madame Julien, ma voisine de palier, les a emmenées voir un film de Disney. Cette charmante dame adore les petites et elle voulait leur faire plaisir. Elles sont allées en métro. Les enfants étaient ravies.

— C'est heureux qu'elles soient absentes, dit Hélène en se dirigeant vers le salon. J'ai tant de choses à vous raconter... et je n'aurais pu le faire devant les fillettes.

Les deux femmes s'assirent l'une en face de l'autre. Tante Agnès scruta le visage qui la regardait, et la main sur le coeur, murmura :

— Tu as l'air de revenir de très loin, Hélène. Mon Dieu, mais que t'est-il arrivé ?

La jeune femme se sentit parcourue d'un frisson. Elle en avait la chair de poule. D'une voix hésitante et teintée d'émoi, elle dit :

— Oui, je reviens de très loin... Cela dépasse l'imagination, tante Agnès... C'est difficile à raconter, c'est tellement effroyable ce qui m'est arrivé... Vous ne pourrez jamais me croire. D'ailleurs, personne ne pourra me croire.

— Je n'ai jamais douté de toi, Hélène. Et tu le sais bien ! Moi, je n'y ai jamais cru à tes dépressions nerveuses. C'était de l'épuisement pur et simple.

Tante Agnès avait une façon très personnelle de rassurer les gens. Elle était d'une franchise totale et n'y allait pas par quatre chemins. Avec elle, son entourage savait toujours à quoi s'en tenir.

— Alors, ma chérie, cette excursion de ski avec Nelson s'est très mal terminée, n'est-ce pas ?

— Il n'y a pas eu d'excursion... Nelson a tenté de m'assassiner.

Les yeux d'Agnès Mercier s'arrondirent et une expression de terreur s'inscrivit sur son visage.

— Que dis-tu ? Nelson a tenté de t'assassiner ?... Je t'en prie, explique-toi !

Avec une exactitude incroyable, ébranlée par l'émotion, Hélène fit, pendant toute l'heure qui suivit, le récit détaillé des événements horribles qu'elle venait de vivre. Parfois d'une voix calme, mais le plus souvent d'un ton extrêmement bouleversé, avec les yeux toujours embués de larmes, elle parla des détournements de fonds de son mari, et raconta, la gorge étouffée par les sanglots, la mort atroce d'Alain dans l'explosion de son hélicoptère et ses présumées dernières minutes de vie avec le revolver de Nelson appuyé contre son front. Quand elle se tut, Hélène était épuisée, à bout de souffle, son visage ruisselait de larmes et une douleur aiguë la pressait de l'intérieur. Face à elle, les mains jointes sur ses genoux, le visage décomposé, tante Agnès n'avait pas perdu un seul mot de son exposé. Le coeur en charpie, Agnès Mercier ferma les yeux pour s'isoler en elle-même, tandis que de grosses larmes roulaient sur ses joues.

— Mon pauvre Alain... murmura-t-elle, victime d'un acte criminel... Bien des fois, cette idée me hantait, mais je la chassais très vite, car au fond je ne voulais pas y croire. Ça m'apparaissait insensé !... Nelson !... il était donc l'auteur du détournement de fonds et... Alpha Trust... c'était lui ! J'avais raison de croire que l'un et l'autre étaient reliés... C'était logique ! Mais, mon Dieu, pourquoi n'ai-je pas poursuivi mon raisonnement en lui imputant aussi la mort d'Alain ?... Il aurait été si facile pour moi de le faire suspecter au cours de l'enquête...

Elle secoua la tête et étouffa un sanglot. Il était visible qu'elle ployait tout entière sous le poids des reproches qu'elle s'adressait. Puis elle releva les yeux, regarda Hélène et murmura à travers ses larmes :

— Et toi, ma chère enfant... seul un miracle t'a sauvé la vie.

— Oui, répondit Hélène d'une voix blanche, je le crois aussi.

Un long silence suivit. Repliée sur sa douleur, tante Agnès souffrait trop en ce moment pour être en mesure de réfléchir. Elle leva les yeux vers Hélène et demanda :

— Et cette drogue, tu crois qu'elle ne peut plus te faire de mal ?

— Grâce à cette indigestion, elle a été en grande partie éliminée. Non, maintenant, elle ne peut plus me faire de mal. Le pire est passé, j'en suis certaine.

— Cet homme est un monstre, un criminel et un fou. Il est très dangereux, déclara la vieille demoiselle.

— Oui, vous avez raison. Et le pire, tante Agnès, c'est que dans ma situation, je ne puis même pas le dénoncer... Qui me croira après mes deux stages en clinique psychiatrique ?

— Je vais y réfléchir, dit-elle avec lassitude.

Après un long temps de réflexion, les joues d'Agnès Mercier se colorèrent, son regard devint perçant et Hélène devina, à l'expression de son visage, que sa belle et énergique volonté faisait volte-face à sa douleur.

— Évidemment, tu ne peux aller à la police, commenta-t-elle. Pour le moment, personne ne te croira car tu n'as aucun témoin. J'ai un plan, Hélène. Tu vas t'installer ici pour ta sécurité et nous allons laisser à Nelson suffisamment de corde pour qu'il se prenne à son propre piège. Tu as merveilleusement bien agi en ne laissant aucune trace de toi nulle part. Ce jeune homme qui t'a hébergée, connaît-il ton nom de famille ?

— Non. Je ne le lui ai jamais dit.

— Parfait. Vois-tu, ma chérie, si Nelson ne retrouve jamais ton cadavre et qu'il n'y a aucune trace de ta présence nulle part, que crois-tu qu'il fera ?

— Je n'en sais rien. Sa façon de penser m'a toujours déroutée.

— J'ignore moi aussi de quelle façon il se pendra mais, chose certaine, c'est qu'il va finir par s'énerver. Et un homme nerveux fait toujours un mauvais pas. C'est là que nous le coincerons. Comprends-tu, ma chérie, que l'aciérie ne peut fonctionner pendant des mois sans ta présence. Plusieurs contrats se renouvellent en février et en mars et on aura besoin de ta signature. Nelson ne perdra jamais de l'argent pour un détail aussi insignifiant qu'une absence de signature. C'est alors qu'il va réagir et nous aurons notre revanche. En attendant, nous pratiquerons la patience, toi et moi, et nous aurons les petites pour nous égayer. Cette fois, es-tu d'accord pour suivre à la lettre mes instructions ?

Mal à l'aise, Hélène baissa les yeux pour se soustraire au regard accusateur de la seule personne en qui elle avait totalement confiance. La réprobation était si bien incluse dans la question que même une enfant en aurait parfaitement saisi la nuance.

— Oui, tante Agnès, je suis disposée à suivre vos instructions. Je n'ai plus le choix, vous savez... J'ai si peur de lui... J'ai si peur de vivre tout court.

Cette confidence bouleversa tante Agnès. Pour dissimuler son émotion, elle détourna la tête et regarda par la fenêtre. Dehors, le soleil brillait sur la neige d'une blancheur étincelante. Dans les rues déblayées, les véhicules circulaient à présent avec plus d'aisance. La vie semblait reprendre son cours normal.

— Pour expliquer ma présence ici, que dirons-nous aux enfants ? demanda Hélène.

— Elles ne poseront pas de questions. Les petites seront folles de joie de te savoir ici. Néanmoins, nous leur expliquerons que tu viens m'aider, parce que le médecin m'a conseillé de me reposer.

— Au fait, comment est votre santé ces jours-ci, tante Agnès ?

— Les médicaments me font du bien. Je me sens beaucoup mieux depuis que j'ai suivi ces traitements à l'hôpital. Dis-moi, Hélène, Nelson t'a-t-il mis au courant de ses projets ?

— Non. La seule chose qu'il m'a dite c'est qu'il doit partir ce soir pour un séjour d'une semaine en Allemagne.

— Vraiment ? s'exclama Agnès Mercier. Et quand Maria t'a-t-elle vue pour la dernière fois ?

— Jeudi. Vendredi, elle ne pouvait venir travailler. Elle devait aller chez l'opticien pour un examen de la vue. Mais elle sera à la maison lundi.

— Ces deux coïncidences vont nous servir. C'est le temps pour nous d'agir à l'insu de tous. Alors, ce soir, ma chérie, tu vas aller chez toi et tu rapporteras des vêtements ainsi que les choses dont tu pourrais avoir besoin pour les prochains mois. Tu prendras également avec toi tes livres de banque, ton passeport, les bijoux que tu as laissés à la maison, l'argent liquide et... le contrat de vente de ta maison, tes polices d'assurance ; bref, tous les papiers que Nelson se réjouirait d'avoir entre les mains.

Cette sortie inspira à Hélène les plus grandes craintes. Une bouffée de vapeur lui monta à la tête et les vertiges l'ébranlèrent à l'idée qu'elle pourrait tomber sur son mari.

— ...Et si Nelson annulait son voyage ?

La vieille demoiselle secouait déjà la tête.

— Nelson est trop habile pour changer ses plans à la dernière minute. Je suis certaine que ce voyage entrait dans ses calculs. Ça lui donnait un air moins suspect, plus dégagé. De toute façon, avant d'aller chez toi, nous vérifierons avec les compagnies aériennes.

Une peur indéfinissable étreignit la jeune femme et elle se sentit écrasée par ce nouveau fardeau.

— Je suis si fatiguée... Nous ne pourrions pas remettre cette sortie à plus tard ?

Hélène observait la secrétaire d'un air las et suppliant.

— Je suis sincèrement désolée d'exiger ta collaboration dans les circonstances. Je comprends très bien ta lassitude, mais nous devons agir ce soir sans faute. Nous n'avons pas le choix. Dès que Maria rentrera chez toi, il sera trop tard. Un simple indice de ton passage pourrait vendre la mèche. Il est indispensable que ta disparition ne fasse aucun doute.

— Pauvre Maria... Elle aura du chagrin, murmura Hélène.

— Elle ne sera pas la seule. Tout le monde à l'aciérie aura le coeur en deuil, reprit tante Agnès.

Hélène pensa à Richard et les larmes lui montèrent aux yeux.

— Ne pourrions-nous pas mettre Richard dans la confidence ?... Seulement lui ?

— Non. Surtout pas lui ! Il est trop impulsif. Il pourrait tuer Nelson en l'étranglant d'une seule main. Cet homme a donné toute sa vie à l'aciérie et je ne veux pas qu'il finisse ses jours en prison.

Agnès Mercier sembla soudain extrêmement épuisée. Toute cette affaire l'avait profondément troublée. Sa santé ne lui permettait plus ce genre d'ennui. La moindre perturbation exigeait d'elle un grand effort. Elle ferma les yeux et s'assoupit quelques instants. Quand elle rouvrit les paupières un peu plus tard, elle fit mention d'un petit détail qu'elle avait oublié.

— Ce serait une bonne idée, dit-elle, de laisser un petit mot à Maria, daté évidemment de vendredi matin. Tu lui expliqueras que connaissant sa situation financière difficile tu voulais lui faire plaisir et la remercier de son dévouement en lui payant en un seul chèque ses trois prochains mois de travail. Ainsi, tout l'hiver, elle prendra bien soin de ta maison et tu auras un tracas de moins.

Hélène, exténuée d'avance par ce labeur qui l'attendait, laissa échapper un sourire las et hocha la tête docilement. Elle n'avait plus la force de s'opposer à qui que ce soit. Toutefois, guidée par le sentiment réconfortant que tante Agnès agissait avec circonspection et protégeait ses intérêts comme s'ils étaient les siens, elle s'exécuterait.

À dix heures très exactement, Hélène, inspirée par le courage de tante Agnès, se rendit chez elle en taxi. Une peur irraisonnée l'assaillait et elle ne cessa de trembler tout le long du trajet. Pourtant la vieille demoiselle l'avait assurée que Nelson, à bord d'un avion de la compagnie aérienne Lufthansa, volait vers l'Allemagne et qu'elle n'avait rien à craindre. Elle respecta à la lettre les directives de sa conseillère et ne laissa sur son passage aucun indice de sa présence dans la maison. Pour ne pas attirer l'attention des voisins, le taxi l'attendait au coin de la rue. Deux heures plus tard, elle revenait chez tante Agnès avec une valise qui contenait plus de documents que de lingerie personnelle. Le nez collé à la fenêtre, cette dernière surveillait le retour d'Hélène et courut à la porte pour l'accueillir.

— Tout a bien fonctionné ? s'informa-t-elle avec anxiété.

— Je crois que oui, murmura Hélène, d'une voix à peine audible.

Et elle s'évanouit dans les bras d'Agnès.

Chapitre 13

En dépit des bons conseils de Nelson, Richard O'Neil était rentré au bureau le lundi matin. Sa santé lui permettait de travailler. Il n'était pas en très grande forme, mais paresser à la maison ne cadrait pas avec son tempérament. Les journées de maladie s'empilaient dans son dossier et il ne s'en préoccupait pas. C'était là le moindre de ses soucis. Quant aux jours de congé, c'était à peu près la même chose. Toutefois, depuis une dizaine d'années, sa femme l'avait contraint à prendre régulièrement des vacances ; car du temps de Joseph Chabrol, combien de fois il les avait annulées ou raccourcies lorsque les intérêts de l'aciérie requéraient sa présence. Il faisait partie de cette minorité d'hommes pour qui le travail n'est pas une punition, mais un besoin, une fierté, un but primordial dans la vie. Au bureau, pas plus aujourd'hui qu'autrefois, il ne calculait ses heures et économisait ses énergies. Sa robuste santé lui avait permis de travailler à plein pouvoir aussi souvent que les circonstances l'exigeaient et ces périodes intensives de travail ne l'épuisaient pas. Puis un jour, par hasard, deux années auparavant, quelqu'un lui avait souligné, non pas méchamment comme inconsciemment, que bientôt sonnerait pour lui l'heure de la retraite. Cette journée-là, Richard O'Neil avait eu mal à l'intérieur, un mal douloureux, déchirant, comme si on lui avait retiré un organe du corps sans l'anesthésier. Il avait pris une pleine semaine à s'en remettre et, le mois suivant, le sourire n'avait pas filtré une seule fois sur ses lèvres. Depuis des années, il savait au fond de lui qu'il ne pourrait jamais cesser de travailler, qu'il préférait mourir à l'oeuvre plutôt que de voir venir la mort tranquillement dans son salon, devant son appareil de télévision comme la plupart des vieillards le faisaient.

Soudainement le vent avait changé, car maintenant plus que jamais, on semblait avoir besoin de lui à l'aciérie. Voilà pourquoi, en rentrant au bureau ce lundi matin, Richard O'Neil était si heureux. La présidente des Aciéries Chabrol ne lui avait-elle pas demandé quelques jours plus tôt de renoncer pour le moment à la retraite ? Sûrement, Hélène ignorait en lui quémandant cela comme une faveur, qu'elle venait de lui causer un très grand bonheur. Richard en avait été tellement heureux qu'il en avait perdu la tête. Dans son euphorie, il était allé jusqu'à lui proposer de faire l'amour avec elle. Quelle inconvenance tout de même! Quel idiot était-il donc devenu pour faire à son âge des propositions pareilles à une femme qui incarnait la distinction même ? Pour sûr, il aimait Hélène, il l'avait toujours aimée. Il ne se souvenait pas d'avoir jamais éprouvé un sentiment aussi total pour aucune autre femme. Mais ce n'était pas une raison pour se conduire comme il l'avait fait! Aussi, dès qu'Hélène eut quitté sa voiture un sentiment de culpabilité avait aussitôt fait surface et Richard se reprochait encore sa conduite téméraire de l'autre soir. Hélène avait jadis refusé ses avances; pourquoi, à présent qu'il était vieux, accepterait-elle ses propositions ? C'était non pas de la témérité mais de la stupidité infantile. Richard éprouvait, en plus des regrets, un sentiment de gêne inexprimable qui à présent l'humiliait. Ainsi, le lendemain midi, avant de quitter le bureau pour aller prendre le lunch avec un client, il crut bon de téléphoner à Hélène pour lui offrir ses excuses et lui promettre qu'il n'aurait plus envers elle aucun écart de conduite dans leurs rencontres futures. Il profiterait également de l'occasion pour lui confirmer qu'il dirigerait l'aciérie aussi longtemps qu'elle aurait besoin de lui, bien que sa situation à l'égard de Nelson le plaçât dans une position difficile. Cependant, la toute première chose que Richard voulait faire en ouvrant l'appareil, c'était de prendre de ses nouvelles et de s'informer de sa santé. Cet empoisonnement l'avait rendu si malade que maintenant il était inquiet pour Hélène. Heureusement que Maria, durant la journée, était à la maison pour lui venir en aide, si jamais elle en avait besoin. La sonnerie retentit plusieurs fois. Déçu, il s'apprêtait à raccrocher lorsque la voix de la domestique retentit au bout du fil.

— C'est vous, monsieur O'Neil ! Ah, je croyais que c'était madame Vallée ! Elle est partie vendredi matin pour une excursion de ski de fin de semaine et elle n'est pas encore rentrée.

Richard demeura perplexe. Ils s'étaient rencontrés le jeudi soir et Hélène ne lui avait pas soufflé mot de cette excursion du lendemain matin. Il haussa les épaules dans un geste d'incompréhension et estima que les moules empoisonnées ne l'avaient guère affectée, puisque sa santé lui avait permis d'aller skier. Quant à lui, il avait eu des nausées, des crampes et n'avait pu fermer l'oeil de toute la nuit qui avait suivi. Quelle chose merveilleuse que la jeunesse ! pensa-t-il. Comme il avait détecté de l'inquiétude dans la voix de Maria, il tenta de la rassurer avant de terminer.

— Madame Vallée adore skier. Ne vous tracassez pas à son sujet. Elle passera probablement la semaine sur les pentes. Tous les soirs aux nouvelles, la météo signale que les conditions de ski sont excellentes.

— Oui, vous avez sans doute raison. De plus, je sais qu'elle a retenu un chalet au mont Tremblant, comme elle le fait chaque année. Elle adore cet endroit. Et avec toute cette neige qui est tombée, elle a dû prolonger son séjour.

La jalousie l'emporta et Richard demanda :

— Savez-vous si des amis l'y rejoignaient ?

— Elle ne me l'a pas dit. Vendredi matin, lorsqu'elle a quitté la maison, je n'étais pas ici. Alors, j'ignore si quelqu'un est venu la prendre. Voulez-vous que je lui fasse le message de vous rappeler lorsqu'elle rentrera ?

— Non, il n'y a rien d'urgent. Je suis très pris cette semaine et elle aura de la difficulté à me rejoindre. Je la rappellerai plutôt la semaine prochaine.

Ainsi qu'il le dit à Maria, Richard passa une semaine laborieuse à rencontrer des clients, tout en s'occupant de l'administration. Le soir, il rentrait chez lui exténué, mais satisfait de sa journée. Plus que toute autre chose, il adorait diriger l'aciérie. Les départs de Nelson le réjouissaient toujours. Il fonctionnait à merveille quand il était seul. Avec quel plaisir il se revoyait à la tête de cette industrie qu'il avait vue grandir ! Quelle belle revanche il aurait sur Nelson, ce jour-là !

* * *

Le médecin mandé par Agnès au chevet d'Hélène ne diagnostiqua rien de grave chez sa patiente. Un repos de quelques jours suffirait à la remettre sur pied. Toutefois, ni l'une ni l'autre, sans même se consulter, ne parla de l'absorption des barbituriques, pour éviter des explications embarrassantes. Les signes vitaux de la malade, tout autant que l'état des organes essentiels, ne semblèrent pas retenir l'attention du médecin, si bien que les deux femmes en partageant un regard complice parurent soulagées. Hélène dormit deux jours entiers. Elle ne se réveillait que pour manger. Ce repos lui fit beaucoup de bien. Le choc qu'elle avait subi, ainsi que la fatigue et le sentiment d'irréalité dont elle était accablé se dissipèrent complètement. Cependant, la peur d'être découverte par Nelson ne la quittait pas. Il fallut que tante Agnès se transformât en psychothérapeute pour la convaincre de sortir de la maison et aller prendre un peu d'air frais.

— Pour évacuer de ton organisme les résidus de cette drogue, tu dois faire de longues promenades et t'aérer les poumons. Dans les circonstances, ton moral aussi exige un peu de divertissement.

— J'en conviens, admit Hélène après d'interminables discussions. Marcher dehors me ferait du bien et j'ai besoin de me changer les idées. Toutefois, si mon mari habitait une autre ville, je me sentirais tellement plus brave...

— Nelson demeure à l'autre extrémité de la ville, tu ne risques rien, ni maintenant ni plus tard. Tu peux aller te promener aux alentours, te rendre au centre commercial ou à la patinoire avec les fillettes, sans te tracasser inutilement.

Hélène témoignait à l'égard de la vieille demoiselle la même considération que Joseph Chabrol lui accordait. Elle avait foi en elle. Ses paroles, ses encouragements la soutenaient et Hélène prit la résolution de sortir chaque jour après la classe des enfants. Mélissa et Stéphanie n'avaient jamais été aussi heureuses que depuis l'arrivée d'Hélène dans la maison. Toutes ces sorties en perspective les ravissaient et elles débordaient d'enthousiasme.

— Dis, Hélène, tu ne partiras plus, maintenant ? demanda Mélissa, alors qu'elles patinaient toutes les trois en se tenant par la main.

— Non. Hélène va toujours habiter avec nous. C'est tante Agnès qui me l'a dit, énonça la petite Stéphanie, le visage tout ensoleillé de plaisir.

— Je ne peux rien promettre, fit Hélène en souriant, parce que je ne connais pas l'avenir. Toutefois, je sais une chose qui ne peut changer. À présent que nous nous connaissons, nous nous aimerons toujours toutes les trois. Et c'est ça l'important.

— Oui, reprit Mélissa. Je sais que l'amour c'est important, mais, moi, j'aime mieux quand tu es là.

À part quelques jeunes garçons qui s'amusaient à jouer au hockey, la patinoire était déserte. Hélène s'immobilisa et tomba à genoux, entraînant dans sa chute les deux enfants. Elle les prit par le cou et s'exclama gaiement.

— Si on se faisait une grosse bise toutes ensemble ?

Avec des grands éclats de rire, les fillettes se jetèrent sur elle et l'embrassèrent avec frénésie. Finalement, elles se retrouvèrent, étendues sur la glace, les yeux pleins de ciel bleu, et elles riaient. Stéphanie souleva sa tête et se pencha sur Hélène qui voyait entre la tuque et l'écharpe de laine le regard émerveillé de l'enfant et ses jolies pommettes rouges.

— Est-ce que c'est vrai que tu es très riche ? J'ai entendu papa et tante Agnès le dire.

Hélène eut un sourire moqueur.

— Je ne suis pas aussi riche que la Fée des Étoiles

qui, avec sa baguette magique, peut se procurer toutes les plus belles choses de la terre, mais j'ai de gros sous blancs dans ma tirelire.

— Alors, pourquoi tu n'as pas de voiture ?

— J'ai une voiture, mais elle est chez moi... J'ai pris la résolution de ne plus la conduire l'hiver.

— Pourquoi, Hélène ? demanda Mélissa d'un air réfléchi en s'asseyant sur ses talons.

— Parce que c'est une belle voiture et qu'elle coûte très cher. C'est mon père qui me l'a offerte avant de mourir, il y a maintenant sept ans. C'est un très beau cadeau et j'aimerais la conserver très longtemps, en souvenir de lui. Le sel que l'on épand l'hiver dans les rues pourrait l'abîmer. Voilà pourquoi j'ai pensé d'acheter une seconde voiture qui serait plus pratique et que je pourrais utiliser l'hiver et les jours de mauvais temps.

De grands sourires égayèrent soudain les lèvres des fillettes.

— Acheter une autre voiture ! Quand ? s'écria Stéphanie.

— Est-ce qu'on pourrait aller la choisir ensemble ? reprit aussitôt Mélissa.

Hélène demeura figée. Elle n'avait pas encore l'habitude des réactions enfantines et s'étonnait toujours de la rapidité avec laquelle il fallait passer de la parole aux actes. Elle réfléchit quelques instants et opina :

— Je ne peux faire aucune promesse maintenant. Nous allons d'abord en discuter avec tante Agnès et nous verrons ensuite.

— Je suis prête, dit Stéphanie d'un seul trait. Allons voir tante Agnès tout de suite.

Hélène éclata de rire, embrassa l'enfant et se releva ; le froid la pénétrait.

— Pas si vite, mon trésor. Rien ne presse à ce point. Nous venons tout juste d'arriver sur la patinoire. Allez, levez-vous les petites Leroyer. Il faut patiner sinon nous allons bientôt grelotter.

Elle leur tendit la main et les entraîna avec elle sur la patinoire. À l'ouest, le soleil déclinait lentement dans un ciel sec d'un bleu soutenu. Un vent du nord soufflait impitoyablement. Depuis cinq jours, il faisait très froid.

— À l'heure du souper, nous en reparlerons avec tante Agnès. C'est une promesse, Stéphanie. Dis-moi, Mélissa, est-ce que ta petite soeur est toujours aussi pressée ?

L'aînée hocha la tête et énonça avec l'aplomb de ses sept ans :

— À la maison, papa la surnommait souvent Stéphanie-l'étoile-filante.

De prime abord, Agnès Mercier ne manifesta guère d'enthousiasme pour l'achat d'une voiture. Toutefois, elle ne fit aucun commentaire et exigea quelques heures de réflexion. Malheureusement, les fillettes durent aller au lit sans connaître le verdict de la vieille demoiselle. Dans la soirée, les deux femmes discutèrent ensemble et abordèrent le problème sous tous ses angles. L'achat d'une voiture engendrait des complications particulières, car il supposait la rédaction d'un contrat sur lequel apparaissaient le nom et l'adresse de l'acheteur. En temps normal, cela n'avait aucune importance, puisque la majorité des gens sont anonymes, mais Hélène Vallée était une figure connue dans la société québécoise. Il était également à prévoir que dans un temps relativement court la disparition de la jeune femme ne ferait plus l'ombre d'un doute. Dès que les journalistes s'empareraient de l'affaire, le vendeur de la voiture se souviendrait alors du nom de sa cliente, en admettant que sur le moment il ne l'eût pas remarqué. Il n'aurait qu'à rouvrir le dossier de vente pour ébruiter la nouvelle. Belle publicité gratuite pour ce concessionnaire, tandis que Nelson saurait tout de suite que sa femme était toujours en vie et se cachait quelque part.

— De toute façon, vous et moi savons très bien qu'un jour ou l'autre, nous en viendrons là, conclut Hélène. Je ne pourrai pas jouer à la morte indéfiniment. Cette semaine, en l'absence de Nelson, je vis des jours de grâce. Mais à son retour, ne découvrant pas de cadavre pour célébrer sa victoire, il interrogera les gens de mon entourage et dans quelque temps la chasse à l'homme commencera. Je sais qu'au début il agira avec prudence et diplomatie. Ensuite, nous devrons être sur le qui-vive. Pour ce qui est de la voiture, je fixerai mon choix sur un modèle compact à prix populaire ; ainsi, je n'attirerai l'attention de personne. Qu'en pensez-vous ?

Tante Agnès observait Hélène tout en hochant doucement la tête. Elle était à la fois heureuse et étonnée de constater combien la jeune femme, après un traumatisme semblable, avait récupéré rapidement... Quelques jours de repos avaient suffi pour qu'elle retrouvât son équilibre. Cette façon très saine de penser était rassurante et constructive. Comme elle ressemblait à son père dans sa manière de traverser les difficultés, de combattre les obstacles sans se laisser terrasser par eux et de conserver, même dans l'adversité, un visage serein. Non, personne n'aurait pu croire à la voir en ce moment avec ce doux sourire sur les lèvres, combien son monstrueux mari avait pu la faire souffrir ces dernières années. Pendant de longs mois, il l'avait traquée comme une bête sauvage. Pour détruire son cerveau, rien ne lui avait été épargné. Malgré tout, son système nerveux n'avait pas flanché. Sa volonté de vivre était si puissante qu'elle avait même réussi à échapper à la mort à laquelle Nelson la destinait. Silencieuse et éblouie, Agnès Mercier admirait le courage et la force de caractère d'Hélène que dissimulaient complètement son exquise féminité et la fragilité de son apparence extérieure. Personne n'aurait pu prévoir, à la façon douillette et enrubannée dont elle avait été élevée, que des racines secrètes l'avaient cimentée de l'intérieur. Le seul défaut que tante Agnès décelait chez Hélène et qui, selon elle, était à la base de tous ses malheurs, était son absence totale de méfiance. Mieux que quiconque, Hélène savait encaisser les coups ; le passé ne permettait pas d'en douter. Mais cette grande bonté de coeur qu'elle avait héritée de sa mère annihilait chez elle tout instinct protecteur, et elle n'arrivait pas à prévoir le mal qu'on pouvait lui faire. C'est précisément à ce niveau que la vieille demoiselle veillerait avec l'assiduité vigilante d'un brave chien de garde sur la fille de Joseph Chabrol. Plus que jamais, il fallait être clairvoyant, éviter les faux pas pour conserver le vent dans les voiles, afin de ne pas être perdant encore une fois.

— Si je comprends bien ton raisonnement, reprit tante Agnès, tu tiens réellement à t'acheter une automobile maintenant. C'est bien cela le fond de ta pensée, n'est-ce pas ?

Hélène fronça les sourcils. Posée de cette façon, la question lui parut si directe qu'elle dut prendre quelques secondes pour s'analyser.

— J'ai toujours eu une voiture pour me véhiculer. C'est plus pratique de se diriger soi-même que de toujours attendre après un taxi. De plus, vous disposez d'une place de stationnement au sous-sol, que je pourrai utiliser pendant mon séjour ici. L'hiver, avec les rues enneigées, le stationnement demeure un problème de taille. Nous avons de la chance, le nôtre est résolu. Aller faire des courses à l'épicerie, c'est également plus facile avec une automobile. Et puis, les petites seraient si heureuses de se balader à leur guise.

Le visage de tante Agnès s'égaya d'un sourire franc.

— Admets que les enfants sont pour beaucoup dans ta décision.

Hélène sourit aussi.

— De toute évidence, elles utilisent une méthode assez particulière de convaincre les gens. Je peux résumer en affirmant qu'elles manifestent beaucoup de spontanéité dans leur façon de quémander.

— Je ne voudrais pas que tu achètes une voiture seulement pour leur faire plaisir.

— Oh non ! Pas du tout. Cet achat était planifié depuis quelque temps déjà. Elles m'ont tout simplement convaincue d'agir maintenant.

— En effet, il faudra agir vite et ne pas utiliser de carte de crédit, ni pour cet achat ni pour aucun autre. Ne l'oublie pas. Dans un mois, quand l'état de compte arrivera à la maison, Nelson n'entretiendra plus aucun doute à ton sujet. Ce sont toujours les détails qui nous perdent. Sois prudente.

Hélène approuva et dit :

— Demain, après la classe des petites, nous irons chez le concessionnaire le plus proche et nous choisirons une voiture.

— C'est moi qui ferai le chèque et tu me rembourseras plus tard, souligna tante Agnès. Je crois que c'est plus sécuritaire de cette façon.

— D'accord, fit Hélène.

* * *

En rentrant de voyage la semaine suivante, Nelson avait constaté que tous ignoraient la disparition d'Hélène. Le mercredi, Brigitte lui avait téléphoné en Allemagne, non pas pour le prévenir de la mort de sa femme, mais pour le mettre au courant du nouveau contrat qu'elle venait de signer. Elle voulait également l'avertir que ce travail l'obligerait à s'absenter à l'étranger pour une période de trois semaines. Le message publicitaire dans lequel elle partageait la vedette avec deux autres beautés serait tourné d'une part dans les montagnes du Colorado, et d'autre part en Jamaïque. Brigitte était ravie et se montra particulièrement volubile, tandis qu'à l'autre bout, Nelson, très tendu, écoutait son bavardage sans laisser apparaître aucun signe de nervosité. Combien il aurait voulu être rassuré sur le sort de sa femme ! Malheureusement, tout au long de cet échange téléphonique, Brigitte ne prononça pas le nom d'Hélène une seule fois, et pas un seul instant il ne fut question d'elle, au grand désespoir de Nelson. Il n'aurait pu dire sur quelles paroles il termina cet appel, tellement il était désemparé. Il mit trois jours à se refaire un moral. Certes, il n'arrivait pas à comprendre comment il se faisait que Brigitte ne fût pas encore au courant de la mort de sa femme. Personne à l'aciérie ne devait l'être non plus, sinon elle l'aurait su. Il revint chez lui complètement démoli.

Jamais de sa vie Nelson n'avait été confronté à un problème pareil. Il était déjà assez compliqué de tuer quelqu'un sans laisser d'indice derrière soi, sans avoir à s'occuper par la suite du sort du cadavre. Pendant des jours, il ne cessa de s'interroger. De longues heures, son cerveau se pressait de questions ; malheureusement, perplexe, confondu, il demeurait là, pensif, incapable d'étayer une explication valable. Au bureau, il ne remarqua rien de suspect. Le personnel l'abordait gentiment, avec toute la courtoisie due au patron. En somme, personne ne retenait à son endroit le moindre grief. Richard non plus n'avait pas changé. Sûrement, il ne devait rien soupçonner, car s'il existait au monde un être absolument incapable de dissimuler ses sentiments, c'était bien lui, avec son tempérament bouillant et à l'emporte-pièce. De plus, il était méfiant et dépistait facilement le tripotage. S'il n'avait pas changé à son égard, c'est qu'il ignorait tout bonnement ce qui était arrivé à Hélène. Nelson n'ignorait pas que Richard entretenait à l'égard de sa femme une grande affection. Tous les Chabrol avaient eu une place de choix dans son coeur et lui avaient témoigné beaucoup d'estime. Sa fidélité à leur égard ne s'était jamais démentie au fil des années, si bien que tout le monde savait que Richard O'Neil était en quelque sorte leur homme de confiance. Il allait de soi que la position de cet homme était extrêmement forte dans l'aciérie. De plus, il était aimé et très bien vu des employés et avait de son côté un nombre impressionnant de supporteurs. Plusieurs d'entre eux pouvaient donner des heures supplémentaires de travail, simplement pour lui rendre service, car Richard faisait partie de cette race d'hommes qui n'oubliait jamais un service rendu. Pas une minute, Nelson ne sous-estimait Richard. Nelson savait jauger son monde et classait Richard comme son principal rival, un adversaire de taille.

Le mercredi suivant, ne pouvant plus supporter d'être tenu dans l'ignorance totale concernant le sort d'Hélène, Nelson fit venir Richard dans son bureau et introduisit la conversation sur sa femme en parlant des renouvellements de contrats. Au préalable, Nelson avait pris soin d'adopter une attitude légèrement empreinte de solidarité pour laisser à son sous-directeur l'impression qu'il ne pouvait agir sans lui.

— J'aimerais que vous contactiez Hélène à la maison, dit-il. Nous avons besoin de sa signature dans les prochains jours. Je pourrais le faire moi-même, mais je suis un peu embarrassé dans les circonstances. Sans doute, vous n'ignorez pas que ma femme doit engager bientôt des procédures de divorce, si ce n'est déjà fait. Je suis certain qu'elle a dû vous en glisser un mot lors de sa dernière visite à l'aciérie.

Richard détourna les yeux et ne put dissimuler le malaise qui le visita.

— En effet, dit-il, elle m'en a parlé.

— Je vous saurais gré de vous en occuper à ma place.

— Ce sont des circonstances pénibles à vivre pour un couple. Je comprends très bien la situation. Vous pouvez compter sur moi. Je le ferai, dit-il d'une voix peinée. Toutefois, la semaine dernière pendant votre absence, j'ai essayé de la rejoindre chez elle à deux reprises. Malheureusement je n'ai pu lui parler, elle était absente. La première fois, Maria m'a dit qu'elle était allée passer la fin de semaine au mont Tremblant et le jeudi suivant, lorsque j'ai rappelé, Hélène n'était pas encore revenue.

— Il y a déjà treize jours de cela, calcula Nelson à haute voix. Elle doit sûrement être de retour maintenant, sinon contactez-la au mont Tremblant et demandez-lui quand elle pourra faire un saut ici.

Sans se douter qu'il menait une enquête pour le compte de son patron, Richard fit les démarches nécessaires pour rejoindre Hélène. Il donna plusieurs coups de fil, posa un bon nombre de questions et, en dépit de ses efforts, il revint deux jours plus tard dans le bureau de Nelson, déçu, incapable de fournir le moindre renseignement.

— C'est bizarre, dit-il, elle n'est nulle part. En réalité, je crois que personne ne sait où elle est. D'une part, Maria n'a pas été prévenue par Hélène que celle-ci prolongeait ses vacances. Quand il y a un changement quelconque, ordinairement elle avertit, paraît-il, et Maria s'inquiète à son sujet. D'autre part, la direction de l'hôtel du mont Tremblant m'assure que le nom d'Hélène Vallée est bien inscrit au registre pour la fin de semaine du 21 et 22 janvier, et affirme que la cliente n'a pas demandé une prolongation de séjour à l'hôtel.

Nelson fronça les sourcils et demeura perplexe. Le point qui lui apparut le plus curieux, c'est que personne ne parlât de cadavre. Que s'était-il donc passé dans cette chambre après son départ ? Il avait quitté Hélène à l'article de la mort. Elle dormait si profondément qu'elle ne pouvait bouger. Alors, de là à la fuite... Néanmoins, pendant quelques secondes, l'idée que sa femme ne fût pas morte effleura l'esprit de Nelson. Non, c'était ridicule, insensé de croire un seul instant qu'elle ait pu absorber une quantité aussi importante de drogue et s'en tirer. Hélène était morte, elle devait être morte, alors où donc était passé son corps ? Se pouvait-il qu'un type ait pénétré dans la chambre pour voler et, pris de panique à la vue du cadavre, qu'il ait fait disparaître ce dernier ? Face à ces questions qui surgissaient dans sa tête, Nelson se perdait en conjectures. Trop de points lui demeuraient obscurs et rendaient à peu près impossible l'analyse de la situation. Nelson leva les yeux vers Richard et le considéra d'un air méditatif.

— Si elle n'est pas à la maison, ni à cet hôtel, où se trouve-t-elle donc ? Serait-elle par hasard chez des amis ? ou bien partie en voyage ?

Richard haussa les épaules.

— Partie en voyage ? C'est peu probable, dit-il. J'ai soulevé cette question devant Maria et celle-ci m'a affirmé que, selon les habitudes de sa patronne, c'est impossible. Hélène ne voyage pas sans bagages. Or, les valises sont en place, et dans les placards rien n'a bougé. Un autre détail mérite d'être mentionné. Les skis et les bottines de ski d'Hélène ne sont pas remisées. Donc, elle n'est pas revenue à la maison. Quant à l'hypothèse qu'elle soit en visite chez des amis, ça demeure plausible : on peut vérifier. Toutefois, son absence remonte à quinze jours. Ce séjour non prévu me paraît quand même assez long. Et si tel est le cas, pourquoi ne prévient-elle pas Maria de son absence ? Ordinairement, Hélène n'est pas avare de ses coups de fil. Il paraît même qu'au cours de ses sorties, elle téléphone souvent à la maison pour des détails beaucoup plus futiles. Quant à cette autre question : où se trouve-t-elle donc ? Eh bien ! il y a deux jours que je ne cesse d'y réfléchir. Sincèrement, Nelson, je suis un peu inquiet à son sujet.

— Pour vous dire toute la vérité, moi aussi je le suis, avoua Nelson d'un air sombre, car, à mon avis, il y a une possibilité que vous n'avez pas étudiée.

— Laquelle ?

— Celle d'un éventuel accident.

Cette hypothèse, probablement parce que Richard la redoutait, lui donna froid dans le dos. Tout à coup, il se sentit parcouru d'un frisson. Richard se leva et marcha jusqu'à la porte-fenêtre. Dehors, le soleil brillait dans un ciel pur, d'un bleu foncé. Pas le moindre nuage n'apparaissait à l'horizon. Des rafales de vent soulevaient gaiement une jolie poudrerie. Les champs d'une blancheur immaculée étincelaient sous les rayons solaires. La campagne grelottait de froid. Face à la fenêtre, Richard aussi avait froid. Son âme, son coeur, tout son être frémissait. Cette idée lui infligeait une souffrance qui l'attaquait de plein fouet. Il ne s'était jamais expliqué la mort accidentelle d'Alain. Pendant des semaines, il se refusait à accepter sa disparition. Hélène, sa chère petite Hélène, frappée par un sort identique ? Non, ce n'était pas possible. Cela n'avait aucun sens. Un destin aussi atroce ne peut frapper deux fois à la même porte.

— Non. Il ne lui est rien arrivé, lança-t-il subitement.

— Je l'espère bien... Mais comment pouvez-vous en être si convaincu ?

— Si elle avait eu un accident, nous le saurions. Après tout, Hélène n'est pas n'importe qui.

Nelson ne répondit pas et alluma une cigarette. Son regard rejoignit la fenêtre et se perdit dans l'immensité du firmament. Un laps de temps très long s'écoula, pendant lequel les deux hommes tournés vers leurs pensées se taisaient. Les mains derrière le dos, Richard se retourna et s'évada de son mutisme.

— J'ai l'impression que nous sommes en train de nous inquiéter inutilement. Qu'en pensez-vous ?

— C'est bien possible... Seul l'avenir nous le dira.

— Hélène n'est absente que depuis quinze jours. C'est court.

— Oui, c'est un peu tôt pour parler de disparition, reprit Nelson d'un ton un peu précipité.

Richard le dévisagea. Une bouffée de chaleur lui monta à la tête.

— Vraiment, vous croyez qu'il lui est arrivé quelque chose ?

— Je n'ai pas dit ça.

— Mais vous le pensez ?

Nelson souleva les épaules.

— Je suis comme vous, je m'interroge et j'envisage toutes les possibilités. Écoutez, Richard, nous allons laisser courir le temps dans l'espoir d'avoir de ses nouvelles bientôt.

— Sinon ?

— Nous verrons ensemble en temps opportun.

Chapitre 14

Le mois de février avait fui passablement vite. À part une deuxième tempête de neige qui avait agrémenté la vie des écoliers d'un congé supplémentaire, la vie d'Hélène se déroulait calmement, sans précipitation. Aucun fait nouveau n'était venu lui apporter des inquiétudes additionnelles. Elle s'était remise à la peinture pour mieux se détendre pendant ses quelques moments de loisir; elle envisageait même de faire le portrait de tante Agnès et celui des enfants. En effet, les heures de liberté d'Hélène étaient plutôt restreintes, car la santé de la vieille demoiselle s'était de nouveau détériorée et le médecin l'avait contrainte au repos complet. De ce fait, Hélène avait beaucoup à faire. L'entretien des cinq pièces du logement, la lessive, la préparation des repas occupaient la majorité de ses journées. Toutes les matinées étaient employées à l'exécution de ces besognes dont elle n'avait pas l'habitude. Ses mains gracieuses au ongles superbes et bien manucurés passaient par une dure épreuve. Hélène n'avait jamais travaillé aussi laborieusement de toute sa vie. Le soir, elle finissait ses journées comme toutes les mères de famille après le bain et le coucher des enfants. Toutefois, elle ne se plaignait pas ; bien au contraire, elle était ravie d'occuper son temps et de pouvoir à son tour rendre service à tante Agnès. De son côté, la vieille demoiselle, tout en espérant que le repos et les médicaments lui rendissent ses forces, remerciait le Seigneur de lui avoir prêté Hélène.

— Vous mangez comme un petit oiseau et vous maigrissez à vue d'oeil, lui disait Hélène. Ce n'est pas de cette façon que vous allez vous rétablir.

— Ces médicaments sont très forts et me donnent la nausée. Bientôt, le traitement prendra fin. Alors, je pourrai manger davantage et je retrouverai mon poids. Le médecin m'a prévenue de cet inconvénient. Cependant, ce traitement est essentiel pour stopper l'anémie dont je souffre et je ne peux l'interrompre.

Dans le visage amaigri d'Agnès Mercier, seul le beau regard bleu demeurait jeune et pétillant. Depuis Noël, sa chevelure épaisse s'était clairsemée et sa tête presque toute blanche à présent paraissait plus petite. Son dos se voûtait et l'arthrite avait lentement envahi ses mains. Tout à coup, Hélène comprit qu'en l'espace de quelques mois tante Agnès était devenue une vieille femme. La pitié envahit son coeur et elle déclara en s'efforçant de sourire :

— Quand toute cette histoire avec Nelson sera terminée et que j'aurai obtenu mon divorce, vous viendrez vivre avec moi dans ma maison. Je vous donnerai la plus belle chambre d'amis ; celle qui donne sur la véranda, avec vue sur la piscine. Maria s'occupera de tout et vous n'aurez plus rien à faire. Votre temps s'écoulera à vous distraire et à prendre la vie doucement. Nous ferons de beaux voyages toutes les deux. Nous irons dans tous les pays qui nous feront envie et nous y resterons aussi longtemps que nous en aurons le goût.

Pendant qu'Hélène lui décrivait le beau paradis qui l'attendait, des larmes remplissaient les yeux de tante Agnès et coulaient sur ses joues.

— Tu es gentille, ma chérie, et pleine de coeur comme l'était ta mère, mais je ne veux pas t'embarrasser, murmura-t-elle, en étreignant sa main.

— M'embarrasser ? Voyez-vous ça ! Comment pouvez-vous parler ainsi ? J'ai une grande maison avec de multiples pièces qui ne font rien. Et puis, tante Agnès, nous ne sommes plus que deux... et vous avez toujours fait partie de ma vie. Quand j'étais petite, vous veniez très souvent à la maison. Tout le monde vous aimait beaucoup et c'était jour de fête quand vous étiez là ! Vous vous rappelez ?

Le sourire apparut sur les lèvres d'Agnès Mercier.

— Oh oui ! je me souviens de toutes ces heures merveilleuses que j'ai passées parmi vous. Ta mère était une femme délicieuse, extrêmement généreuse. Malgré sa terrible maladie, son coeur était toujours tourné vers les autres. Ton père aussi était un homme exceptionnel. Il était très gai. Il aimait les gens, il aimait la vie. Votre maison était chaleureuse, toujours pleine de monde. Tes parents formaient un couple remarquable, ils étaient très épris l'un de l'autre et jamais ils n'ont cessé de s'aimer. Je sais combien ton père était attaché à sa femme. Il l'a toujours aimée. Le savais-tu Hélène ? N'est-ce pas que tu le sais qu'il l'a beaucoup aimée ?

Hélène hocha la tête et son regard parut lointain.

— Je le sais, dit-elle. Mais je sais que papa vous aimait beaucoup, vous aussi.

Un certain malaise se faufila soudain entre les deux femmes. Un sentiment de tristesse se dessina sur les traits de tante Agnès. Puis un mouvement las des épaules apparut. À quoi bon dissimuler? Hélène n'était plus une enfant.

— Oui, il m'aimait beaucoup. Moi aussi, je l'aimais; j'éprouvais également une grande affection pour ta mère. En somme, nous nous aimions tous!

— Pourquoi ne l'avez-vous pas épousé après la mort de maman? Je sais qu'il vous a demandée plusieurs fois en mariage.

— Ah! tu sais, ma chérie, on ne manipule pas la vie à sa guise. Les circonstances ne l'ont pas permis.

Elle soupira, puis elle ajouta:

— Peu de temps avant ton mariage, quand ton père est devenu un homme libre, c'est moi qui ne l'étais plus. Ma mère est tombée malade et j'ai dû la prendre avec moi. Joseph a bien insisté pour que maman vienne vivre avec nous, mais comme il avait passé plusieurs années avec une personne handicapée, je ne voulais pas lui imposer ce nouveau fardeau. Puis, après la mort de ma mère, au moment où nous projetions de nous marier, Joseph fut soudainement hospitalisé pour une thrombose cérébrale. Tu sais combien il a été malade à cette époque. Ensuite, il a renoncé au mariage de peur d'être une charge pour moi.

Agnès Mercier se tut et réfléchit avant de poursuivre, cette fois, d'une voix très déterminée:

— Néanmoins, je veux que tu saches que lorsque ta mère vivait, bien que Joseph eût toujours pour moi une grande affection, c'est elle qu'il aimait le plus. Ta mère était très jolie, extrêmement féminine, pleine de douceur. En somme, le seul avantage que j'avais sur elle, c'était la santé.

Hélène se mit à sourire.

— C'est curieux, dit-elle. Maman vous trouvait très séduisante et s'étonnait qu'à dix-neuf ans, au moment où vous êtes venue travailler à l'aciérie, vous ne fussiez pas encore fiancée. Ce sont les premières impressions qu'elle a conservées de vous et qu'elle m'a retransmises plus tard.

— Non, je n'étais pas séduisante. Mes traits n'avaient rien de remarquable et, Seigneur ! que j'étais mal habillée. Si tu avais vu à l'époque combien ta mère était ravissante ! et tellement élégante ! Tout ce qu'elle portait lui allait bien. Elle avait un corps svelte avec de longues jambes superbes. La maladie ne l'avait pas encore atteinte. Avec mes guenilles, je ne lui arrivais pas à la cheville. Ton père la contemplait toujours avec des yeux éblouis.

— Pourquoi, jeune fille, ne vous êtes-vous jamais mariée ?

Agnès Mercier haussa les épaules et secoua la tête.

— Comment peut-on en toute honnêteté se marier, quand on éprouve pour quelqu'un d'autre un grand amour ? Oui, je peux bien te l'avouer aujourd'hui, dit-elle d'une voix brisée. J'ai eu le coup de foudre pour ton père. Sa brillante intelligence m'éblouissait. Il n'avait peut-être pas l'apparence d'un don Juan, mais il y avait chez lui un tel magnétisme, un si grand pouvoir de conviction qu'il fascinait tous ceux qui l'approchaient. Tous les autres jeunes gens de mon âge faisaient pâle figure à côté de lui. Un dénommé Marcel Plourde me courtisait à l'époque, mais je l'ai éconduit quand j'ai vu que mon coeur était ailleurs. Vois-tu, si j'avais été plus brave, plus courageuse, j'aurais dû quitter l'aciérie dès les premières semaines en décelant les sentiments que j'entretenais à l'égard de mon patron, mais j'étais incapable d'agir, déjà je l'aimais trop. As-tu une idée de ce que cela peut être, Hélène, de passer toute sa vie à entretenir un grand amour pour un homme qui n'est pas libre ?... Oui, passer toute une vie à aimer le mari d'une autre femme ? C'est terrible ! Tu ne peux pas t'imaginer.

Tante Agnès ferma les yeux et de légers tremblements la secouèrent. Avec discrétion, Hélène détourna la tête, tandis qu'une vague de pitié la submergeait.

— J'ignorais que vous l'aimiez à ce point, murmura-t-elle, la gorge nouée.

— Ma plus grande punition fut de savoir que ta mère, elle, ne l'a jamais ignoré. Combien elle a dû souffrir à cause de moi ! C'est ignoble de faire souffrir les gens et de ne pas pouvoir y remédier.

— Comment l'a-t-elle su ?

— Elle l'a deviné dès le début. Plus tard, je le lui ai avoué.

— Et qu'a-t-elle fait ?

— Rien. Tu comprends, Hélène, elle n'a rien fait, rien fait du tout. Elle m'a seulement dit de sa voix pleine de douceur : « Pauvre petite, que je vous plains ! »

Tante Agnès se tut, ébranlée par l'émotion. Quand elle poursuivit, des larmes brouillaient la vue de la jeune femme.

— Tu vois, ma chérie, pas une seule fois ta mère ne m'a demandé de quitter l'aciérie et jamais elle ne s'est mise en colère contre moi. Au contraire, elle m'invitait à la maison. J'étais de toutes les fêtes et toujours elle me recevait chaleureusement, avec beaucoup de plaisir et de gentillesse. Je lisais dans ses yeux combien elle semblait heureuse de me revoir, alors que moi, tout le temps, j'aimais son mari. Tu ne peux pas savoir ce que c'est que d'être constamment torturée par les remords et d'être incapable d'agir autrement.

Agnès Mercier croisa les mains sur ses genoux et secoua la tête.

— Les autres disaient de moi que j'avais une volonté à toute épreuve. Pourtant, face à ton père, j'étais sans forces. Il m'envoûtait littéralement. C'était comme si ma volonté avait été annihilée. Je ne pouvais réagir. Je l'aimais si fort qu'on m'aurait ordonné de me séparer de lui, et je te jure que j'en serais morte. Je crois que ta mère avait pressenti cela et c'est pourquoi elle ne me l'a jamais demandé. Plus tard, un fait inattendu est survenu dans ma vie et j'ai eu l'occasion de la dédommager. Nous avons scellé un pacte, elle et moi. Je crois que ce geste m'a beaucoup rachetée à ses yeux.

— Mon père savait-il que vous l'aimiez ainsi ?

— Il devait bien se douter que je l'aimais, mais jamais à ce point. En tout cas, je ne le lui ai jamais avoué. J'avais honte de moi et je me sentais trop coupable.

— Après tant d'années passées à son service et tous ces sentiments que vous partagiez l'un pour l'autre, je n'ai jamais compris pourquoi mon père ne vous a rien laissé dans son testament ?

— Parce que je n'ai pas voulu. De son vivant, Joseph n'a cessé de me combler. Je ne voulais rien de plus. Encore moins de façon officielle. Ton père a été très généreux pour moi. Tu sais, Hélène, je ne suis pas pauvre. Tout ce que j'ai te reviendra un jour, à l'exception de quelques milliers que je laisserai à Mélissa et à Stéphanie. Je suis un peu inquiète pour les petites. Un jour ou l'autre, Marc va se remarier et elles écoperont d'une belle-mère. Toutes les femmes n'ont pas des coeurs d'or. Cette secrétaire d'Ottawa qui travaille avec lui depuis janvier semble lui plaire beaucoup. Marc nous en parle dans toutes ses lettres. Penses-tu que c'est sérieux ?

— Oui, fit Hélène. Je crois que cette fois il est réellement amoureux. Lucie m'apparaît comme une jeune fille très gaie. Selon les photos, elle n'est pas très jolie, mais elle semble bien amusante et dynamique. Les fillettes l'aimeront.

— S'il m'arrive quelque chose, Hélène, avant le retour de Marc, est-ce que tu prendrais soin des enfants ?

Hélène fixa son interlocutrice avec des yeux étonnés.

— Mon Dieu ! tante Agnès, que voulez-vous qu'il vous arrive ? C'est moi qui me trouve dans une situation périlleuse et non vous, il me semble !

— Ma santé peut me causer des ennuis. C'est à ça que je pensais.

— Mais non, ne vous inquiétez pas inutilement. Un jour ou l'autre, tout le monde connaît des problèmes de santé, puis tout s'arrange. C'est une mauvaise passe que vous traversez, rien de plus. Bientôt, tout ira bien.

Un faible sourire égaya le visage de la vieille demoiselle.

— Si la santé était quelque chose de concret, telle une mécanique que nous pourrions manipuler aisément, comme cela serait facile, fit-elle. Mais nous savons tous que nous n'y pouvons rien, quelle que soit notre volonté de vivre.

— Dans quelques semaines, le printemps apparaîtra et nous aurons de belles journées où il fera bon d'aller se promener au soleil. Avec le beau temps, vous retrouverez vos forces.

— Oui, tu as raison, il faut voir les choses de cette façon. Le printemps, c'est la saison de l'espérance et du dynamisme.

— Je suis certaine que vous vous sentirez mieux très bientôt. Vos médicaments achèvent et les nausées vont disparaître. Dans peu de temps, vous pourrez manger des repas plus consistants.

Hélène avait vu juste. L'arrivée du beau temps, coïncidant avec la fin du traitement, avait remis tante Agnès sur pied. Dehors, le soleil brillait de tous ses feux et la neige disparaissait à vue d'oeil. Enfin, la terre se ranimait. Partout, régnait un air de renouveau. Après le long hiver, comme c'était bon de renaître avec le printemps ! La joie de vivre flottait dans l'air de toutes les maisons et surtout dans celle de tante Agnès. Maintenant, cette dernière se sentait assez bien pour partager avec Hélène certaines corvées du ménage. Elle était également ravie d'accompagner la jeune femme dans ses sorties. La Buick, que Mélissa et Stéphanie avaient choisie de couleur bleu nuit n'avait jamais tant roulé. Puis un dimanche matin, alors qu'elles revenaient toutes quatre de l'église avec un quotidien du matin, le bonheur soudainement disparut de leur visage. La page frontispice du journal annonçait en gros titres la disparition mystérieuse d'Hélène Vallée. Une très belle photographie de la jeune femme complétait l'article de deux longues colonnes qui racontait que la disparition de la jeune propriétaire des Aciéries Chabrol, survenue deux mois plus tôt et tenue secrète, présentait l'aspect d'une machination criminelle. Aucune rançon n'avait toutefois été réclamée. Le lieutenant-détective Maurice A. Langlois, qui menait l'enquête, exhortait toute personne susceptible de fournir des renseignements à entrer en contact avec la police dans les plus brefs délais. Un numéro de téléphone suivait. Tante Agnès le nota dans son calepin personnel.

— Nelson a finalement bougé, commenta-t-elle.

Incapable du moindre commentaire, Hélène fixait la page frontispice d'un regard angoissé. Elle savait que le combat commençait et elle sentait ses forces l'abandonner.

— J'ai peur. J'ai réellement peur, confia-t-elle à tante Agnès lorsqu'elles furent seules, loin des enfants.

— Tu n'as aucune raison d'avoir peur. À présent que les journalistes se sont emparés de l'affaire, nous aurons régulièrement des nouvelles par les médias. Nous serons tenues au courant et nous pourrons prévenir les attaques. Je préfère de beaucoup cette situation à celle de ne rien savoir du tout.

— Pourquoi Nelson a-t-il prévenu la police ? Est-il devenu fou ?

— C'est justement à cela que je pensais. Nelson doit être vivement inquiet ou extrêmement diplomate pour avoir agi de cette façon... Toutefois, selon moi, il vient de faire un mauvais pas.

— ...À moins que des circonstances extérieures l'eussent réduit à contacter la police.

Agnès Mercier observa Hélène d'un air songeur.

— Oui, tu as raison. C'est probablement ce qui est arrivé, conclut tante Agnès. Car ne retrouvant pas ton cadavre et n'ayant aucune nouvelle de toi, Nelson, pour se rassurer, a dû interroger ceux qui te connaissaient. Et ces derniers, devenus subitement inquiets à ton sujet, prenaient fréquemment de tes nouvelles. Pris dans ses propres filets, Nelson, exhorté par son entourage, a été obligé d'aller à la police.

— Maintenant, quelle sera la prochaine étape ?

— Je n'en sais rien. Nous allons attendre les événements calmement, sans nous énerver.

— Avec ma photographie dans les journaux, les gens que je croise depuis deux mois dans les couloirs de la maison pourront facilement me dénoncer. Me voilà à la merci de n'importe qui !

— Ne te tracasse pas avec cela. Cette nouvelle coiffure que tu arbores depuis janvier t'a littéralement transformée. Avec cette permanente, tu n'as plus du tout la même tête que sur la photographie. Je te jure que personne ne pourra jamais te confondre avec ce portrait. Cette coiffure te sied à merveille. Tu as l'air d'une petite jeune fille de vingt ans.

Hélène doutait d'avoir rajeuni à ce point. Mais la glace qu'elle consulta plusieurs fois dans la journée la rassurait et elle admit que l'image que lui reflétait son miroir n'était guère ressemblante avec la photographie du journal. Elle en fut convaincue lorsque madame Julien discuta dans le couloir avec tante Agnès de la grande nouvelle des journaux. Pas une seule fois la voisine ne fit la relation avec Hélène, qui écoutait la conversation du salon.

— Tu vois, dit tante Agnès, tu n'as pas à te faire du mauvais sang. Personne ne t'as vue plus souvent qu'elle et elle ne t'a même pas reconnue. Alors, ne te tourmente pas inutilement.

Hélène parut soulagée.

— Elle n'est guère perspicace, la pauvre femme. Il est à souhaiter que tout le monde lui ressemble.

— Au fond, les gens sont tellement préoccupés par leurs propres affaires qu'ils accordent bien peu d'intérêt aux choses des autres.

Hélène hocha la tête en signe d'assentiment.

* * *

Aux aciéries, la nouvelle eut l'effet d'une bombe. Pendant plusieurs jours, la disparition d'Hélène fut le sujet principal de toutes les conversations. Tous les vieux employés, ceux qui connaissaient la famille Chabrol depuis des années, ressentaient un immense chagrin et espéraient ardemment que rien de grave ne fût arrivé à la fille de Joseph Chabrol. Les autres, les plus jeunes, ceux qui n'avaient jamais côtoyé Hélène et qui ne connaissaient la dynastie des Chabrol que de nom, éprouvaient un sentiment d'angoisse et de solidarité à l'égard de cette jeune femme sur laquelle on ne disait que du bien.

À la direction, les secrétaires gaspillèrent de nombreuses heures de travail en de longs conciliabules et toutes se perdaient en conjectures pour savoir lequel des deux directeurs ou du mari avait le plus de chagrin. Cependant, Nelson avait eu la sagesse et l'habileté de se dépouiller de son attitude impersonnelle et courbait discrètement la tête, quand il vit à quel point Richard O'Neil et François Renaud étaient bouleversés. De nombreux messages d'encouragement arrivèrent de tous les coins de la province et Nelson comprit que les Chabrol avaient entretenu de belles amitiés qui n'avaient souvent aucun rapport avec l'acier. Pendant ce temps, à l'intérieur des murs de l'aciérie, les langues allaient bon train et chacun menait l'enquête à sa façon. La majorité soutenait la version que le criminel était un être extrêmement intelligent qui avait directement réclamé à l'héritière une importante somme d'argent. Une fois les billets entre les mains, il avait ensuite liquidé, puis enterré sa victime dans un lieu secret, et plus jamais on n'en entendrait parler. Par contre, quelques-uns prétendaient que la disparition d'Hélène n'était que temporaire, qu'elle était tout simplement partie en voyage et qu'elle réapparaîtrait dans cinq ou six mois. D'autres encore affirmaient qu'un maniaque sexuel était l'auteur du crime. Selon eux, l'ignoble individu avait commis le meurtre sans se préoccuper de l'identité de la victime, d'où l'explication de l'absence de rançon, puis aurait ensuite dissimulé le corps sous quelque banc de neige des forêts du mont Tremblant.

La seule personne qui avait une tout autre idée de la mystérieuse disparition d'Hélène Vallée était nulle autre que Brigitte Dubois. Car, bien sûr, Nelson avait eu la décence de prévenir Brigitte de la disparition d'Hélène quelques semaines avant d'aller à la police, mais il lui avait communiqué la version que Richard connaissait. Avec beaucoup d'attention, Brigitte avait écouté l'exposé de Nelson, sans toutefois laisser paraître sa stupéfaction. Puis une fois le récit terminé, elle était demeurée silencieuse et n'avait pas exprimé le moindre commentaire. L'attitude discrète et insolite de la jeune femme avait désorienté Nelson. Il n'arrivait pas à expliquer son comportement. Par la suite, Brigitte n'avait posé aucune question et c'est Nelson qui la tenait assidûment au courant des derniers développements.

Comme tous les gens concernés, Brigitte avait découpé la page frontispice du journal et, à maintes reprises, avait relu l'article, placé bien en vue sur la table du salon. Chaque fois que Nelson surprenait sa compagne le feuillet à la main, il tiquait en l'observant et, tout le temps que durait sa lecture, il la considérait d'un air sombre. Excédé, il s'approcha d'elle et lança :

— Pour l'amour du ciel, que peux-tu lire et relire dans cet article que tu ne saches déjà ?

— La vérité, mon chéri.

— Quelle vérité ? marmonna-t-il.

— Celle que l'on peut déceler entre les lignes.

Nelson renvoya la tête en arrière et partit d'un grand éclat de rire tout en se dirigeant vers le bar, où il se servit un cognac double portion. Il souriait encore lorsque, devant sa large baie vitrée, il contemplait Montréal, cette immense superficie lumineuse qui éclairait la nuit.

— Pourquoi m'as-tu menti, Nelson ?

Il se retourna, fixa sa compagne et un très long moment leurs yeux demeurèrent suspendus. Ce soir, Nelson avait des airs de séducteur et Brigitte, se laissant prendre au piège, se mit à sourire aussi. Néanmoins, derrière ce sourire caressant, Nelson avait détecté dans ses magnifiques prunelles de velours bleu, une volonté très nette d'arriver à ses fins.

— Je ne t'ai pas menti, mon chou.

— Je vois, dit-elle sans se départir de son doux sourire, tu ne m'as pas menti, mais tu as simplement omis de me dire toute la vérité.

— Quelle imagination fertile tu as ! Pourquoi n'emploierais-tu pas tes loisirs à écrire des scénarios de romans policiers ? Agatha Christie n'est plus, tu serais à la hauteur pour la remplacer.

— Merci pour la suggestion. Je te promets d'y réfléchir à tête reposée.

Brigitte se leva et alla à la cuisine se servir un verre d'eau minérale. Le beurre à l'ail avec lequel elle avait nappé ses scampis au restaurant lui restait sur l'estomac. Elle but d'un seul trait le breuvage qui pétillait, puis revint au salon et rejoignit Nelson à la fenêtre. La soirée était splendide. Le ciel, parsemé d'étoiles. Elle se suspendit à son cou et lui donna un baiser de feu. Après quoi, elle s'éloigna :

— Pourquoi ne l'as-tu pas tuée froidement, Nelson ? Nous en aurions terminé avec elle au lieu de nous torturer l'esprit comme nous le faisons depuis des semaines.

Nelson demeura estomaqué. Un moment, il fut incapable de respirer. La chaleur de la pièce, soudain, l'incommodait. Vraiment, il ne se sentait pas bien. Mais il ne broncha pas. Il dévisagea Brigitte et se demanda comment elle avait fait pour en arriver à cette conclusion. Maintenant, il ne savait plus s'il devait continuer à bluffer ou pas. Après quelques secondes d'hésitation, il envisagea froidement de lui dévoiler la vérité.

— Très bien, je vais tout te raconter, dit-il. En réalité, je croyais avoir tué Hélène avec les barbituriques que je t'ai dérobés et tout le monde aurait cru au suicide. Mais personne n'a jamais découvert son cadavre après mon départ de cette chambre d'hôtel du mont Tremblant. Elle a mystérieusement disparu.

Brigitte avait pâli sous les aveux. Elle s'était laissée tomber sur le divan, épouvantée, tout en se bouchant les oreilles de ses mains. Une douleur aiguë lui noua l'estomac et elle ferma les yeux en agitant la tête.

— Tais-toi ! lui cria-t-elle. Oh ! je t'en prie, ne dis plus un seul mot, malheureux !

Nelson pétrifié, observait sa compagne et ne comprenait plus rien.

— Te rends-tu bien compte de ce que tu viens de faire ? dit-elle d'une voix qui tremblait.

— S'il te plaît, ne te fous pas de ma gueule et cesse de prendre tes grands airs offensés ! lança-t-il d'un ton haché.

— Tu ne comprends pas, dit-elle en secouant la tête. Non, tu ne comprends pas.

— Je ne comprends pas quoi ? fit-il en colère.

Brigitte leva vers lui un visage décomposé.

— J'ignorais tout, Nelson. Absolument tout. Je t'ai tendu un piège et tu es tombé dans le panneau comme un gosse de dix ans. Te rends-tu compte qu'il ne t'a fallu qu'une seule réflexion de ma part pour avouer un meurtre ? Mon Dieu, Nelson, ne fais pas cette tête-là ! Remets-toi !... Tu peux avoir confiance en moi, je ne suis pas de la police. Je n'irai jamais te trahir. Ce que je viens d'apprendre restera toujours entre nous.

Nelson suffoquait. Il était blanc de colère. Sur son fauteuil, où il venait de prendre place, il fusillait sa compagne d'un drôle de regard. Brigitte détourna la tête pour se soustraire à ces yeux qui subitement lui faisaient peur. Au même moment, parce qu'elle eut tout à coup l'envie de marcher, elle évita de justesse une terrible gifle qui lui aurait labouré tout le côté droit du visage... Son visage ! Il avait voulu la frapper au visage ! Brigitte était si furieuse qu'elle s'empara du verre de cognac qui reposait sur une table du salon et le lança contre la cheminée où il éclata en mille morceaux.

— Enfant de salaud ! Tue qui tu voudras, mais ne t'avise plus jamais de lever la main sur moi, Nelson Vallée ! Je ne suis pas ta femme Hélène, moi ! Je suis capable de montrer mes griffes. Souviens-toi que MON VISAGE c'est ce que j'ai de plus important !

Elle se tut, se tenant la joue droite comme si le coup l'avait réellement atteinte, et elle vint reprendre sa place sur le canapé tout près de Nelson pour qu'il comprît bien qu'il ne lui faisait pas peur.

Très longtemps, un silence lourd comme l'orage plana sur eux. L'air était malsain, difficilement respirable. Le regard tendu et les palpitations rapides, ils ruminaient leur colère. De la chaîne stéréo émanait une musique très douce, des airs langoureux dans le genre de ceux qui adoucissent les moeurs. Insidieusement, la mélodie fit tranquillement son oeuvre. Plus tard, Brigitte sentit qu'une main se glissait dans la sienne.

— Pardonne-moi, fit-il. J'ai perdu la tête. Depuis deux mois, les événements ne vont pas du tout comme je le prévoyais et j'ai les nerfs à fleur de peau.

— Tu ne me toucheras plus jamais ?

— Non. En tout cas pas de cette façon-là.

— C'est oublié, dit-elle. N'en parlons plus.

Une fois de plus, la paix était revenue. Lentement, l'animosité s'était dissipée et la conversation avait repris une allure amicale et décontractée.

— Si tu veux que je t'aide à traverser cette période difficile, souligna Brigitte, raconte-moi en détail tout ce qui s'est passé et nous adopterons ensemble une nouvelle ligne de conduite. Deux têtes intelligentes valent mieux qu'une et j'ai toujours été de bon conseil. N'es-tu pas de mon avis ?

Chapitre 15

Les événements se précipitaient. La parution dans les journaux de la disparition d'un personnage aussi important que la présidente des Aciéries Chabrol avait accéléré les choses. Le lieutenant-détective lui-même ne réagissait plus de la même façon. Pressé de questions par ses supérieurs, constamment harcelé par les journalistes, il semblait nettement plus anxieux, plus déterminé à élucider cette mystérieuse affaire. L'idée du suicide que, depuis quelque temps, Nelson avait insidieusement fait germer dans l'esprit du détective semblait à présent prendre plus d'ampleur. Ainsi à deux reprises, sur l'invitation du policier, l'époux d'Hélène Vallée s'était rendu à la morgue pour tenter d'identifier les corps de deux jeunes femmes dont l'aspect physique correspondait assez parfaitement à celui de sa femme. Malheureusement, dans les deux cas, la réponse s'était révélée négative. La description était excellente, mais la ressemblance n'y était pas du tout. La situation présentait un côté des plus affligeants car même le doute était impossible. Les corps étaient trop bien conservés et les visages trop parfaitement intacts pour qu'il pût leur prêter l'identité d'Hélène. Nelson n'ignorait pas que cette façon détournée et malhonnête de procéder mettrait rapidement un terme à l'enquête et un point final à ses problèmes. L'identification de tout corps de femme méconnaissable et présentant des traits communs avec Hélène demeurait, faute de mieux, une solution de rechange. Il lui suffisait simplement d'être patient et d'attendre les événements sans rien brusquer.

Quelques jours plus tard, l'occasion se présenta un vendredi matin sous la forme d'un coup de fil de la police. Un sac de plastique contenant en pièces détachées certains membres d'un corps de femme avait été retrouvé dans les Laurentides en bordure d'une route secondaire au nord de Sainte-Agathe-des-Monts. Nelson, le coeur en fête, emprunta des airs de deuil pour se rendre au rendez-vous. Cette mise en scène s'avéra inutile, car il eut du mal à supporter l'épreuve. Le visage décomposé et les nausées dans la gorge, il n'avait pas prévu dans son exaltation l'horreur de la situation. Pendant les vingt minutes que dura l'examen, Nelson ne put détourner son esprit d'Alain, de ce corps qu'il avait sciemment réduit en bouillie par l'explosion de son hélicoptère. Il se surprit lui-même en constatant la pitié qui envahissait son coeur. Dès qu'il prit réellement conscience de cet état de compassion, il fit taire ses souvenirs et ordonna à son esprit d'exécuter le travail pour lequel sa présence était requise.

Quand il eut terminé l'inspection de chacune des pièces qu'on lui présenta, Nelson, envahi de vertiges, demanda à l'inspecteur la permission de se retirer. Quelques instants plus tard, après avoir aspiré de l'air frais à une fenêtre, il tourna vers le policier un visage altéré par l'émotion et murmura d'une voix éteinte :

— Je ne croyais jamais un jour devoir retrouver mon épouse ici... Comme la vie est cruelle parfois !

Il se tut, ravala un sanglot et reprit d'un ton grave :

— C'est extrêmement pénible à constater, mais j'ai la certitude qu'il s'agit de ma femme, Hélène Vallée. Bien que le bas du visage soit décomposé par les balles de revolver qui l'ont atteint, les yeux, le front, les cheveux sont ceux de mon épouse, ainsi que le bras et la main que j'ai pu examiner. J'en fais le serment, monsieur le détective. Toutefois, pour qu'il ne puisse jamais y avoir de malentendu, j'aimerais que mon témoignage soit confirmé par celui de monsieur Richard O'Neil, mon assistant-directeur, que vous avez déjà rencontré et qui connaît ma femme depuis son enfance.

Dans un cas comme celui-ci, afin de réduire au maximum le coefficient d'erreur, le détective Langlois convoqua non seulement Richard O'Neil, mais également François Renaud et surtout Maria, la domestique de la maison, qui côtoyait quotidiennement sa patronne depuis longtemps. Tous admirent sans exception que cette victime était sans aucun doute Hélène Chabrol, l'épouse de Nelson Vallée. Toutefois les témoins, les larmes aux yeux, se refusaient à croire à un destin aussi horrible.

À l'heure même où Nelson se trouvait à la morgue, Hélène, au volant de sa voiture, effectuait sa première sortie depuis dix jours, depuis la parution de sa photo dans les journaux. La peur d'être reconnue l'avait contrainte à vivre cloisonnée dans l'appartement de la vieille demoiselle. Pendant tout ce temps, les exhortations de tante Agnès avaient été vaines et inutiles. Hélène demeurait sur ses positions et préférait attendre patiemment, à l'abri des regards importuns, que le temps engendre l'oubli dans l'esprit des gens. Finalement, ces dix jours avaient passé très vite. Hélène s'était mise à peindre du matin au soir. Deux belles toiles. L'une représentait le doux visage de tante Agnès ; la jeune femme voulait la suspendre dans la salle de conférences, sur un mur où seraient également affichés les tableaux des pionniers des Aciéries Chabrol — le jour où, après son divorce, elle redeviendrait maître chez elle. L'autre toile présentait les visages espiègles de Stéphanie et de Mélissa, ces deux enfants qui prenaient déjà tant de place dans son coeur. Ces deux tableaux avaient ainsi pris forme sous la magie des doigts qui, avec talent, savaient exprimer la vie.

Et ce matin, en ce dernier vendredi de mars, le soleil plus beau et plus brillant que d'habitude avait séduit Hélène en l'invitant à une balade sous ses chauds rayons. Celle-ci n'avait pu résister à la splendeur de cette exceptionnelle journée printanière qui se confondait avec un jour d'été. L'air chargé des arômes de la terre sentait bon. Le printemps jaillissait de partout. Dans les arbres, les premiers bourgeons se gonflaient de vie. Bientôt, les dernières traces de neige qui se voyaient encore au creux des arbres et le long des haies en bordure des parterres disparaîtraient et les pelouses reverdiraient. Au volant de sa voiture, Hélène, rêveuse et détendue, se refusait à penser au stress des derniers jours. Le coeur léger, elle se dirigeait vers le Musée des beaux-arts pour aller admirer une collection d'art mexicain exposée pour quelques jours seulement. Vêtue d'un joli costume de tweed gris qu'elle s'était procuré chez Holt Renfrew au début du mois, elle s'étonnait encore de se trouver si élégante dans ce tailleur choisi à la hâte (par peur d'être identifiée). Hélène gara sa voiture sur une petite rue secondaire et se dirigea sans trop se presser vers le musée. Sur son chemin, elle croisa quelques étudiants qui bavardaient entre eux et qui ne la remarquèrent même pas. Plus loin, une vieille femme en tablier blanc balayait le pas de sa porte et semblait affairée à sa besogne. Sur le trottoir de l'autre côté de la rue, deux bambins, munis d'une pelle et d'une petite chaudière rouge, jouaient avec grand plaisir dans une flaque d'eau. Pendant quelques instants, Hélène les observa et se mit à sourire. Ils étaient trempés, leurs vêtements souillés, et ils ne s'en préoccupaient pas du tout. À eux deux, ils formaient la scène de la plus parfaite insouciance et de la vie heureuse. Souriante et décontractée, Hélène poursuivait sa route, le visage dissimulé derrière de larges verres fumés. À l'angle de la rue Sherbrooke, son coeur se serra à la vue de tous ces piétons qui déambulaient comme elle d'un pas léger. Hélène dut faire un effort sur elle-même pour ne pas rebrousser chemin. Une fois de plus, elle fit appel à son courage et à sa volonté et, au même instant, se rappela que ses cheveux finement bouclés tombaient sur son front et camouflaient une partie de son visage, lui prêtant une nouvelle apparence. Toutefois, elle accéléra le pas et, quelques minutes plus tard, elle se retrouvait à l'abri, à l'intérieur du musée où, à cette heure du jour, il n'y avait à peu près personne.

Une heure et demie s'écoula sans que la jeune femme eût la moindre notion du temps. Elle s'attarda devant plusieurs tableaux et les contempla avec ravissement. Un grand nombre d'entre eux représentaient des scènes paysannes, aux coloris vifs et gais. Des personnages robustes aux teints foncés s'adonnaient à la culture d'un sol aride, tandis que d'autres aux mains plus adroites tannaient le cuir ou travaillaient la poterie. Quand Hélène se rendit compte qu'un groupe de l'âge d'or, accompagné d'un guide, arrivait à sa hauteur, elle jugea qu'il était l'heure pour elle de partir.

Dehors, devant le portail du musée, dans le soleil éclatant du milieu du jour, des mannequins exhibant de jolies toilettes estivales posaient pour des revues de mode. Deux photographes aux mains agiles et aux corps souples comme des danseurs empruntaient des positions acrobatiques pour les bombarder de flashes sous tous les angles. Trois jolies filles au corps de déesse, vêtues de vêtements de plage, paraissaient à l'aise sous les regards amusés des passants qui s'arrêtaient pour observer le spectacle. Deux autres beautés, un peu en retrait, se laissaient coiffer en attendant leur tour. Une caravane postée tout près servait de lieu d'habillage. Dans le brouhaha, une voix féminine s'éleva du groupe et ordonna aux mannequins en maillot de bain de céder la place aux deux jeunes filles qui exhibaient des pantalons bouffants et des boléros fleuris. Immédiatement, les photographes se remirent à l'oeuvre. C'est à cet instant précis qu'Hélène surgit du musée et se retrouva dehors au beau milieu de la mascarade. Éblouie par le soleil, elle plissa d'abord les yeux, puis constatant qu'une foule nombreuse l'assiégeait, Hélène courba la tête sans réellement comprendre ce qui se passait autour d'elle. La seule idée qui lui vint à l'esprit fut de descendre les marches et de gagner rapidement la rue. Malheureusement, dans sa hâte, elle échappa son porte-clés qu'elle venait tout juste de sortir de son sac à main. À son grand désarroi, elle dut revenir sur ses pas. Plus rapide qu'elle, l'un des photographes qu'elle venait de croiser entendit l'objet tomber et le ramassa. Affolée, Hélène glissa un rapide coup d'oeil vers le jeune homme aux cheveux longs et le remercia très vivement sans lui offrir son visage. Cet incident bénin n'aurait eu aucune espèce de conséquence si Brigitte Dubois, qui dirigeait les séances de pose, n'avait levé la tête au même instant pour interpeller le photographe. Immédiatement, les yeux de Brigitte se fixèrent sur la jeune femme au tailleur de tweed gris et une lueur de colère apparut aussitôt dans son regard. Ce costume gris, une importation européenne, signée de la griffe d'un grand couturier, était identique à celui qu'elle venait de s'offrir deux jours plus tôt. Et Dieu sait quel prix elle l'avait payé! Elle se mordit les lèvres et jura qu'elle ne remettrait plus jamais les pieds dans cette boutique qui vantait l'exclusivité de sa marchandise. Hélène avait repris ses clés des mains du jeune homme et les avait nerveusement enfouies dans son sac à main. Elle avait accompli ce geste sans lever les yeux autour d'elle, si bien qu'elle ne repéra pas Brigitte Dubois à l'entrée de la caravane. Hélène avait brusquement tourné les talons et poursuivait son chemin d'un pas précipité. Pendant tout ce temps, Brigitte n'avait pas quitté des yeux ce petit tailleur de tweed gris et estimait que malgré tout il avait grande allure et que la jeune femme le portait bien. Ses yeux rejoignirent le visage aux verres fumés et Brigitte eut soudain l'impression d'avoir vu cette tête-là quelque part. Les traits du visage, la démarche élégante, l'allure en général la frappèrent. « Mon Dieu que cette femme ressemble à Hélène Vallée. C'est ridicule, se dit-elle, je n'ai que ce nom-là dans la tête depuis quelques semaines. Je sais maintenant qu'elle est morte, puisque Nelson a identifié son corps à la morgue ce matin. » Toutefois, Brigitte blêmissait. Elle regardait Hélène s'éloigner et une impression très désagréable s'installait en elle. Elle ne voyait plus la foule autour d'elle, ni les mannequins, ni les photographes. Il n'y avait que cette femme et elle dans la rue. Son coeur battait très vite et sa respiration s'accélérait. Brigitte éprouva brusquement la certitude que cette personne au tailleur gris était bel et bien Hélène Vallée. Hélène n'était pas morte. Nelson avait identifié le cadavre d'une autre personne. À présent, il était trop tard, l'enquête, par bonheur, arrivait à son terme et cette femme devait disparaître à tout prix. Hélène devait mourir pour de bon, cette fois. Brigitte retrouva ses jambes et s'élança vers le jeune photographe qui avait côtoyé l'épouse de Nelson Vallée.

— J'ai besoin de toi, Robert. J'ai absolument besoin que tu m'aides. Tu vois cette femme en tailleur gris qui vient de sortir du musée et qui s'en va là-bas, je la connais. Je l'avais perdue de vue et elle me doit une grosse somme d'argent. Cette fois, je la tiens et elle ne m'échappera plus. Nous suspendons les séances de pose, l'heure du lunch est déjà passée. Je t'offre trois cents dollars pour la prendre en filature et pour m'indiquer où elle habite.

Robert n'hésita pas une seconde. La somme que Brigitte lui proposait était impressionnante. La photographie le passionnait, mais il commençait dans le métier. Son nom n'était pas connu et il avait du mal à gagner sa vie. Le jeune homme sauta dans sa vieille bagnole garée devant la caravane et suivit Hélène à distance. Une heure plus tard, il était de retour et transmettait à Brigitte les informations que celle-ci avait demandées.

— De plus, dit-il, cette dame vit comme une princesse. Elle habite un très beau building et se véhicule dans une superbe voiture de l'année. Une Buick bleue dont voici le numéro minéralogique.

— C'est facile de vivre avec l'argent des autres, commenta Brigitte avec le plus grand sérieux.

Elle tendit un chèque au jeune homme qui la remercia avec un énorme sourire sur les lèvres.

— C'est la première fois de ma vie, avoua-t-il, que je gagne de l'argent aussi facilement.

Quelques heures plus tard, Brigitte avait terminé son ouvrage. Dans un restaurant, elle s'attarda pour réfléchir. Une fois sa décision prise, la jeune femme se rendit visiter le building où Hélène demeurait. Dans le hall d'entrée de l'immeuble, Brigitte s'attarda devant le tableau indicateur. Elle le parcourut à deux reprises sans malheureusement apercevoir le nom d'Hélène Vallée. Toutefois, elle n'en fut pas surprise. Quelqu'un qui recherche l'anonymat ne donne-t-il pas généralement un faux nom ? Avec lenteur, elle passa en revue tous les noms une troisième fois. Soudain, ses yeux butèrent sur un espace vide. Le 315 semblait vacant. Sans aucune hésitation, elle appuya sur le bouton et attendit un moment. Rien ne se passa. Elle appuya une seconde fois et une voix de vieille femme se fit entendre. Brigitte tressaillit et demeura muette d'étonnement. La voix de nouveau répéta :

— Voulez-vous vous nommer, s'il vous plaît ?

Brigitte, avec un sang-froid incroyable, se pinça le nez et lança d'une voix de jeune garçon :

— Romano Pizzeria. Je viens livrer la pizza que vous avez commandée.

— Vous devez faire erreur... Mais attendez, s'il vous plaît.

La voix se fit plus lointaine, mais Brigitte tendit l'oreille et entendit clairement la vieille dame interpeller une autre personne.

— ...Aurais-tu commandé une pizza pendant ma sieste, Hélène ?

Quelques secondes passèrent où Brigitte n'entendit que le prénom Hélène marteler ses oreilles. Enfin la même voix revint et annonça vigoureusement :

— C'est une erreur. Vous devez vous tromper de numéro de porte, jeune homme.

Brigitte n'ajouta pas un mot. Ses lèvres ne pouvaient plus émettre aucun son. La confusion la plus totale régnait dans sa tête. Finalement, elle recouvra ses esprits et, l'âme en émoi, s'évada vivement du hall pour rejoindre son auto garée dans la rue voisine.

Dans l'appartement du troisième, Hélène, songeuse, regardait à la fenêtre. Depuis près d'une demi-heure elle observait la rue, le mouvement des voitures et les travailleurs qui rentraient chez eux. Le jour finissait en beauté. Un soleil rouge fléchissait à l'horizon et léchait la terre de ses rayons de feu. La météo annonçait une autre belle journée pour le lendemain. Tante Agnès quitta l'interphone et s'approcha de la jeune femme tout en réfléchissant à la conversation qu'elle venait de tenir avec le jeune livreur.

— Les jeunes d'aujourd'hui sont effrontés. Ils dérangent les gens et n'ont même pas un mot d'excuses à leur offrir. Comme tu as l'air bizarre depuis ton retour, ma chérie ! Qu'y a-t-il ?

— En effet, je suis un peu préoccupée.

Hélène fixa Agnès d'un regard soucieux et expliqua :

— Après mon départ du musée, j'ai eu l'impression qu'une voiture me suivait. C'est très désagréable comme impression, ajouta-t-elle.

Agnès Mercier haussa les épaules.

— Peut-être s'agit-il d'une pure coïncidence ? Quelqu'un qui allait dans ta direction, rien de plus.

— C'est possible, fit Hélène. Mais il y a quelques minutes à peine, un autre fait troublant vient de se produire.

— Lequel ?

— À mon avis, le livreur de pizza qui vient tout juste de sonner à votre appartement n'a jamais existé.

— Sur quoi te bases-tu pour affirmer cela ?

— Parce qu'il n'y a jamais eu de voiture de livraison dans la rue depuis que je suis à la fenêtre.

Tante Agnès fronça les sourcils.

— Il y a des jeunes garçons dans l'édifice qui sont bien capables de jouer des tours aux locataires.

Hélène soupira, passa la main sur son front et eut un sourire décontracté.

Brigitte s'affala sur la banquette de son auto et fut

prise de vertiges. Tout allait trop vite. Tout arrivait en même temps et il fallait réfléchir rapidement. Hélène Vallée faisait surface le jour même où Nelson la déclarait morte. Brigitte n'avait conversé qu'un court instant avec Nelson au téléphone ce matin et savait très peu de chose sur sa visite à la morgue. De la boîte téléphonique où il l'avait appelée, Nelson avait parlé d'un cadavre en morceaux très difficile à identifier. Sur le moment, Brigitte n'avait pas réagi. Elle aurait voulu se réjouir, mais il y avait trop de points obscurs dans sa tête. Plus tard, elle avait compris que Nelson avait tenté le grand coup. Ces membres de femme pouvaient être ceux de son épouse disparue, comme ils pouvaient tout aussi bien appartenir à une autre femme de carnation et de taille similaires à celles d'Hélène Vallée. Et si un jour il y avait erreur, personne ne pourrait jamais accuser Nelson de faux témoignage. Donc, de ce côté, tout était bien. Nelson ne courait aucun danger. Brigitte ferma les yeux et des larmes de déception mouillèrent ses cils. Après tant d'essais pour éliminer cette femme, pourquoi fallait-il encore qu'Hélène fût parmi les vivants, alors que les choses s'arrangeaient pour eux ? Cette femme depuis quatre ans empoisonnait leur vie... Elle n'était donc pas tuable ? Les mains de Brigitte se crispèrent sur le volant. La méchanceté brilla dans son regard et dans les secondes qui suivirent son cerveau élabora un plan d'action qui devait mettre définitivement Hélène hors de portée de nuire.

Brigitte mit le moteur en marche et la voiture démarra dans un crissement de pneus. Nelson avait fait sa part. C'était à elle maintenant de faire la sienne. Elle serait victorieuse seulement le jour où Hélène Vallée serait étendue dans son cercueil. Pour arriver à ses fins, elle se donnait trois jours. Trois jours et pas un seul de plus. L'urgence de la situation exigeait de prendre les grands moyens. Elle traversa la ville. Sa décision était prise. Jack, le tueur à gages dont l'un de ses amis de la pègre lui avait déjà parlé, se chargerait de liquider Hélène.

* * *

Le dimanche matin, tous les médias d'information annonçaient à la une la découverte du cadavre d'Hélène Vallée, présidente des Aciéries Chabrol. De longs articles suivaient, mais personne ne semblait pouvoir expliquer les motifs de ce meurtre atroce, qui, selon le médecin légiste, remontait à la fin de janvier. La température froide des derniers mois avait rendu possible la conservation du cadavre bien que celui-ci, malheureusement, se présentât en pièces détachées. Aucune rançon n'avait été réclamée à la famille et pour le moment la police ne possédait aucun indice sur le maniaque qui avait commis le crime. Toutefois, les autorités policières affirmaient qu'un grand nombre de policiers étaient sur l'affaire et que d'ici quelques jours le mystère serait éclairci.

Brigitte laissa tomber le journal et une profonde déception s'inscrivit sur ses traits. Les journaux publiaient la nouvelle beaucoup trop tôt. Encore une fois tout allait trop vite. Les événements se corsaient et prenaient une tournure qu'elle n'avait pas prévue. Brigitte ravala furtivement sa salive. Il lui restait très peu de temps pour arriver à ses fins. Jack était déjà à l'oeuvre, mais il ne pouvait plus se permettre de trouver la solution parfaite. Il devait agir. Point. Sinon ils étaient perdus tous les deux, Nelson et elle. Car à cette heure même, Hélène devait être au courant de la nouvelle de sa mort. Il était à prévoir que celle-ci rentrerait bientôt en contact avec la police. Brigitte se voyait déjà derrière les barreaux, vêtue de grisaille et travaillant comme une mercenaire. Une bouffée de chaleur lui monta à la tête.

« Non, jamais, murmura-t-elle à mi-voix. Jamais je n'irai en prison. Je filerai avant que la police n'intervienne. »

Puis, Brigitte pensa à Nelson et son coeur lui fit mal. Sa vie ne tenait plus qu'à un fil. Dès qu'Hélène ouvrirait la bouche, Nelson était un homme mort. Non, Hélène ne devait pas parler. Il fallait à tout prix l'en empêcher. Jack devait la tuer maintenant, sinon il serait trop tard. Brigitte se laissa tomber sur le fauteuil, en proie aux idées les plus noires. De la salle de bains, elle entendait Nelson chanter sous la douche. Il était heureux, détendu comme il ne l'avait pas été depuis des mois. Ce matin, il avait lu les journaux et tout allait bien pour lui. Croyant qu'elle pouvait disposer du temps avec aisance, Brigitte ne lui avait rien raconté des événements de vendredi. Sa rencontre avec Jack l'avait rassurée. Elle avait donné la somme et il avait promis d'agir promptement, si possible au cours du week-end. Alors Brigitte était rentrée à l'appartement le vendredi soir, le coeur en paix et l'esprit confiant. Puis Nelson lui avait parlé avec un tel bonheur des épisodes de la journée, qu'elle n'avait pas voulu lui ravir sa joie en lui avouant sa rencontre avec Hélène. « Dimanche soir, je lui raconterai tout », se dit-elle. Elle espérait également que pendant ces deux jours, Jack aurait le temps d'agir et qu'elle pourrait lui communiquer en même temps la mort véritable d'Hélène Vallée. Brigitte mit un terme à ses pensées et courut au téléphone. C'était le moment de parler à Jack, alors que Nelson était encore emprisonné dans la salle de bains. Vivement, elle composa le numéro qu'on lui avait donné et transmit le mot de code à la personne qui lui répondit.

— Fermez la ligne, dit une voix impersonnelle. L'individu concerné vous rappelle à l'instant.

Quelques minutes plus tard, la main sur le récepteur, Brigitte ouvrit l'appareil à la première sonnerie.

— Que voulez-vous ? demanda Jack d'une voix brusque. Il a été entendu entre nous que vous ne devez me rejoindre qu'en cas d'urgence.

— C'est urgent ! dit-elle. Vous devez agir sans faute aujourd'hui. Les choses se précipitent.

— Ne nous énervons pas ! Je connais mon boulot et je sais comment et quand je dois agir.

— La situation est devenue très critique. Je vous en prie... Faites vite, ajouta-t-elle d'un ton touchant. Vous êtes mon dernier espoir.

— Bon, je ferai de mon mieux.

Un déclic retentit. Brigitte comprit que Jack avait raccroché. Les yeux de la jeune femme brillèrent et un léger sourire apparut sur ses lèvres. Elle savait par expérience que l'intonation qu'elle avait su mettre dans sa voix avait touché son interlocuteur. Maintenant, elle devait lui faire confiance. Après tout, Jack avait une excellente réputation. On disait de lui qu'il était honnête, habile et propre...

Chapitre 16

En ce dimanche matin, tante Agnès s'était levée très tôt. Depuis quelques mois, elle ne dormait plus très bien la nuit et passait de longues heures éveillée. Au cours de ces indéfectibles périodes d'insomnie, elle réfléchissait beaucoup. Les événements de vendredi et de samedi surtout l'avaient tenue sur le qui-vive. Maintenant, elle éprouvait la certitude qu'Hélène avait été repérée. Vendredi, la voiture qui avait suivi la fille de Joseph Chabrol et le livreur de pizza lui avaient mis la puce à l'oreille. Elle avait réussi tant bien que mal à rassurer la jeune femme par une attitude décontractée et des paroles habiles, mais pendant la nuit la vieille demoiselle avait passé de longs moments à décortiquer ces événements. Le lendemain, Hélène avait pris sa voiture et emmené les fillettes au magasin pour leur acheter de nouvelles chaussures. Mélissa se plaignait que ses souliers lui faisaient mal aux pieds. Quant à Stéphanie, ses espadrilles étaient trouées. Hélène n'avait guère le coeur à sortir, mais voilà que depuis dix jours elle remettait cette corvée. De leur côté, les enfants étaient parfaitement heureuses, en ce samedi matin, d'aller visiter les magasins. Mélissa avait remercié Hélène en l'embrassant et avait murmuré gentiment à son oreille :

— Je t'aime, Hélène. Je t'aime autant que tante Agnès.

— C'est moi qui t'aime le plus ! cria aussitôt Stéphanie en venant se blottir contre la jeune femme. Puis elle tourna la tête et tira la langue à sa soeur.

À présent, Hélène avait l'habitude des espiègleries enfantines et n'y prêtait plus attention. Mais cette fois, elle avait répliqué en affirmant :

— Je crois que Mélissa m'aime autant que toi, Stéphanie. Quant à moi, je vous aime toutes les deux également. Voilà qui est réglé maintenant !

Puis, arrivée à la hauteur de la porte, Hélène avait salué tante Agnès qui souligna alors :

— Si le magasinage s'étire, vous pouvez manger au restaurant toutes les trois. En tout cas, ne vous tracassez pas pour moi. J'ai bien mal dormi la nuit dernière et je veux faire une longue sieste ce matin.

— Oh ! oui, Hélène, approuvèrent aussitôt les fillettes.

— N'est-ce pas que ce serait amusant, Hélène ? rétorqua gentiment Mélissa d'une voix câline.

— Pourquoi pas ? fit la jeune femme en considérant avec compassion la vieille demoiselle aux traits tirés. Tante Agnès pourra plus facilement se reposer sans nous.

Elles étaient disparues dans la porte en riant. Tante Agnès avait ressenti soudain l'agréable impression que pour un instant Hélène avait oublié ses tracas. Les voix gaies des enfants qui attendaient devant l'ascenseur l'avaient rejointe dans son fauteuil du salon. Puis, Agnès

Mercier s'était levée pour se rendre à la fenêtre et regarder la voiture de la jeune femme quitter la maison. Dehors, il faisait beau, mais le temps était moins doux que la veille. Une brise du nord avait apporté de gros nuages blancs dans le ciel. La météo annonçait une pluie fine et verglacée pour la fin du jour. La Buick bleue d'Hélène avait surgi du garage et avait emprunté la rue qui, en ce samedi matin, jour de repos des travailleurs, était peuplée de voitures stationnées le long des trottoirs. Au même instant, deux cents mètres plus bas, les phares d'une petite automobile de sport noire s'allumèrent, puis s'éteignirent à deux reprises. Tante Agnès, les yeux rivés à la fenêtre, avait vu le manège, mais aucune voiture ne répondait à ce soi-disant signal, et au loin personne non plus n'avait suivi Hélène. Agnès Mercier avait passé vingt bonnes minutes à observer la rue. Finalement, elle avait gagné sa chambre dans l'espoir de dormir un peu afin de refaire ses forces.

Hélène et les enfants étaient revenues au milieu de l'après-midi, les bras chargés de paquets, et avaient retrouvé la vieille demoiselle qui prenait une légère collation à la cuisine. Comme d'habitude, les petites avaient déballé leurs achats avant de se dévêtir, pressées qu'elles étaient de faire partager leur joie. Dans sa générosité, et surtout pour faire plaisir aux enfants, Hélène avait également acheté d'autres vêtements; ce qui rendait la tournée des magasins beaucoup plus intéressante avec cette dernière qu'avec tante Agnès, qui s'en tenait toujours pour sa part au strict nécessaire. Ainsi, Mélissa avait exhibé un jean et un pantalon de velours côtelé en plus d'une belle paire de souliers très sport en suède brun. De son côté, Stéphanie, « la pomponnette », avait hérité d'une longue chemise de nuit bleu pâle qui ressemblait à une robe de princesse. Tante Agnès ne tarda pas à qualifier cette dépense d'argent gaspillé. Toutefois, la jupe en denim et les espadrilles que l'enfant lui tendit obtinrent son approbation. Hélène avait souri en entendant les commentaires de la chère vieille demoiselle qui, toute sa vie, avait pratiqué l'économie et n'avait cessé de répéter qu'elle était la qualité essentielle d'une personne prévoyante. Ainsi, Hélène avait souri et cligné de l'oeil à Stéphanie d'un air complice.

Tante Agnès était venue boire son thé au salon et, oubliant sa théorie, avait pris plaisir à observer les fillettes qui essayaient leurs nouveaux vêtements.

— Il faudrait faire un ourlet aux pantalons de Mélissa. Ils sont beaucoup trop longs pour elle, avait énoncé la vieille demoiselle.

— Oh non ! avait rétorqué l'enfant. Quand les pantalons sont trop longs, on n'a qu'à retourner les bords. Je veux faire comme les autres, moi aussi... C'est la mode à présent !

Hélène avait froncé les sourcils en contemplant Mélissa, mais n'était pas intervenue.

— À quel âge doit-on suivre la mode ? avait alors interrogé tante Agnès.

— Dès qu'on la connaît ! avait aussitôt lancé Mélissa d'un air entendu.

Interdite, tante Agnès avait ensuite ébauché un sourire incertain et, pendant quelques instants, avait paru réfléchir à la réponse de l'enfant. Agnès Mercier était encore perdue dans ses pensées lorsqu'un bruit perçant venant de la rue avait attiré les fillettes à la fenêtre. Sur l'appel des petites, les deux femmes étaient venues les rejoindre. Monsieur Duperré, un locataire du sixième, était sorti du garage sous-terrain et avait dû freiner à toute vitesse pour éviter d'entrer en collision avec une petite voiture de sport noire qui circulait dans la rue. Il ne semblait y avoir aucun dégât. Tout le monde était sauf. Monsieur Duperré faisait de grands gestes nerveux et paraissait en colère contre l'autre automobiliste, puis il avait regagné sa Buick bleue et très lentement avait poursuivi son chemin. Immédiatement, tante Agnès avait fait le lien entre la Buick bleue de monsieur Duperré et la voiture de sport noire, mais n'avait émis aucun commentaire. Toutefois, à l'intérieur de sa poitrine, son coeur avait eu des battements irréguliers. Pour sa part, Hélène s'était contentée de blâmer les jeunes fous du volant. Et la journée s'était terminée sans autre incident.

Ainsi, le dimanche matin, Agnès Mercier s'était levée très tôt. Comme elle n'avait plus sommeil, elle détestait paresser au lit quand le jour filtrait à sa fenêtre. Suivant son habitude, elle s'habilla en se levant et mit de l'ordre dans sa chambre. Puis elle se rendit à la cuisine pour prendre son petit déjeuner. En réalité, l'expression «prendre son petit déjeuner» la faisait sourire, car elle éprouvait de la difficulté à avaler la moindre bouchée. Lentement et péniblement, elle réussit à manger une tartine et se réconforta d'une tasse de thé. En somme, depuis quelque temps, elle sentait bien que sa santé se détériorait à nouveau. Elle mangeait aussi peu qu'elle ne dormait et ses forces l'abandonnaient. Mais ce matin, une énergie nouvelle s'était infiltrée dans ses veines. De nouveaux événements se préparaient et elle se devait d'être plus vigilante. Sa volonté de protéger Hélène jusqu'au bout s'était diffusée dans son pauvre sang fatigué.

Après avoir dégusté une deuxième tasse de thé, Agnès Mercier se dirigea ves le placard d'entrée, passa son manteau, mit son chapeau et, sur la pointe des pieds, quitta la maison pour se rendre à l'église. Le dimanche, avec quelques vieilles personnes, elle assistait presque toujours à la première messe du matin. Comme elle était en avance, elle n'avait pas à se presser. De toute façon, elle n'aurait pu se permettre de l'être, car ses forces ne l'autorisaient plus à marcher très vite. Avant de quitter la maison, tante Agnès avait vu du salon, à travers le rideau diaphane de la fenêtre, la même petite voiture de sport noire garée le long de la rue, au même endroit où elle se trouvait la veille quand Hélène était sortie avec les enfants pour aller au magasin. Alors, elle longea la chaussée et, de son pas lent, décida de marcher dans la direction de la voiture. Arrivée à la hauteur du véhicule, la vieille demoiselle remarqua qu'un homme était affalé sur la banquette avant, mais les vitres fortement teintées des fenêtres dissimulaient les traits du personnage. L'homme ne broncha pas à son passage. Il semblait plutôt sommeiller. Puis, soudain, une vieille Chevrolet marine, fit irruption dans la rue et s'immobilisa à la hauteur de la TR-7 noire — lettres qu'Agnès Mercier venait de découvrir en examinant l'arrière de la voiture. Les vitres se baissèrent et les conducteurs échangèrent des paroles que tante Agnès, malheureusement trop loin, ne put saisir. Avant de disparaître au tournant de la rue, la vieille demoiselle tourna discrètement la tête et se rendit compte que la vieille Chevrolet avait disparu.

Hélène emmena les enfants à la messe de onze heures. La veille, les fillettes avaient eu la permission d'écouter le film du samedi soir à la télévision et elles s'étaient finalement couchées plus tard que prévu. Toutefois, ce matin elles avaient rattrapé le sommeil perdu en faisant la grasse matinée jusqu'à dix heures.

— Allez, les petites, pressez-vous ! sinon vous serez en retard à la messe, répéta à deux reprises tante Agnès. Et comme il fait beau ce matin, vous prendrez l'air et vous irez à pied à l'église.

Les fillettes regimbèrent, mais Hélène, à qui la vieille demoiselle avait vanté la beauté du jour et les vertus des marches matinales, fit la sourde oreille aux suppliques des enfants et approuva la bonne idée de tante Agnès. Une demi-heure plus tard, la vieille demoiselle, dissimulée derrière le rideau du salon, regardait le trio s'éloigner, les yeux braqués sur la petite voiture noire. Le coeur plein d'angoisse, elle les vit disparaître toutes les trois au tournant de la rue. Par bonheur, la voiture de sport noire, toujours garée au même endroit, n'avait pas bougé. Rassurée, le coeur léger, Agnès Mercier emprunta l'ascenseur pour aller chercher ses journaux dans le hall. Au retour, elle aperçut madame Julien qui, tout en émoi sur le palier de sa porte, l'entretint de la nouvelle sensationnelle de l'heure. Aux premières paroles de la chère dame, tante Agnès, également alarmée, porta la main à son front et dut s'excuser, prétextant qu'elle ne se sentait pas bien.

— En effet, vous êtes terriblement pâle. Voulez-vous que je vous raccompagne chez vous, mademoiselle Mercier ?

— Non. Merci beaucoup. Ce n'est rien. Je vais aller m'étendre un peu et tout rentrera dans l'ordre. Parfois, j'abuse de mes forces. Je n'aurais pas dû aller à la messe ce matin. Merci encore de votre bienveillance. Soyez sans crainte tout ira bien, ajouta-t-elle, quand elle vit sa voisine lui prendre le bras et la raccompagner jusqu'à sa porte.

Seule dans la maison, la vieille demoiselle se laissa tomber dans un fauteuil et, le visage décomposé, parcourut avec avidité les articles relatant la découverte du cadavre d'Hélène. Plus tard, quand Agnès Mercier eut terminé sa lecture, elle ferma les yeux et réussit à faire le vide en elle. Son coeur battait trop vite. Le médecin, à plusieurs reprises, lui avait recommandé de fuir les émotions trop fortes. Quelques minutes passèrent où, concentrée sur sa respiration, elle parvint à se calmer. Puis tante Agnès se leva et aussitôt les vertiges l'assaillirent.

Elle ferma les yeux et s'appuya contre le mur. À tâtons, elle se rendit jusqu'à la cuisine et se servit un verre de jus de fruits dans lequel elle incorpora une forte dose de cognac. Le breuvage lui communiqua presque instantanément un regain de vie. Un sentiment de bien-être la parcourut et elle réalisa que son cerveau soulagé du stress de la peur fonctionnait comme autrefois. D'un pas plus alerte, elle revint au salon, prit le journal et le parcourut avec attention une seconde fois. Ensuite, les paupières closes, elle se mit à réfléchir à tout ce qu'elle venait de lire. Pourquoi Nelson agissait-il de cette façon ? Avait-il perdu la tête ? Comment avait-il pu identifier un corps, alors qu'il devait savoir que sa femme était toujours vivante ? Ces trois questions, avec lesquelles elle jongla un long moment, s'entrechoquaient dans sa tête. Puis, soudain, son visage s'éclaircit, son beau regard s'illumina et sur ses lèvres un léger sourire filtra. Non, Nelson n'était pas un fou. Tante Agnès venait de s'expliquer qu'il était tout simplement victime d'un mauvais synchronisme des événements. L'identification du cadavre avait dû se passer dans les heures qui avaient précédé la découverte de la présence d'Hélène. Ainsi Nelson se trouvait pris au piège ; car au moment où il découvrait que sa femme était toujours vivante, d'autres témoignages avaient déjà corroboré le sien devant les autorités policières. Alors, comment pouvait-il par la suite se rétracter sans dévoiler toute la vérité sur Hélène ? Dans les deux cas, ce pauvre malheureux était pris en souricière. Pour sauver sa peau, Nelson n'avait plus le choix... Il devait à tout prix tuer Hélène. L'éliminer, et rapidement... L'éliminer pour l'empêcher de contacter la police... sinon, il était cuit.

Tante Agnès cessa sur-le-champ de penser. Une douleur aiguë lui sillonna l'estomac. Les palpitations réapparurent et elle se sentit très mal. Hélène, sa chère petite Hélène, était en danger de mort. Et la mort semblait imminente. Oubliant ses malaises, Agnès Mercier se leva d'un bond et se précipita à la fenêtre. La voiture noire avait disparu...

Une demi-heure plus tard, à l'angle de la rue, Hélène et les enfants apparurent enfin. Ces trente minutes que tante Agnès avait passées à son poste d'observation lui avaient semblé interminables. Le front couvert de sueur, les mains moites et la gorge sèche, elle avait été assaillie par cette horrible crainte de ne plus jamais les revoir. Maintenant, elles apparaissaient dans son champ de vision, saines et sauves, et rien d'autre n'avait de l'importance. Des yeux, la vieille demoiselle les accompagna jusqu'à la porte du building. Puis, quittant sa retraite, tante Agnès ramassa le journal, le plia et le dissimula dans le placard. Plus tard, elle le montrerait à Hélène, lorsqu'elles seraient seules pour en discuter librement loin des enfants. Du couloir, les voix des fillettes se firent entendre et tante Agnès courut à la porte les accueillir.

Hélène, Mélissa et Stéphanie entrèrent. Elles étaient toutes les trois mortes de peur et hors d'haleine. Agnès Mercier les observa à tour de rôle et, retenant sa respiration, n'osa formuler la moindre question.

— Nous avons failli nous faire tuer, tante Agnès ! lança la petite Stéphanie.

— Un homme ivre a foncé sur nous avec sa voiture, reprit Mélissa.

Hélène, le dos appuyé contre le mur, avait peine à se remettre de ses émotions. Son visage brillait de transpiration et elle respirait lourdement. Tante Agnès s'avança vers elle, prit son bras et l'entraîna au salon.

— Viens t'asseoir, ma chérie. Viens te reposer. Dis, veux-tu boire quelque chose ?

Hélène secoua la tête et se laissa tomber sur le divan. Tante Agnès prit sa main glacée, et la frictionna dans la sienne. Peu à peu, les joues de la jeune femme se colorèrent et la peur très lentement s'éteignit dans son regard. Sa respiration devint plus calme et Hélène sentit la présence de tante Agnès la rassurer. La vieille demoiselle se leva et alla à la fenêtre. La petite voiture noire était de nouveau revenue, garée au même endroit.

— Comment cela s'est-il passé, Hélène ? demanda la vieille demoiselle, le nez à la fenêtre sans se retourner.

— Moi, je peux tout raconter, tante Agnès fit Mélissa. Je suis la seule à avoir bien vu.

— Alors raconte, Mélissa. Je t'écoute.

La petite se leva et vint se flanquer devant la vieille demoiselle. Ses grands yeux bleus traduisaient l'angoisse et tante Agnès comprit combien elle était encore traumatisée.

— Une voiture est venue vers nous à vive allure, dit-elle d'une voix saccadée. J'ai donné la main à Hélène et j'ai tiré son bras, parce qu'elle regardait le parc et ne voyait pas la voiture.

— Si je comprends bien, vous étiez donc arrivées à la hauteur du parc, à cet endroit où il n'y a pas de maisons, c'est bien ça, mon trésor ?

— Oui, reprit l'enfant. J'ai dit à Hélène : « Regarde, il y a un fou là-bas qui vient vers nous avec sa voiture. » Hélène a tourné la tête très vite et a regardé. Ensuite, j'ai senti sa main me soulever et un bruit de ferraille nous a entourées.

— Oui, souligna Hélène, un gros lampadaire d'acier de la rue nous a sauvé la vie. Il n'y avait que ça devant nous pour nous protéger. J'ai soulevé les petites par la taille et j'ai couru avec elles une dizaine de pieds en avant. L'automobiliste a heurté le lampadaire et ne nous a pas touchées. Par chance, le conducteur n'a pas eu de mal non plus, mais sa voiture est fichue.

Tante Agnès jeta un coup d'oeil à la fenêtre ; la petite TR-7 était intacte et ne paraissait pas avoir subi de choc quelconque.

— De quelle couleur était la voiture, Hélène ?

— Oh, mon Dieu ! je n'en sais rien. Je n'ai pas remarqué.

— Elle était bleue, répondit la petite Stéphanie.

— Bleu marine ? demanda tante Agnès.

— Je ne sais pas comment c'est, bleu marine, fit l'enfant.

— Ton tricycle est bleu marine, spécifia la vieille demoiselle.

Les yeux de la fillette étincelèrent et elle ajouta vivement :

— Oui, c'est la même couleur !

Cette banale conversation au sujet de la nuance de la couleur du véhicule n'avait pas attiré l'attention des enfants de façon particulière. Toutefois, Hélène, de son côté, l'esprit alarmé par cette question, fixait la vieille demoiselle d'un air étonné. Un long regard s'échangea entre les deux femmes. Tante Agnès vit la perplexité, puis l'angoisse, envahir le visage de la fille de Joseph Chabrol.

— Non, ma chérie, je t'en prie, ne te tracasse plus.

— C'est difficile ! répondit Hélène.

— Tout va s'arranger. J'en suis certaine.

Aucun autre incident ne survint ce jour-là. Pour leur part, les fillettes qualifièrent l'après-midi de très ennuyeux, car il ne fut aucunement question d'une balade en voiture, ni de jeux à l'extérieur. Par chance, il pleuvait dehors. Une pluie fine s'était mise à tomber après le repas du midi et la température s'était soudainement rafraîchie. Tante Agnès, qui allait souvent à la fenêtre, commentait le temps comme un bulletin de météo. Tout en surveillant la voiture de sport noire, elle avait prédit qu'à la tombée du jour, la pluie se transformerait en neige. Effectivement : à six heures, il neigeait. C'était une petite neige molle qui fondait au contact de la chaussée. Les yeux rivés sur l'extérieur, tante Agnès voyait descendre l'obscurité avec anxiété. La présence indéfectible de la TR-7 noire l'effrayait. Que mijotait pour la nuit ce sinistre individu ? Les pensées les plus terrifiantes se mirent à voltiger dans l'esprit de la vieille demoiselle. Angoissée, elle s'isola dans sa chambre pendant qu'Hélène mettait les enfants au lit et avisa l'escouade policière qui patrouillait les rues, de la présence d'un automobiliste suspect devant sa porte. Vingt minutes plus tard, un véhicule de la police arpentait la rue et la petite voiture de sport prit la fuite. Cependant, Agnès Mercier n'était pas assez naïve pour croire qu'elle venait d'apporter la solution finale à son problème. Ce n'était qu'un sursis, qu'un léger sursis. C'est à cela qu'elle pensait lorsqu'elle sortit le journal du placard et l'apporta à Hélène, qui venait de s'asseoir au salon. Un sentiment de profonde lassitude apparut dans le regard de la jeune femme, quand celle-ci vit la vieille demoiselle s'avancer vers elle et lui tendre le quotidien du matin d'une main hésitante.

— Je ne voulais pas que tu le voies avant que les petites fussent au lit, commenta tante Agnès avec un serrement de coeur.

Hélène hocha la tête d'un air triste.

— Voici d'autres bonnes nouvelles, je présume !

Puis avec un profond détachement, comme si tout cela ne la concernait pas, Hélène parcourut sans broncher, avec un calme qui faisait mal à voir, le long reportage qui couvrait en totalité la deuxième page du journal. Lorsque sa lecture fut terminée, Hélène renvoya la tête en arrière, prit une longue respiration, et des larmes apparurent enfin dans ses yeux.

— Quelle horrible façon de mourir! murmura-t-elle, en tournant son regard vers le sol. Nelson aura ma peau, tante Agnès. Maintenant, j'en suis certaine.

— Jamais.

La voix qui prononça ce mot se voulait si persuasive qu'Hélène eut un haussement d'épaules.

— Il ne faut plus être dupe. Nous n'en avons plus le temps, tante Agnès. Cet automobiliste, ce matin, qui a failli nous renverser, les enfants et moi, n'était pas ivre et n'avait pas non plus perdu le contrôle de son véhicule; c'est moi que l'on voulait tuer. Et hier encore, la Buick bleue de monsieur Duperré que l'on a voulu réduire en miettes. Je sais maintenant que c'était une erreur; c'est la mienne que l'on visait. Inutile d'essayer de feindre, vous le savez tout aussi bien que moi! Depuis hier, votre attitude n'est plus la même. Vous vous tenez sur le qui-vive. Vous êtes constamment à la fenêtre à épier les mouvements de la rue. Nous sommes surveillées et vous le savez. Effectivement, j'ai été suivie l'autre jour et Nelson m'a repérée. Depuis hier, je sens qu'il a mis tout en branle pour m'éliminer. Cependant, cette fois, il fait preuve d'une extrême prudence. Il n'interviendra pas lui-même. Il a payé des experts pour me liquider.

Tante Agnès avait écouté l'exposé de la jeune femme, les yeux rivés sur elle. Hélène savait tout. À présent, la situation devenait trop grave pour la dissimuler ou même pour atténuer la vérité. Le temps pressait. Il était préférable d'en parler, d'en discuter ouvertement afin de parer à toute éventualité. Trouver la solution et agir rapidement. Car il ne s'agissait plus que d'une question d'heures maintenant. Tout se dessinait trop nettement. Les motifs étaient parfaitement étalés. Nelson jouait à présent à jeu ouvert. C'était une course à obstacles. Le plus habile et le plus astucieux vaincrait. Agnès Mercier en était totalement consciente.

— Nous allons faire échec à Nelson, lança la vieille demoiselle d'une voix déterminée.

— De quelle manière ? demanda Hélène sans conviction.

— Demain matin, je communique avec le lieutenant-détective Langlois et nous allons tout lui raconter. Ce cadavre est notre preuve.

Le jeune femme inclina la tête en signe d'approbation. Elle se leva et fit quelques pas dans la pièce. Sur ses joues, des larmes ruisselaient encore. Quelques instants plus tard, elle commentait :

— Vivre un tel cauchemar, simplement à cause d'une fortune ! Dans la vie, être né trop riche ou trop pauvre, c'est la même chose ; le bonheur n'existe pas dans les extrêmes. La majorité des gens qui gagnent honorablement leur vie ignorent quelle chance ils ont de se situer au centre. Je vous jure que j'échangerais volontiers mon titre de présidente contre celui de secrétaire. Aux aciéries, aucune des secrétaires n'a jamais été aux prises avec des problèmes comme les miens. Comme je voudrais être l'une d'elles !

— Je te comprends, ma chérie. Ta vie n'a pas été facile... et celle d'Alain non plus. Vraiment, vous n'avez pas eu de chance, ni l'un ni l'autre... tout ça, parce qu'un maniaque a croisé vos vies. Mais regarde ton père, il était riche et pourtant il a été heureux.

— Papa vivait à une autre époque. Les gens avaient plus de conscience et la violence n'avait pas cette ampleur qu'on lui connaît aujourd'hui. Évidemment, j'ai eu le malheur de rencontrer Nelson. C'est un malade, un fou en liberté. Mais c'est également un profiteur, un voleur, un intrigant, et des gens comme lui existent par centaines, aujourd'hui. Et où les trouve-t-on ? Auprès de tous ceux qu'ils peuvent exploiter. Notamment, les gens riches.

Hélène essuya ses joues et secoua la tête.

— De toute façon, en parler ne réglera rien et ne changera pas ma vie.

— Mais cela fait du bien, avoua tante Agnès.

La jeune femme dédia à la vieille demoiselle un sourire triste.

— Merci d'être là, tante Agnès... d'avoir été pour moi plus qu'une amie, presque une mère. Vraiment, je ne sais pas ce que j'aurais fait sans vous, avec tout ce que j'ai vécu ces dernières années...

Agnès Mercier eut un geste tendre.

— Et moi, chérie, qu'est-ce que je serais devenue sans toi ? Y as-tu jamais songé ? Tu n'as jamais oublié la vieille secrétaire de ton père. Ta présence a embelli ma vie, Hélène. Sans toi, j'aurais été une femme délaissée.

La jeune femme courba la tête et détourna les yeux timidement. Elle fit quelques pas et tante Agnès alla la rejoindre à la fenêtre. Dehors, il neigeait encore et la chaussée brillait comme un miroir. Le regard d'Agnès Mercier demeurait braqué au même endroit, si bien qu'Hélène s'aperçut qu'il était posé sur une petite voiture de sport noire.

— Ce type en bas, s'il s'avisait de venir nous visiter cette nuit ? murmura Hélène.

La réaction d'Agnès Mercier fut instantanée.

— Non. Je ne crois pas qu'il s'aventure jusqu'ici.

— Pourquoi ?

— Parce que cet homme doit savoir que tu ne vis pas seule, qu'il y a trois autres personnes dans cette maison, et qu'il devrait toutes les liquider pour ne pas laisser de traces. Quatre meurtres d'un seul coup c'est beaucoup trop risqué. Cet homme n'est pas un fou. Au contraire, les tueurs à gages sont ordinairement des êtres très intelligents, sinon ils seraient sous les verrous au premier meurtre.

Mais cette nuit-là, après voir rassuré Hélène, tante Agnès sortit du fond de son placard le vieux revolver que Joseph Chabrol lui avait acheté le lendemain du jour où, jadis, elle avait été cambriolée. Avec autant de répulsion que de précaution, elle le plaça sous l'oreiller et, sans fermer l'oeil de la nuit, elle surveilla les bruits de la maison jusqu'au matin.

* * *

À deux reprises au cours de la soirée, Brigitte avait passé des coups de fil que Nelson, au loin, face à l'appareil de télévision, n'avait pu déchiffrer. Intrigué, et sentant sourdre au fond de lui quelques relents de jalousie, il se mit en frais d'interroger sa compagne sans toutefois se départir de sa belle humeur. Brigitte hésitait à lui parler d'Hélène et reculait d'heure en heure cette pénible corvée. Ce soir, Nelson était heureux et son bonheur faisait plaisir à voir. Il souriait tout le temps et badinait comme un collégien. Depuis des mois, Brigitte ne l'avait vu aussi aimable, aussi délicat avec elle. Bref, quand il était heureux, la vie avec lui était magnifique.

— Dis, mon trésor, tu choisis bien mal ton moment pour te faire un nouvel amoureux ! Ce bonhomme au bout du fil est-il tellement mieux que moi ?

Brigitte avait souri d'un air confus. Puis, renvoyant en arrière sa belle chevelure dorée qui glissait en une jolie cascade sur son dos, elle détourna les yeux et s'écroula mollement sur le fauteuil d'en face.

— Cet homme avec qui je parlais n'a aucun attrait et je ne lui trouve aucun charme.

— Alors, tu me rassures !

— Tant mieux, dit-elle sans le regarder. Cet homme est un tueur.

Sur ce, un silence de plomb s'étendit dans la pièce et plana sur eux, faisant surgir une ambiance malsaine. Les yeux rivés à sa compagne, Nelson, interdit, jonglait avec les paroles qu'il venait d'entendre et ne parvenait pas à leur donner un sens. D'un geste brusque, il éteignit le téléviseur avec son contrôle à distance et souligna, le visage grave :

— Je ne me classe pas parmi les retardés mentaux, pourtant ; cette fois, mon chou, je te demanderais d'être plus explicite.

Pendant les secondes qui suivirent, Brigitte sentit sa gorge se nouer et éprouva de la difficulté à choisir les mots susceptibles d'amoindrir le choc. Mal à l'aise, elle s'avança sur le bout de son siège et c'est dans cette position inconfortable qu'elle s'ouvrit à son compagnon. Quelques phrases, néanmoins, avaient suffi à Nelson pour qu'il comprît l'ampleur de la catastrophe. Au fur et à mesure qu'elle relatait les événements, Brigitte voyait le visage de Nelson se transformer. La colère prenait chez lui des proportions alarmantes. Il passa successivement du blanc au rouge et du rouge au bleu, tellement il suffoquait.

— Calme-toi, Nelson ! Ne le prends pas ainsi, mon chéri. Je t'en conjure, maîtrise-toi. Tes coronaires ne le supporteront pas.

— Fous-moi la paix avec mes coronaires ! hurla-t-il. Ma tête est sur l'échafaud et tu me parles de mes coronaires. Comment peut-on être aussi idiote ? Il y a des moments où, avec ta petite cervelle d'oiseau, tu deviens la reine des imbéciles. Pauvre conne !

Les joues de Brigitte s'empourprèrent. Elle mordit ses lèvres et répliqua sèchement :

— Ne m'insulte pas ! Ce n'est pas le moment. Ne te rends-tu pas compte, espèce de crétin, que pour sauver ta tête, moi, je risque la mienne ? Si la police coffre Jack et que ce dernier débite son boniment, c'est moi que l'on arrêtera. Alors, baisse le ton et ravale tes insultes avant de m'adresser la parole.

Nelson s'était levé et marchait de long en large dans la pièce, les mains crispées derrière le dos.

— Qui est Jack ? demanda-t-il d'un ton plus modéré.

— Un tueur à gages. Un homme très sérieux, très habile, qui a déjà plusieurs meurtres à son crédit. Il a une excellente réputation dans le monde interlope, m'a-t-on dit. Il est reconnu comme étant honnête, discret, et extrêmement efficace.

Nelson hocha la tête et fixa Brigitte de son regard gris acier.

— Combien a-t-il exigé pour faire ce travail ?

— Cinquante mille.

Nelson s'immobilisa net. Une expression de stupéfaction figea son visage.

— Mais c'est un voleur !

Brigitte haussa les sourcils.

— Au contraire, à ce prix il prétend qu'il me fait la charité. D'habitude, il ne travaille jamais en bas de soixante-quinze et même de quatre-vingt mille. C'est une faveur qu'il m'a faite, m'a-t-il dit. Parce qu'il s'agissait d'une femme et qu'une femme, c'est plus facile à éliminer et que ça a moins de valeur qu'un homme... En voilà un autre qui est bourré de complexes ! admit-elle.

Puis Brigitte se tut et emprunta ses grands airs pour ajouter :

— Évidemment, il ne sait pas qu'il s'agit de la présidente des Aciéries Chabrol, sinon il aurait certainement réclamé un million. Cet homme est un professionnel et elle vaut cher ta femme, Nelson... Crois-moi, cinquante mille dollars, c'est réellement une aubaine dans les circonstances.

Nelson eut un geste impatient.

— Bon, d'accord, nous avons de la chance ! rétorqua-t-il. Mais comment peut-on s'y fier ?

— Au départ, je crois qu'il faut avoir la foi. Cependant, sa façon de procéder m'a inspiré confiance. Il a exigé quarante pour cent du montant avant d'agir, et le reste à la livraison du cadavre. Je trouve que c'est honnête. En somme, il court de grands risques pour peu d'argent. Cela signifie qu'il met sa peau en péril pour vingt mille dollars seulement.

— En effet, admit-il.

Nelson se tut pour ajouter, quelques secondes plus tard :

— ... Filer avec vingt mille dollars, c'est quand même intéressant.

— J'ai pensé à cette possibilité. C'est le risque qu'il faut courir, Nelson, et j'ai accepté ce risque. Que veux-tu, mon cher, nous n'avons pas le choix. Des tueurs à gages, je n'en connais pas des centaines. C'est le seul nom que j'ai pu trouver. L'ami qui m'a conseillée m'a dit de faire entièrement confiance à Jack, de n'avoir aucune crainte, que c'était un homme sûr. Je crois que nous devons nous en tenir à cette idée.

Nelson cessa de tourner en rond et rejoignit sa compagne sur le divan.

— Pour l'instant, la seule chose qui m'importe, c'est la réussite. Quelle sorte de garantie peut-il offrir ?

— Je lui ai également posé cette question. Il m'a répondu en ces termes : « Écoutez, mon petit, j'ai des dettes de jeu et je suis un homme d'honneur. J'ai un urgent besoin de ces cinquante mille dollars. De plus, je n'aime pas décevoir ma clientèle et je tiens à conserver ma réputation. Cela vous rassure-t-il ? » Alors je me suis levée, je lui ai donné l'argent et je suis partie.

— Je présume que tu n'as donné aucun nom.

— Absolument aucun. Jack est un nom d'emprunt et il ne connaît pas le mien. C'est un homme très méthodique. Son système fonctionne par code.

— Où en est-il dans son travail ?

— Il est au poste depuis hier matin. Déjà, deux tentatives se sont malheureusement soldées par des échecs. Il a voulu simuler un accident et sa voiture a été démolie. Seul un miracle a pu sauver la vie de ta femme, paraît-il. Je n'en sais pas plus. À la prochaine sortie d'Hélène, il m'a promis que cette fois, elle ne pourrait pas s'en tirer. Il faut avoir confiance, mon chéri. En ce moment, c'eût été de la pure folie que d'intervenir nous-mêmes, alors que la police est sur l'affaire, tandis que cet homme est un spécialiste qui connaît son métier. Il a beaucoup plus de chances que nous de réussir. Il sait parfaitement comment agir. Il doit posséder tous les trucs du métier. De plus, il a certainement la possibilité de disparaître rapidement. Crois-moi, ta femme vit ses dernières heures.

Le regard de Nelson avait rejoint la baie vitrée. Ses yeux se perdirent dans l'obscurité du firmament. La joie de ces derniers jours avait été si intense, son bonheur d'une qualité si exceptionnelle, qu'à présent sa déception atteignait des proportions incommensurables. Sa belle réussite, il la palpait déjà du bout des doigts, et voilà que tout lui échappait. Ses gestes, ses membres, son corps tout entier, sa vie elle-même ne lui appartenait plus. Son esprit, son cerveau fuyait, hors de tout contrôle. Nelson Vallée, ce soir, semblait basculer dans un grand trou noir, vide et sans fond.

— Si je suis intervenue, Nelson, c'est parce que je voulais courir les mêmes risques que toi. Je voulais que tu saches combien je t'aime, mon chéri.

— Moi aussi, je t'aime, dit-il en lui étreignant la main. Il n'y a personne au monde que j'ai aimé autant que toi, Brigitte.

— Alors, dis-moi que nous réussirons.

— Oui, nous réussirons. Il le faut. Il le faut à tout prix, mon ange... Sinon, nous sommes à jamais perdus.

Le regard en feu, Brigitte et Nelson se retrouvèrent aussitôt enlacés dans une même étreinte. De longs baisers, de très longs baisers arrosés de larmes, pour en conserver à jamais une saveur d'éternité. Quand la vie devient précaire et que l'avenir se limite au présent, chaque seconde a une intensité exceptionnelle. Unis dans les jeux de l'amour, ils connurent tous deux l'ivresse des passions déchaînées. Et en cet instant de bonheur suprême la seule ombre sur leur vie était de ne pouvoir arrêter le temps.

Chapitre 17

Agnès Mercier avait vu poindre le jour avec soulagement, bien que la nuit eût été calme, plus calme même que les autres nuits. Les bruits réguliers de la maison avaient retenu l'attention de la vieille demoiselle, qui n'avait pas sommeillé de la nuit. Le vent avait fait grincer les fenêtres à intervalles réguliers. Le bruit assourdi de l'ascenseur en fonction et le va-et-vient de certains locataires avaient également meublé le silence nocturne. Tante Agnès avait aussi remarqué que le locataire du dessus n'avait pas pris sa douche comme il le faisait normalement, lorsqu'il rentrait de son travail à deux heures du matin. De son côté, mademoiselle Michaud, la locataire qui occupait le logement attenant à celui de tante Agnès, avait quitté la maison à cinq heures trente, avec exactement une demi-heure de retard; tandis que monsieur Julien, un homme d'une ponctualité exemplaire, avait ouvert la porte de son appartement à six heures pile, comme d'habitude. À sept heures, tante Agnès avait pris son bain, s'était vêtue. Elle était prête à commencer la journée. Elle se sentait très lasse, les membres lourds et l'esprit flottant, mais elle s'était contrainte à avaler un bon déjeuner pour emmagasiner de l'énergie. Aujourd'hui, elle en aurait besoin, la journée serait rude ; elle avait eu toute la nuit pour y réfléchir. Exceptionnellement, ce matin-là, tante Agnès s'occupa elle-même du départ des enfants pour la classe. Madame Bélanger, une locataire de l'édifice, qui enseignait à l'école que fréquentaient Mélissa et Stéphanie, accepta de véhiculer les deux enfants pour dépanner la vieille demoiselle.

— Vous êtes très aimable de me rendre ce service. La voiture de ma nièce est en panne, expliqua tante Agnès, et les fillettes sont trop nerveuses pour se rendre à l'école toutes seules, après cet incroyable incident d'hier. Elles apportent avec elles leur repas du midi.

— Je les comprends, dit la dame d'une voix bouleversée, après qu'Agnès Mercier lui eût détaillé l'événement. Je me charge d'elles personnellement. Surtout, ne vous inquiétez pas !

— Je dois aller à l'hôpital cet après-midi et ma nièce doit également s'absenter. Si nous n'étions pas de retour l'une ou l'autre, auriez-vous l'obligeance de confier les enfants à madame Julien, ma voisine de palier ? Elle est avisée et les petites aiment bien aller chez elle. Sa chatte a eu trois rejetons la semaine dernière.

Tante Agnès embrassa les deux fillettes, leur souhaita une bonne journée et les vit disparaître dans l'ascenseur, tenant madame Bélanger par la main. Par la fenêtre du salon, la vieille demoiselle suivit du regard la Toyota blanche du professeur qui avançait très lentement sur la chaussée glissante. Une pluie verglacée avait succédé à la neige au cours de la nuit et, ce matin, un monde féerique miroitait sous les pâles rayons du soleil. Tout était de glace. Les arbres et les arbustes ressemblaient à de merveilleuses sculptures de cristal qui semblaient surgir dans un univers insolite composé d'acier et de béton. Partout, les pelouses s'étaient de nouveau vêtues de blanc et le miroir de glace qui les recouvrait brillait au soleil comme une robe de satin à traîne déployée. C'était un émerveillement pour les yeux, et devant ce paysage éblouissant, tante Agnès fut émue comme une petite fille. En bas, sur la chaussée, à quelques centaines de mètres plus loin, la TR-7 noire, déguisée d'un brillant manteau blanc, montait inlassablement la garde.

Obéissant aux conseils d'Agnès Mercier, Hélène, la veille, avait avalé un somnifère avant d'aller au lit. Elle dormit d'un sommeil lourd et profond et sa nuit ne fut peuplée d'aucun cauchemar. Il était presque neuf heures lorsqu'elle apparut enfin dans la cuisine devant tante Agnès, qui en était à sa troisième tasse de thé.

— Grâce à vous, j'ai parfaitement bien dormi, dit Hélène en lui embrassant gentiment la joue. Je vous remercie.

— Moi aussi, j'ai bien dormi, ma chérie, mentit Agnès Mercier avec un aplomb déconcertant. Je me suis levée tôt. Les enfants sont parties pour l'école avec madame Bélanger qui les véhicule pour la journée. Je leur ai donné une boîte à lunch. Donc, elles ne rentreront pas à midi. Nous sommes seules et une très lourde journée nous attend. Je t'invite à déjeuner à l'instant et à te vêtir rapidement, car le lieutenant-détective Langlois sera ici dans une demi-heure.

Le policier se présenta à l'appartement de la vieille demoiselle avec l'exactitude d'un général d'armée. À neuf heures trente précises, il sonnait à la porte d'Agnès Mercier. C'était un homme d'une cinquantaine d'années, de taille moyenne, avec des cheveux gris qui découvraient largement le front. Il était habillé en civil et son visage presque sans rides était celui d'un bon vivant. Il avait le sourire facile et ses manières étaient celles d'un homme très bien éduqué. Tout de suite, il plut à tante Agnès qui l'invita à s'asseoir au salon. Hélène était encore à terminer sa toilette dans la salle de bains, si bien que la vieille demoiselle se retrouva seule avec le policier et introduisit le sujet à sa façon.

— Ainsi que je vous l'ai dit au téléphone, monsieur Langlois, les révélations que j'ai à vous communiquer au sujet de madame Hélène Vallée changeront le cours de votre enquête.

— Vraiment ? Je vous écoute, mademoiselle Mercier.

— Les journaux d'hier parlaient d'un cadavre mutilé. Et c'est ce cadavre que monsieur Vallée a identifié comme étant celui de sa femme, n'est-ce pas ?

— Oui, dit-il. Cependant, dans un cas comme celui-ci, la police agit toujours avec beaucoup de prudence. Il va de soi qu'un seul témoignage ne suffit pas. Des personnes qui côtoyaient régulièrement l'épouse de monsieur Vallée ont également affirmé qu'il s'agissait de son corps.

— Quelles sont ces personnes ? demanda tante Agnès.

— Il s'agit de monsieur Richard O'Neil, de monsieur François... mon Dieu ! voilà que j'oublie son nom, dit le policier en se grattant la tête.

— Monsieur François Renaud ?

Le lieutenant-détective parut confondu.

— Vous le connaissez ?

— Et comment ! J'ai travaillé avec ces deux hommes aux Aciéries Chabrol pendant près de quarante ans. J'ai été la secrétaire personnelle des deux premiers présidents de la maison, Joseph Chabrol, le fondateur, et Alain, son fils.

— Je vois, fit le policier en considérant la vieille demoiselle d'un regard de plus en plus étonné. Je peux déduire que vous connaissez également monsieur Nelson Vallée, ainsi que son épouse, depuis très longtemps.

— Oui, je les connais très bien, tous les deux, mais davantage madame Vallée. Je l'ai vue naître et je suis sa marraine.

À cette révélation, les yeux du détective s'arrondirent et il demeura bouche bée. Ce n'est qu'au bout d'un moment qu'il parvint à dire :

— Pourquoi avez-vous tardé à communiquer avec moi ?

— C'est une très longue histoire, dit-elle.

— Je suis très patient. Vous pouvez me la raconter. J'ai toute la matinée à vous consacrer.

Agnès Mercier se mit à sourire. C'était un sourire un peu las, qui, depuis quelques mois, était devenu chez elle une expression familière.

— La patience est une très belle vertu, admit-elle en hochant la tête. D'abord, avant de débuter, je dois vous dire que le cadavre qui a été identifié ne peut être celui de ma filleule.

— Si vous ne l'avez pas examiné, comment pouvez-vous être aussi positive ?

— Parce que madame Vallée n'est pas morte. Toutefois, son mari est un criminel et c'est lui qui est en dessous de toute cette affaire.

Le policier haussa les sourcils et sembla nager en plein mystère.

— Vous prétendez que madame Vallée est toujours vivante ?

— Oui, elle l'est ! Et c'est un véritable miracle si elle est encore de ce monde. Je vais tout vous raconter, dit-elle, en commençant par le commencement, sinon nous ne nous comprendrons jamais.

Pendant l'heure qui suivit, tante Agnès, les mains croisées sur les genoux, fit le récit détaillé des événements qui avaient marqué le long cauchemar d'Hélène, depuis la mort accidentelle d'Alain jusqu'à ce jour. Avec une précision étonnante, elle fit surgir tous les détails du plus important au plus subtil, allant parfois jusqu'à les ponctuer de dates, pour que la vérité pût enfin éclater au grand jour. Suspendu aux lèvres de la vieille demoiselle, le lieutenant-détective Langlois n'avait pas perdu un seul mot de l'exposé. Il écoutait d'une oreille des plus attentives et ne posa aucune question pour ne pas l'interrompre. Hélène avait rejoint sa chambre sur la pointe des pieds et n'avait pas perdu un seul mot du récit de tante Agnès. Une profonde angoisse la terrassait. De nouveau, elle revivait cet épouvantable cauchemar. C'était terriblement éprouvant pour le système nerveux et affectif. Des frissons parcouraient ses membres. Elle savait qu'elle devait retrouver rapidement son équilibre. Dans quelques minutes, tante Agnès la convoquerait pour rencontrer l'inspecteur et elle devait faire bonne impression. Après deux longs séjours en clinique psychiatrique, Hélène devait à tout prix afficher un visage calme et serein et une santé mentale rayonnante. Devant sa glace, elle retoucha son maquillage et rosit ses joues devenues toutes pâles. Lorsque son visage fut à son goût, elle ferma les yeux et fit le vide en elle. Très lentement, la détente s'imposa à son esprit et sa respiration, heureusement, devint régulière. Toutefois, avant de quitter la pièce, Hélène croisa les doigts et dit en son for intérieur: « Oh, mon Dieu! ne me laissez pas tomber. »

Au salon, tante Agnès se tut et, sur son visage livide, s'inscrivit une profonde fatigue. Néanmoins, à l'intérieur de ce corps sans force une paix réconfortante régnait sur son âme. La vérité était dite et le rôle de l'inspecteur consistait à faire éclater la justice.

— Tout ceci est incroyable ! fut le premier commentaire du détective.

Pendant quelques secondes, il sembla perdu dans ses pensées. Il réfléchit un long moment, les yeux fixés sur la moquette du plancher, le menton appuyé dans ses mains.

— Tout ceci est incroyable, en effet, mais c'est la plus stricte vérité.

La voix qui prononça ces paroles était différente de celle que le policier venait d'entendre. Elle était jeune, ferme, mais également très douce. L'inspecteur leva la tête et, stupéfait, aperçut une jolie femme à l'air très distingué qui lui faisait face. D'un bond, il fut sur ses jambes.

— Je suis Hélène Vallée, la présidente des Aciéries Chabrol.

En contemplant Hélène, Agnès sourit de fierté. La fille de Joseph Chabrol venait de faire une belle entrée. Elle s'était présentée comme la grande dame qu'elle était.

— Enchanté, madame, dit le policier d'une voix sidérée.

Très décontractée, Hélène lui tendit la main et l'homme murmura, après avoir longuement observé le visage de la jeune femme :

— Vous êtes bien différente des photographies que l'on m'a montrées de vous... Vous faites beaucoup plus jeune. À vrai dire, vous êtes beaucoup plus jolie en personne.

Hélène élabora un sourire aimable.

— Cette coiffure me change énormément. Cependant, pour qu'il n'y ait aucun doute sur mon identité, voici mon passeport, monsieur Langlois. Voici également d'autres papiers qui peuvent vous convaincre qu'il n'y a pas usurpation d'identité. Messieurs Richard O'Neil et François Renaud, ma domestique Maria, ainsi que tous les vieux employés des Aciéries Chabrol pourront témoigner, j'en suis certaine, que je suis bien Hélène Chabrol, l'épouse de Nelson Vallée.

Le détective hocha la tête et un sourire légèrement mal à l'aise entrouvrit ses lèvres.

— Je crois, dit-il, que ces papiers suffiront.

Hélène prit un siège, croisa la jambe gracieusement et, avec beaucoup d'aplomb, souligna :

— Je me terre ici depuis le vingt-trois janvier dernier, parce que mon mari est un être extrêmement dangereux qui veut à tout prix m'éliminer pour profiter de ma fortune.

— Pourquoi, alors, refusiez-vous de divorcer, madame Vallée ? demanda le policier en s'asseyant à son tour.

— Pardon ?

— Oui, dit-il. À plusieurs reprises, votre mari vous a parlé de divorce. Pourquoi n'avez-vous jamais accepté ? Ainsi vous auriez coupé tout lien avec lui.

— Je crois que vous faites erreur, monsieur le détective. C'est mon mari qui refusait de divorcer, et non moi ; car il ne voulait d'aucune façon perdre les droits qu'il avait acquis par le mariage. Je dois préciser que nous sommes mariés sous le régime de la séparation de biens.

— C'est curieux, reprit le policier. Monsieur Nelson Vallée m'a pourtant souligné à maintes reprises qu'il voulait divorcer... parce qu'il désirait se remarier.

— Ne soyez pas mal à l'aise, ajouta Hélène. Je sais

que mon mari a une maîtresse. Depuis près de quatre ans, nous vivons chacun de notre côté, tout en n'étant pas séparés légalement.

— Monsieur Vallée m'a parlé de cette demoiselle. Elle se nomme Brigitte Dubois, si ma mémoire est bonne.

— Oui, c'est bien ainsi qu'elle s'appelle ; vous ne faites pas erreur. Cette femme m'a causé un préjudice immense, monsieur Langlois. Elle doit être considérée comme une complice dans cette affaire.

— Tout ceci me semble bien compliqué, soupira le policier. Monsieur Vallée est un homme très aimable et je dois vous avouer qu'il m'a fait une excellente impression. Il était très inquiet et profondément malheureux de votre disparition. À la morgue, des larmes coulaient sur ses joues, lorsqu'il a reconnu ce cadavre mutilé comme étant le vôtre.

Hélène eut un recul de tout le corps.

— Il ne faut surtout pas le croire, monsieur le détective ! Cet homme diabolique est le meilleur acteur que je connaisse. Il contrôle parfaitement toutes ses réactions.

De nouveau, le policier courba la tête et parut perdu dans ses réflexions. Après un long silence, il tourna la tête vers la jeune femme et dit :

— Très récemment, vous avez fait un séjour dans une clinique psychiatrique, si je ne m'abuse. Un séjour de trois mois, paraît-il. Quand avez-vous reçu votre congé ? Quel jour était-ce exactement ?

Hélène demeura sur sa respiration. Dans le fauteuil voisin, Agnès n'eut aucune réaction. Cette question, elles l'attendaient toutes deux depuis longtemps et elles s'y étaient préparées mentalement. Néanmoins, elle leur fit l'effet d'un dard au coeur. La jeune femme répondit calmement :

— Le vingt décembre, à une heure de l'après-midi, je quittais la clinique. Ma belle-soeur, Lyne Chabrol, l'ex-femme de mon frère est venue m'accueillir à la sortie. Quelques jours plus tard, le vingt-trois, je prenais l'avion pour aller passer les Fêtes à Tahiti. C'est là, en toute quiétude, que j'ai mûrement réfléchi à la décision que j'avais prise de demander le divorce à mon retour. Je voulais définitivement mettre un terme à notre union. Je ne pouvais plus permettre à mon mari de me détruire davantage. Pendant quatre ans, lui et cette femme m'ont harcelée de toutes les manières pour me rendre folle. À deux reprises, je suis tombée dans la dépression et ils ont réussi à me faire interner, plaidant chaque fois la folie. Malheureusement pour eux, quelques mois plus tard, les psychiatres qui me soignaient me retournaient chez moi, me déclarant parfaitement saine d'esprit. J'ai beaucoup souffert, monsieur Langlois. Cet homme et cette femme m'ont fait terriblement de mal. J'en avais assez. Je voulais vivre, moi aussi. Avant mon départ de vacances, le vingt-deux décembre exactement, je présidais une réunion de l'administration à l'aciérie où Nelson était présent. Ce soir-là, après l'assemblée, j'acceptai l'invitation à dîner de mon mari, car je désirais l'informer de mon intention de divorcer. Nelson m'a priée de bien réfléchir et m'a souligné qu'il n'était pas d'accord pour les raisons que je vous ai déjà mentionnées. Pendant mon séjour dans cette île du Pacifique, ma décision se renforça et, en rentrant, je devais contacter mes avocats. Certains événements mondains et sociaux firent que je dus retarder de quelques semaines les démarches en question. Le vingt et un janvier, Nelson m'accompagna au mont Tremblant pour que nous discutions du projet tout en skiant ensemble...

Quant à la suite, vous la connaissez. Mademoiselle Mercier vous a tout raconté avec exactitude.

Hélène s'interrompit un moment, réfléchit, puis ajouta :

— À présent, que comptez-vous faire, monsieur le détective ? Est-ce que vous allez mettre mon mari sous arrêt ?

L'inspecteur eut un petit geste de la main.

— N'allons pas trop vite, chère madame. N'allons pas trop vite. Définitivement, cette enquête prend un autre tournant. C'est votre droit de porter une accusation de meurtre contre votre mari. Il y aura une enquête, un procès. Mais avez-vous des témoins ? Vous comprendrez qu'un seul témoignage ne suffit pas. Il faut des témoins, madame Vallée.

— Des témoins ? Je n'en ai pas. Dans la chambre du mont Tremblant, où il a tenté de m'assassiner, il va de soi que nous étions seuls, tous les deux.

— Quelqu'un de la réception ou de l'hôtel a-t-il vu monsieur Vallée ? Parce que lui, voyez-vous, ne m'a jamais dit qu'il vous avait accompagnée au mont Tremblant.

Hélène eut beau réfléchir, passer en revue ses souvenirs, rien de particulier ne lui vint à la mémoire.

— À la réception, je suis descendue toute seule. Le pantalon de ski de Nelson s'était décousu et il ne voulait pas se montrer en public. L'hôtel m'a prêté du fil et une aiguille, mais cela évidemment ne suffit pas ou ne prouve rien.

— Est-il allé vous chercher à la maison ? Votre domestique l'a-t-elle vu ? Ou encore un voisin ?

— Malheureusement, non. Maria était absente ce vendredi-là. Elle devait se rendre chez l'opticien. Nelson était en retard, je m'en souviens. Il m'a téléphoné pour me prier de venir le rejoindre en face du centre commercial qui se trouve à l'entrée de l'autoroute.

— En cherchant bien, vous trouverez certainement un détail. Ne vous découragez pas. De mon côté, je questionnerai monsieur Vallée sur son emploi du temps, ce vendredi vingt et un janvier.

Un sentiment d'impuissance parcourut la jeune femme. Il était certain que Nelson avait des alibis partout. Elle eut soudain l'impression qu'un nouveau gouffre s'étendait sous ses pieds. Dans son fauteuil, Agnès Mercier éprouva la même sensation. Mais la vieille demoiselle n'était pas pour admettre la défaite. Un regain d'énergie la secoua. Elle lança d'une voix ferme :

— Alain. La mort d'Alain est une preuve ! Il a avoué lui-même à sa femme qu'il avait placé des explosifs dans l'hélicoptère.

— Je sais, dit le policier en se tournant vers la vieille demoiselle. Y a-t-il eu enquête après la mort de monsieur Chabrol ?

— Évidemment, reprit Hélène avec ardeur.

— Quels ont été les résultats de l'enquête ? Ont-ils prouvé qu'il s'agissait d'un accident criminel ?

— L'explosion de l'hélicoptère que pilotait mon frère a eu lieu au-dessus du fleuve Saint-Laurent, si bien que les pièces de l'appareil ont été projetées sur une très grande surface. Beaucoup ont été repêchées, mais une très grande partie a été emportée par le courant qui est très fort à cet endroit. Les enquêteurs émirent plusieurs hypothèses, mais malheureusement ils furent dans l'impossibilité de déterminer la nature exacte de l'explosion.

Le visage du policier s'affaissa. Des rides lui barrèrent le front et une lueur d'accablement apparut dans son regard bleu-vert.

— Voyez-vous, mesdames, c'est cela mon métier. Le métier d'un détective. Un énorme puzzle où il manque toujours quelques pièces. Parfois, il faut du temps, beaucoup de temps pour parvenir à les retrouver. Mais je peux vous certifier que j'y parviendrai. Je ne fermerai ce dossier que lorsque cette énigme sera parfaitement éclaircie. La patience et le travail sont mes atouts. J'ai déjà mis sept ans sur une affaire, mais le coupable a été découvert et châtié.

Hélène jeta à tante Agnès un regard désespéré.

— Pour le moment, est-ce que je peux savoir une chose ? murmura la jeune femme.

— Je vous écoute, dit le détective.

— Mes accusations sont-elles suffisantes pour faire mettre mon mari derrière les barreaux ?

Le lieutenant-détective Langlois secoua légèrement la tête et expliqua :

— Non. La justice n'est pas aussi expéditive. Nous allons commencer par ouvrir un dossier sur votre mari et cumuler les preuves. C'est ainsi que nous agissons toujours. De son côté, monsieur Vallée va nier. Au départ, ils nient tous. Par la suite, vu les circonstances, il est prévisible de penser que votre mari exigera que vous soyez examinée par un psychiatre. Il affirmera certainement que vous avez inventé tout ceci. Je sais par expérience qu'il gagnera sur ce point puisque vous avez déjà passé quelques séjours dans une clinique. Quant à la suite, c'est difficile à prédire. Les événements vont nous guider...

Cette fois, Hélène se sentit terrorisée, complètement anéantie, comme si cette pénible confession n'avait servi à rien.

— J'ai une preuve, lança soudain tante Agnès.

Elle se leva et incita le détective à la suivre à la fenêtre.

— Vous voyez cette petite voiture de sport noire là-bas, dit Agnès Mercier en la montrant du doigt. Cet homme assis derrière le volant est payé pour tuer madame Vallée. Arrêtez-le et remontez à la source. Vous verrez que Nelson Vallée est l'instigateur de cette nouvelle tentative de meurtre. Le conducteur de la vieille Chevrolet bleu marine, qui a failli renverser madame Vallée et mes nièces hier, est venu plusieurs fois discuter avec cet homme.

— Ça pourrait être une preuve, dit le policier d'une voix encourageante. Je vais faire venir une voiture de la police et nous allons le prendre en filature. Maintenant, madame Vallée, si vous voulez me suivre au quartier général, nous allons prendre en note votre déposition et vous la signerez.

Le détective regarda sa montre. Il était près de midi trente. Il téléphona à son bureau, revint au salon et ajouta à l'endroit d'Hélène :

— Je crois que vous ferez bien de prendre une bouchée avant de partir. Nous en aurons probablement pour quelques heures, madame Vallée.

— Voulez-vous accepter de prendre un sandwich avec nous ? demanda tante Agnès.

— Volontiers ! dit-il.

Vingt minutes plus tard, une voiture de police non identifiée arriva au moment même où ils terminaient leur tasse de café. Agnès Mercier alla à la fenêtre et observa la TR-7 pendant que le détective discutait dans le couloir avec le policier habillé en civil. Hélène était prête à partir. Elle s'approcha de tante Agnès et mentionna :

— J'aurais aimé que vous m'accompagniez. À deux, il est plus facile de ne rien oublier.

Tante Agnès lui dédia un sourire réconfortant.

— Tu as fait les choses merveilleusement bien, ma chérie. Tu n'as pas besoin de moi. Tu te débrouilles très bien toute seule. C'est ta déposition que l'on veut et non la mienne. De toute façon, je ne crois pas que l'on me permette de t'accompagner.

La vieille demoiselle observa de nouveau la petite voiture de sport et son visage épousa une expression de tristesse. Quelques secondes passèrent où elle parut profondément enfouie dans ses pensées. Finalement, elle murmura :

— Non, tu n'as pas besoin de moi au train où vont les événements. Rien n'ira bien vite avec la police, je le crains.

— Notre seule chance, c'est cette petite voiture noire, rappela Hélène en regardant dehors. Voyez ! tante Agnès, il y a une nouvelle voiture de police qui patrouille la rue.

— Ne nous illusionnons pas. Cet homme est très habile, ils ne l'attraperont pas. Et s'ils l'attrapent, il ne parlera pas, opina la vieille demoiselle.

Hélène soupira.

— Alors, je crois que je vais me payer quelques gardes du corps. Si la police ne coffre pas Nelson, je dois continuer à me protéger moi-même.

— L'idée a un certain bon sens, ma chérie. Si aucun événement majeur ne survient, il faudra y penser. Tu devras également consulter tes avocats le plus tôt possible pour engager des procédures de divorce. Au fait, Hélène, je n'irai pas tout de suite à l'hôpital. J'ai un rendez-vous plus urgent que j'avais oublié, mais ça ne devrait pas être long. Néanmoins, tu seras probablement de retour avant moi. Tu t'occuperas des enfants, n'est-ce pas ? Elles seront chez madame Julien.

— Bien sûr ! Vous savez que je ne les oublie jamais. Elles sont constamment dans mon esprit.

— Comme tu les aimes ! dit-elle. Je crois même que tu les aimes autant que je vous ai aimés, toi et ton frère Alain.

Elles se regardèrent et, au souvenir d'Alain, des larmes embuèrent leur regard. Tante Agnès serra le bras de la fille de Joseph Chabrol.

— Ne t'en fais pas, ma chérie. Nelson payera pour ses crimes. Je te le promets.

* * *

Après le départ d'Hélène, Agnès Mercier se laissa choir sur son lit, en proie à une profonde détresse. Elle perdait la guerre. Ce long combat contre Nelson se soldait par un échec. Cet être monstrueux gagnait sur tous les points. Depuis de longs mois, voire des années, ses crimes étaient prémédités, tous les détails mûrement réfléchis, et il avait pris soin de ne rien laisser au hasard. Le moindre de ses gestes était pesé, mesuré, calculé, de sorte que le pourcentage d'erreur se réduisait à néant. La police tournerait en rond et les accusations d'Hélène moisiraient dans les dossiers, faute de preuves et de témoins. Le conducteur de la TR-7 justifierait sa présence par une raison quelconque ou nierait tout simplement, et personne ne pourrait jamais retenir de charges contre lui. Nelson était d'une intelligence remarquable, d'une habileté peu commune, si bien qu'il se situait au-dessus de tout soupçon. À la façon dont se dessinait l'avenir, il ne payerait jamais pour ses crimes. Hélène entamerait dans les prochains jours des procédures de divorce, mais celles-ci traîneraient en longueur. Constamment mécontent, Nelson n'accepterait jamais les clauses. Ainsi, il aurait Hélène à l'usure, car rien ne se réglerait avant des années. Puis, avant que tout soit signé, la police aurait eu le temps de découvrir le corps d'Hélène, emprisonné dans sa voiture au fond d'un précipice, ou dans les cendres de sa maison, ou bien dans un accident de la circulation, ou quoi encore. Nelson gagnerait sur Hélène de la même façon qu'il avait gagné sur Alain. Il était né pour être gagnant. Des larmes remplirent les yeux de tante Agnès et coulèrent sur l'oreiller. Agnès Mercier pleurait. Elle pleurait le destin, elle pleurait sa défaite et son amère déception. Pendant un long moment, de gros sanglots secouèrent son pauvre corps décharné. Épuisée, à bout de forces, un état de demi-conscience s'installa tranquillement en elle, et, à son insu, la soulagea de son chagrin. Puis elle sombra dans un sommeil très lourd.

La sonnerie du téléphone réveilla tante Agnès, qui sursauta. C'était un mauvais numéro. Aussitôt, elle regarda l'heure. Il n'était que deux heures trente. Par bonheur, elle n'avait dormi qu'une demi-heure. Elle devait quitter la maison tout de suite, sinon elle serait en retard à son rendez-vous. Et ce rendez-vous était très important, elle ne devait pas le manquer. En somme, c'était le rendez-vous le plus important de toute sa vie. Agnès Mercier se leva péniblement, la fatigue la submergeait encore. Maintenant, son organisme déficient ressentait avec une intensité accrue le contrecoup d'une nuit sans sommeil. Elle refit son maigre chignon devant la glace et se mit du rouge sur les lèvres. Ensuite, elle appela un taxi. La vieille demoiselle passa son manteau, mit son chapeau et, avec circonspection, vérifia le contenu de son sac à main. Il renfermait tout ce dont elle avait besoin pour aller à ce rendez-vous. Tante Agnès le mit précieusement sous son bras et le serra contre elle. Elle fit le tour de l'appartement, verrouilla la porte de secours, et observa chaque pièce comme si elle regardait sa maison pour la dernière fois. L'ascenseur la déposa en bas, au rez-de-chaussée, et elle vit que dehors le taxi l'attendait. Elle s'installa sur la banquette arrière et dit au chauffeur, d'une voix très nette :

— L'Aciérie Chabrol, sur la rive sud, s'il vous plaît.

Il était près de trois heures trente lorsqu'elle pénétra dans l'immense hall de l'Aciérie Chabrol. Agnès Mercier passa devant la réception sans regarder la jeune fille qui affichait sur ses jolies lèvres peintes un sourire de bienvenue. En réalité, elle ne la vit même pas, car en passant la porte de l'édifice, elle fut assaillie par quarante années de souvenirs, de merveilleux souvenirs.

Du fond de la pièce, le grand tableau de Joseph Chabrol lui avait bondi en plein visage et, pendant les quelques secondes qui suivirent, elle ne vit que lui, que lui, que lui... Sur ses lèvres, un sourire s'était figé et, à l'intérieur de sa poitrine, son coeur ne faisait que répéter :

« Je t'aime, Joseph... Je t'aime. Je t'aimerai toujours, mon amour. »

Puis la vieille secrétaire fit quelques pas et contempla le magnifique portrait d'Alain. Une fois de plus, cet expressif regard bleu la frappa. Elle murmura :

— Je t'aime, Alain. C'est pour toi que je suis ici... Tu le sais, mon petit, n'est-ce pas ?

Avant de tourner les talons, tante Agnès dédia au tableau qui représentait Hélène son plus doux sourire.

« Dorénavant, tu vivras en paix, ma chérie. C'est ta marraine qui te le promet. »

Agnès Mercier revint sur ses pas, traversa le hall et emprunta le couloir qui menait à l'administration. Elle passa devant les secrétaires sans répondre à leurs questions et se dirigea d'un pas déterminé vers le bureau de Nelson.

— Monsieur Nelson Vallée m'attend, dit-elle à sa secrétaire personnelle. Pas la peine de m'annoncer.

Sans plus de préambule, Agnès Mercier poussa la lourde porte d'acajou et fit irruption dans le bureau du directeur général. Nelson, debout devant la fenêtre, regardait d'un air préoccupé les quelques plaques de glace qui recouvraient encore les champs. L'épaisse moquette du plancher absorbait parfaitement le bruit des pas, si bien qu'il ne put soupçonner une présence étrangère dans la pièce.

— Tu as de la visite, Nelson! Quelqu'un que tu n'attendais pas.

Au timbre de la voix, Nelson Vallée se retourna d'un bond. Son visage pâlit, ses traits s'affaissèrent et ses lèvres se contorsionnèrent en un rictus amer. Un très long temps, les deux adversaires se regardèrent dans le silence le plus total. L'atmosphère devint lourde et un courant de haine partagée circula dans la pièce.

— Agnès Mercier! Comme tout s'éclaircit maintenant! Pourquoi n'y ai-je donc pas pensé!... C'est chez vous qu'Hélène se terrait pendant ces longs mois où je la croyais morte.

— Oui, c'est chez moi qu'elle était! Tu n'as pas réussi à la tuer. Une indigestion lui a sauvé la vie. Hélène m'a tout raconté. Je connais tes crimes, salaud!... C'est le temps des comptes. Tu vas payer pour tout le mal que tu as fait. Je suis venue te tuer, Nelson.

— Je m'en doute, dit-il, en fixant l'arme qui le pointait.

— Tu as tué Alain. Il a connu par ta faute une mort atroce, une mort horrible. Mais je ne te laisserai pas tuer Hélène. Ce type que tu as payé pour l'éliminer a été pris en chasse ce matin par la police. Le lieutenant-détective Langlois est au courant de tout. Tu es un fou dangereux et un imposteur aux appétits insatiables. Tu vas mourir, Nelson Vallée.

Nelson plongea la main dans la poche de son costume et le contact froid du métal le rassura.

— Si vous me tuez, Agnès Mercier, vous n'ignorez pas que vous finirez vos jours en prison.

— Cela m'est égal de mourir en prison pour le peu de temps qu'il me reste à vivre ! Je suis atteinte de leucémie et je n'en ai que pour quelques semaines. Comme tu vois, je suis en très bonne posture pour mettre définitivement un terme à ton règne de monstruosité. Je n'ai plus rien à perdre, moi !

— Si la police est au courant de tout, pourquoi ne pas la laisser régler cette affaire elle-même ?

Un sourire sardonique se dessina sur les lèvres de la vieille demoiselle.

— Pour que tu lui files entre les pattes, assassin ! JAMAIS !

Nelson sortit son arme et, dans un geste rapide comme l'éclair, pointa le canon sur l'ex-secrétaire des présidents Chabrol. Les coups partirent en même temps et les deux corps s'écroulèrent sur le sol, à quelques mètres de distance l'un de l'autre.

* * *

Nelson mourut sur-le-champ. Le médecin qui constata le décès révéla que la balle s'était logée en plein coeur. Dans l'ambulance qui conduisait Agnès Mercier à l'hôpital, la vie de celle-ci ne tenait plus qu'à un fil. Le foie était touché. Du sang s'écoulait de son abdomen malgré les bandages très compacts qui fermaient la plaie. Tante Agnès, nouée à la civière, était accompagnée de Richard O'Neil qui lui tenait la main. Une douleur contractait parfois le visage de la moribonde, qui semblait éprouver une grande difficulté à respirer. Le calmant qui l'avait projetée dans un état de demi-conscience ne faisait plus effet. Agnès Mercier ouvrit les yeux et reconnut le visage familier de Richard O'Neil penché sur elle. Un léger sourire apparut sur ses lèvres exsangues.

— Je dois te parler, Richard, chuchota-t-elle péniblement.

— Non, Agnès, pas maintenant. Tu dois te reposer.

— Je vais mourir, Richard... Je veux que tu saches que Nelson a voulu tuer Hélène... Mais il n'a pas réussi... Hélène est vivante. Elle se cache chez moi.

— Que dis-tu ? lança Richard, stupéfait. Agnès, es-tu parfaitement consciente de ce que tu dis ?

La vieille secrétaire hocha la tête.

— Oui, murmura-t-elle avec difficulté. Je suis très consciente... C'est la plus stricte vérité... En ce moment, Hélène est avec le lieutenant-détective Langlois... Elle te racontera tout.

Agnès Mercier ferma les yeux. Sa respiration devenait de plus en plus pénible. Quelques instants plus tard, elle poursuivait, disait quelques mots et reprenait son souffle.

— Nelson a tué Alain... Il a placé des explosifs dans son hélicoptère...Alain était mon fils, Richard. Tu comprends, c'était mon fils, mon petit garçon à moi et... à Joseph... Pour lui rendre justice et aussi... pour préserver la vie d'Hélène... j'ai tué Nelson... Oui, j'ai commis un meurtre, Richard... Un meurtre.

Soudain, des larmes remplirent les yeux d'Agnès Mercier.

— Crois-tu que... le Seigneur comprendra... et me pardonnera ? J'aurai bientôt à paraître... devant lui.

Richard, la gorge contractée par des sanglots, ravalait difficilement ses larmes. Il hocha la tête.

— J'en suis certain, Agnès. Dieu ne refuse jamais le pardon à ceux qui l'implorent, réussit-il à dire d'une voix profondément secouée par l'émotion.

Les lèvres d'Agnès Mercier s'articulèrent et Richard O'Neil comprit qu'elle priait. Puis les dernières paroles que tante Agnès prononça avant de disparaître dans le coma furent pour son vieux compagnon des premières batailles.

— Ne laisse pas tomber les aciéries, Richard... Tu es le seul sur qui Hélène pourra compter désormais... Sans toi, cette immense flotte ira à la dérive... Nous avons tellement travaillé, Joseph, François... Alain... toi, moi et... les autres, les vieux employés... Tout ce travail ne peut pas basculer dans l'oubli. Il ne faut pas... Il ne faut pas... Embrasse Hélène pour moi... Et Mélissa... et Stéphanie...

Chapitre 18

La télévision et la radio étaient déjà sur place quand le lieutenant-détective Langlois, accompagné d'Hélène Vallée, arriva sur les lieux de la tragédie. Immédiatement, une horde de journalistes les entourèrent et des flashes les bombardèrent de toutes parts. Des éclats de voix retentirent en même temps :

— Comment est-ce arrivé, inspecteur ? Qui a tué Nelson Vallée ?

— Et cette dame qui est blessée, qui est-elle ? Est-ce une balle égarée qui l'a touchée ?

Le policier demanda à la foule de s'écarter, serra le bras d'Hélène et accéléra le pas.

— Je ne peux rien dire pour l'instant. La presse sera avisée plus tard, dit-il.

— Qui est cette dame qui vous accompagne ? lança la voix d'un journaliste qui tenait un micro dans ses mains.

— Je crois que je la connais, reprit une voix de

femme qui leva les yeux de son calepin de notes. Oui, c'est bien Hélène Vallée, la présidente des Aciéries Chabrol.

Dans son bouleversement, Hélène avait oublié de dissimuler son visage derrière ses larges verres fumés. De plus, le vent qui soufflait dégageait bien ses traits, ramenant ses cheveux vers l'arrière, de sorte qu'elle ne pouvait plus jouer avec son identité. C'était bien elle, Hélène Vallée, celle dont la photographie avait été publiée régulièrement dans les journaux ces dernières semaines.

— Que se passe-t-il donc ici ? cria un journaliste qui fermait le cercle. Hier les journaux officialisaient la mort de madame Vallée. Qu'est-ce que cela signifie ? Monsieur l'inspecteur, cette dame est-elle réellement la présidente des Aciéries Chabrol ?

À cette nouvelle fracassante, les journalistes s'étaient de nouveau agglutinés autour d'Hélène et du policier, les immobilisant sur place.

— Oui, cette dame est bien madame Vallée, lança le policier d'un ton ennuyé. Maintenant, ça suffit. Dégagez !

— Madame Vallée, comment la presse doit-elle interpréter votre disparition ? demanda un journaliste en braquant un micro sous la bouche d'Hélène.

Hélène tourna la tête et ne répondit pas.

— Est-ce que cette disparition était volontaire ? Ou vous a-t-on tenue en otage ?

Pressée de questions de part et d'autre, Hélène, bouleversée à l'extrême par ce nouveau drame qui la frappait, se sentait étouffée et perdue au milieu de cette foule qui ne semblait pas comprendre que ses jambes ne la portaient plus et qu'elle était sur le point de s'évanouir. Enfin, quelques policiers qui se trouvaient à l'intérieur de l'édifice furent alertés par le portier et ils vinrent aussitôt leur prêter main-forte. Quelques secondes plus tard, Hélène et le policier se retrouvaient dans le hall, à l'abri de cette meute inhumaine.

Toute l'heure durant, Hélène, les yeux embués de larmes, répondit à une foule de questions et prêta volontiers son concours aux enquêteurs. Dès qu'elle fut libérée de ses fonctions, elle quitta l'aciérie et se rendit à l'hôpital Notre-Dame, véhiculée gracieusement par une voiture de la police. Déjà, les médias d'information publiaient la nouvelle et Hélène, une fois de plus, fut assiégée par les journalistes. Elle ne répondit à aucune question et les policiers qui l'escortaient lui dégagèrent la voie. Finalement, elle se retrouva rapidement dans la chambre de tante Agnès, dont la porte était surveillée par un agent de police, mais la vieille demoiselle venait de partir pour la salle d'opération.

Richard vit Hélène venir vers lui et c'est dans ses bras qu'elle se réfugia. Très longtemps, elle pleura, le visage dissimulé contre la large poitrine de cet homme, de cet ami si merveilleux sur qui elle avait toujours pu compter. En proie à de gros sanglots et saisie de tremblements, Hélène se serrait contre Richard, comme une enfant contre son père. Richard, ému aux larmes, la tenait étroitement contre lui, caressait ses cheveux, n'en croyant pas ses yeux. Hélène, sa chère petite Hélène, était là tout contre lui, bien vivante. Pendant ces longs mois où sa disparition était devenue un fait officiel, il avait vécu un véritable cauchemar. Comment avait-il fait pour la croire morte ? Comment avait-il pu identifier un cadavre qui n'était pas le sien ? C'était honteux de s'être trompé à ce point ; lui qui l'aimait tant !

— Ça suffit, ma petite enfant ! Ça suffit. Ne pleure plus. Tout est fini maintenant.

Hélène, le visage ruisselant de larmes, le regardait et hochait la tête, essayant de se calmer.

— Merci... Merci d'être là, Richard, furent les premières paroles qu'elle lui adressa.

— Je savais que tu viendrais, Hélène. Je t'attendais. J'ai réclamé du cognac aux infirmières, car j'étais certain que tu aurais besoin d'un petit remontant. Mais il n'y a pas une maudite goutte d'alcool dans cette baraque.

— Comment est-elle ? Croyez-vous qu'elle s'en tirera ? s'enquit Hélène d'un regard bouleversé.

Richard fut absolument incapable de répondre. Ce beau regard qui la fixait exprimait la souffrance, et la voix qui venait de parler ressemblait à la plainte d'un animal blessé.

— Vous comprendrez, Richard. Je n'ai plus qu'elle... dit-elle en essuyant ses joues du bout des doigts.

— Mais non, ma petite enfant. Il y a moi... il y a moi qui t'aime tant, ma chérie... Et puis, si tu savais combien sont nombreux les gens à l'aciérie qui ressentent beaucoup d'affection pour leur jeune présidente.

Hélène s'écarta de Richard et sortit un papier-mouchoir de son sac.

— Si je comprends bien, elle va mourir, n'est-ce pas ?

Il détourna les yeux et fit un léger signe de la tête.

— Oui, je crois qu'elle va mourir, Hélène. C'est terrible à avouer, mais je suis incapable de te mentir, chère... Agnès est tombée dans le coma juste avant d'arriver à l'hôpital. Les chirurgiens sont en train de lui extraire une balle du foie. Mais elle est très malade, Hélène. L'interniste qui la traitait vient tout juste de sortir d'ici. Ne savais-tu pas, ma petite enfant, qu'Agnès Mercier était atteinte de leucémie ?

Les traits se figèrent sur le visage de la jeune femme. Elle demeura sur place, immobile, les yeux rivés à ceux de son compagnon. Pendant quelques secondes, rien ne filtra dans son regard. On eût dit que cette nouvelle terrifiante avait paralysé son cerveau, laissant l'impression qu'elle s'était endormie les yeux ouverts. Peu à peu, Richard sentit qu'elle déployait un grand effort pour apprivoiser cette idée. De nouveau ses yeux se remplirent d'eau et elle devint soudainement très songeuse. À présent, Hélène s'expliquait beaucoup de choses. Les traitements réguliers de tante Agnès à l'hôpital, et qui la rendaient si faible, devaient être de la chimiothérapie. Plusieurs fois aussi, les médecins lui avaient prescrit des transfusions de sang, qui lui donnaient de jolies couleurs durant les jours qui suivaient. Pourtant, malgré cela, elle dépérissait à vue d'oeil, mangeait avec difficulté, ses cheveux s'éclaircissaient. Puis elle parlait de l'avenir en termes si vagues, si imprécis, qu'Hélène aurait dû se douter que la vieille demoiselle était plus malade qu'elle ne le montrait. Enfin, cette promesse toute récente qu'elle avait obtenue d'Hélène de prendre soin des fillettes, si jamais il lui arrivait quelque chose... Oui, cette promesse, n'était-elle pas une preuve en soi qu'Agnès Mercier s'attendait à une mort prochaine ?

Hélène se laissa choir dans le fauteuil et s'accabla de reproches. Si seulement elle avait été plus perspicace, la santé de tante Agnès ne serait peut-être pas en si mauvais état ! Elle l'aurait emmenée consulter les plus grands spécialistes du monde. Où qu'ils fussent, elles y seraient allées toutes les deux et Hélène n'aurait rien épargné pour que les médecins pussent la soigner et lui redonner une santé florissante. Mais elle n'avait rien su, rien deviné et tante Agnès allait mourir de cette maladie qui avait emporté tous les siens. Ils étaient morts les uns après les autres, et Hélène n'avait pas su prévoir cette éventualité. Les statistiques étaient là devant elle, lui crevant les yeux, et elle ne les avait même pas remarquées. Les reproches affluèrent de toutes les infimes parties de son cerveau, martelant son coeur et la blâmant de son inconscience. De son côté, tante Agnès avait fait montre d'une perspicacité et d'une générosité exceptionnelles à son endroit. Pas un instant elle n'avait hésité à lui venir en aide. Au péril de sa vie, elle avait pris la résolution d'éliminer elle-même cet époux monstrueux, parce qu'elle avait présumé que la police, faute de preuves, ne pourrait agir assez rapidement. Pour sauver la vie d'Hélène, Agnès Mercier avait sacrifié la sienne.

De nouveau, le chagrin gonfla le coeur de la jeune femme. De grosses larmes réapparurent et se mirent à ruisseler sur ses joues. La voix de Richard bourdonna à ses oreilles et elle dut faire un immense effort pour l'écouter.

— Si cela peut te consoler, dit-il d'une voix très douce, elle n'avait plus que quelques semaines à vivre, m'a affirmé le médecin. Cet accident va simplement accélérer la fin. Comme elle est dans le coma, elle ne souffre pas. Je crois qu'il faut, toi et moi, considérer cette pénible réalité sous cet angle-là... Elle ne souffre plus !

Richard s'assit dans le fauteuil voisin. Hélène leva la tête et vit les larmes embuer ses yeux.

— À l'aciérie, elle fut de loin la meilleure secrétaire que nous ayons jamais eue. C'était une travailleuse acharnée, pleine d'initiative et d'enthousiasme. Agnès était une femme extraordinaire sur tous les plans, Hélène. Elle était dotée d'un caractère en or, riait facilement tout en étant extrêmement sérieuse. Travailler avec elle, c'était stimulant et agréable. Son cerveau bouillait d'idées qui s'avéraient souvent réalisables. À une certaine époque, on eût dit que l'aciérie lui appartenait, tellement elle prenait tout à coeur. Parfois, j'en faisais la remarque à Joseph. Il riait et approuvait, mais il ne semblait pas s'apercevoir qu'elle nous menait tous par le bout du nez. Pour être tout à fait honnête, il faut dire qu'elle le faisait avec tellement de tact que ça ne se voyait pas facilement. À sa façon, Agnès Mercier a beaucoup contribué à l'avancement de l'aciérie. Sa mort va m'affecter autant que son départ après la mort d'Alain. On ne peut pas travailler ensemble pendant près de quarante ans sans que des liens étroits se forment et nous unissent profondément.

Richard se tut, ferma les paupières très fortement comme pour empêcher les larmes de surgir encore, et poursuivit :

— Agnès a eu le temps de me parler de certaines choses avant que le coma ne vienne endormir son cerveau. Je crois bien qu'elle m'a raconté tout cela dans le but que je vous en instruise à mon tour, ma chère enfant.

De nouveau, Richard s'était mis à vouvoyer Hélène et celle-ci le remarqua, mais aucune réaction ne transpira sur son visage.

— Elle vous aimait beaucoup, Hélène.

— Oui, Nous étions très proches l'une de l'autre. Elle a toujours fait partie de ma vie. Elle était plus qu'une amie. En réalité, je crois que je l'ai toujours considérée un peu comme une seconde mère, opina la jeune femme. Et aujourd'hui, tante Agnès a sacrifié sa vie pour moi, pour que je puisse connaître une existence calme et normale.

— Hélène, je vis en plein mystère depuis la mi-janvier. Je vous en prie, racontez-moi par le menu tout ce qui s'est passé entre Nelson et vous. Agnès m'a appris qu'il avait voulu vous assassiner. Est-ce vrai ? Est-ce possible ?

— Oui, c'est exact. C'est la vérité la plus sordide que j'aie jamais été obligée d'avouer. À la pointe du revolver, Nelson m'a sommée d'avaler tout un flacon de barbituriques. Au moment où je sombrais dans un sommeil profond, mon mari a dû quitter la chambre, croyant sans doute que la mort m'emporterait. C'est un vrai miracle si je vis encore. Je vous le jure. Un vrai miracle ! Car une simple indigestion m'a sauvé la vie. Mon pauvre petit frère Alain n'a pas eu autant de chance que moi. Lui, il est mort. Nelson l'a tué. Mon mari m'a avoué lui-même, quelques instants avant que j'avale la drogue, qu'il avait placé des explosifs dans l'hélicoptère la nuit qui a précédé sa mort.

— Oui, je sais, dit Richard. Agnès m'a également appris cette nouvelle aussi terrifiante qu'incroyable. Mais à quel monstre étiez-vous donc mariée, ma petite fille ?

Hélène courba la tête dans une expression d'accablement. Un sentiment de pitié envahit Richard. Il se rapprocha d'elle et lui prit la main.

— Il est mort à présent. Il ne pourra plus jamais vous faire de mal, chère.

— Je ne ressens aucune tristesse de sa mort. Au contraire, je me sens parcourue d'une grande paix, d'un profond sentiment de délivrance. Tout à l'heure, j'ai vu son corps étendu sur le plancher. Nelson baignait, immobile, dans une grande mare de sang. C'est terrible, mais je n'ai éprouvé aucune pitié pour lui. Cet homme était mon mari, et, pendant que je le regardais à mes pieds, totalement impuissant, submergé par la mort, un doux sentiment de bien-être m'a envahie. Je me sentais libre, enfin libre. Le cauchemar se terminait.

Hélène soupira et serra les lèvres en secouant la tête. Ensuite elle ajouta :

— Puis mes yeux se sont fixés sur l'autre mare de sang et, malgré moi, je me suis mise à pleurer. Incapable de supporter davantage cette vision du sacrifice de tante

Agnès, j'ai quitté la pièce et je suis allée m'asseoir dans la salle de conférences.

— Vous n'auriez pas dû entrer dans le bureau de Nelson, Hélène. C'était un spectacle horrible à voir. Vous vous êtes fait du mal inutilement... Donc, pour revenir au sujet de tout à l'heure, c'est une indigestion qui vous a sauvé la vie. Que s'est-il passé ensuite ? J'ai tellement hâte de connaître toute la vérité. Mais je ne veux pas abuser de vos forces. Est-ce trop vous demander, chère ?

Hélène fit signe que non et, en buvant le café qu'une infirmière, par l'intervention de Richard, venait de lui apporter, elle reprit le récit qu'elle avait communiqué quelques heures plus tôt au détective Langlois, avec cette différence que l'oreille qui écoutait était beaucoup plus impliquée, plus compatissante également. Quand elle eut terminé, un courant nerveux glaçait tous ses membres et une sensation d'épuisement total la terrassait. Richard, le visage livide, n'avait jamais éprouvé un tel bouleversement de sa vie.

— C'est incroyable ! lança-t-il. Absolument incroyable ! J'ai l'impression de faire un cauchemar. Et pourtant cela s'est passé dans la vraie vie, dans votre vie à vous, ma petite fille chérie. Je le répète, c'est inimaginable !

La colère jaillit tout à coup dans son regard et son visage s'empourpra. Richard se leva, fit quelques pas et lança furieusement :

— Oh ! que ce salaud m'a fait marcher ! Quel imbécile j'ai été de le croire ! Je me déteste. Oh ! que je me déteste de m'être fait rouler comme un enfant.

— Consolez-vous, Richard, vous n'étiez pas le seul. Il a fait marcher tout le monde. Mon père, moi, Alain, les enquêteurs qu'il avait lui-même engagés après la mort de ce dernier, François, et pour finir le lieutenant-détective Langlois en personne. Ce détective supposément si remarquable ! La seule personne qui ne soit jamais entrée dans son jeu, c'est Agnès Mercier. Il faut lui rendre hommage. Oui, il faut rendre hommage à sa grande perspicacité. Malgré cela, voyez-vous, elle n'était pas encore de taille avec lui, puisqu'elle y a laissé sa peau. Elle aurait dû tirer en ouvrant la porte de son bureau, avant même qu'il puisse réagir. Ainsi, elle aurait préservé sa vie.

— Je suis convaincu qu'elle aurait pu le faire, Hélène, mais je crois qu'elle était trop consciente du meurtre qu'elle allait commettre. Telle que je la connais, consciencieuse et loyale, elle ne pouvait tuer Nelson sans lui dire pourquoi. De plus, comme elle n'était pas dotée d'une âme d'assassin, ce geste a dû lui être extrêmement pénible. Religieuse comme elle l'était, ce meurtre était avant tout à ses yeux un crime devant Dieu.

— Oui, murmura Hélène, elle a dû éprouver de terribles problèmes de conscience. Elle était si pieuse, si profondément croyante.

Richard alla à la fenêtre et regarda dehors. C'était l'heure de pointe. Dans les rues, le trafic était dense. Les travailleurs rentraient chez eux.

— Pourquoi, Hélène, en revenant du mont Tremblant ne m'avez-vous pas téléphoné pour me raconter tout ce qui venait de se passer entre votre mari et vous ? Je vous jure que la police aurait découvert le corps de Nelson étranglé dans quelque fossé qui longe les routes au nord de l'aciérie.

Hélène sourit du coin des lèvres.

— Je voulais le faire, mais tante Agnès m'en a dissuadée. Elle m'a dit textuellement ce jour-là : « Je te jure, Hélène, que si Richard l'apprend, fort et agressif comme il l'est, il va étrangler Nelson d'une seule main. Mieux vaut pour lui et pour nous qu'il ne sache rien. Cet homme a consacré toute sa vie à l'aciérie. J'ai trop d'estime pour lui pour qu'il aille finir ses jours en prison. »

Richard se retourna brusquement.

— A-t-elle réellement dit cela ?

— Oui, fit Hélène.

Il se mit à sourire.

— C'était tout un petit bout de femme ! Votre père savait dès le premier jour que c'était une femme exceptionnelle.

— Il a eu de la chance, dit Hélène d'une voix un peu mordante. Il en a eu deux dans la vie.

Richard avait saisi la nuance.

— Je ne crois pas que votre mère eût beaucoup à souffrir de la présence d'Agnès dans la vie de Joseph.

Hélène jeta à Richard un regard de biais.

— Il n'y a pas sur la terre une seule femme amoureuse de son mari qui puisse supporter le partage sans en souffrir un peu.

— Je ne le nie pas. Mais Agnès et Joseph, c'était autre chose. Je pense que ce fut toujours et avant tout une union de l'esprit. Au travail, ils formaient un tout, une entité. Intellectuellement, ils se complétaient merveilleusement bien. C'était extrêmement intéressant de les entendre discuter ensemble. Leurs dialogues étaient vifs et animés. J'assistais toujours aux réunions avec beaucoup de plaisir. Vous auriez été de mon avis, Hélène, si vous aviez été là.

— Je ne doute pas, Richard, qu'ils aient été heureux de travailler ensemble. Leur vie a été pleine de défis. Et ils étaient tous les deux des bâtisseurs. Mais je sais également qu'Agnès Mercier adorait mon père sur tous les plans. Toute sa vie, elle a été très amoureuse de lui. Pourtant elle n'était pas heureuse, parce que cet amour interdit la tourmentait. Car elle éprouvait aussi pour ma mère une grande affection et elle ne voulait pas lui faire de la peine. Il faut dire qu'elle a vécu à une époque où les gens avaient plus de conscience qu'aujourd'hui. Puis tante Agnès m'a avoué que ma mère et elle ont convenu d'un pacte entre elles. Toutefois, j'ignore de quel ordre était ce pacte. Elle ne me l'a jamais dévoilé et ma mère non plus.

Richard demeura songeur. Il fixa un point invisible derrière la jeune femme et demanda :

— Hélène, savez-vous qui étaient les parents d'Alain ?

— Alain était un enfant adoptif. À cette époque-là, les noms des parents n'étaient jamais divulgués.

— Je vais vous dévoiler un secret, dit-il. Un secret que je soupçonnais depuis des années, mais qu'Agnès m'a confirmé aujourd'hui dans l'ambulance.

Les larmes avaient disparu des yeux d'Hélène. Elle semblait également plus calme. L'oreille tendue, la jeune femme était maintenant suspendue aux lèvres de Richard.

— Je vous écoute, dit-elle.

— Agnès Mercier était la mère d'Alain.

Hélène demeura interdite, incapable de parler. Immobile, elle regardait droit devant elle, les yeux fixés sur Richard, qu'elle ne voyait plus. Un long moment s'écoula ainsi. Finalement, elle se leva, fit quelques pas, alla à la fenêtre et observa le soleil, à demi étendu sur un lit de nuages, basculer derrière l'horizon.

— Tante Agnès a eu cet enfant de mon père. C'est cela, n'est-ce pas ?

— Oui. Joseph était le vrai père d'Alain.

Hélène s'appuya contre le mur et observa Richard.

— Au début de son mariage, je sais que ma mère se croyait dans l'impossibilité d'avoir des enfants, mais je ne comprends pas pourquoi tante Agnès lui a donné le sien ?

— Ça s'explique assez facilement, dit Richard. Mais pour cela, il faut revenir quarante ans en arrière et considérer les moeurs de l'époque. Agnès Mercier avait beaucoup de principes, beaucoup d'ordre également. Or, certaines circonstances que je présume au-delà des forces de sa volonté ont fait d'elle une fille-mère, et de son bébé un enfant illégitime. Telle que je la connais, elle n'a pu concevoir que son propre fils soit exclu de l'ordre social. Elle a préféré se sacrifier en donnant son enfant à votre mère pour qu'il soit élevé dans une vraie famille. Joseph l'a reconnu officiellement et votre mère, avec son caractère doux et bienveillant, l'a aimé comme s'il était le sien. Je sais qu'elle n'a jamais fait de différence entre Alain et vous, et Agnès Mercier en était heureuse et pleinement consciente. C'est probablement pour cette raison qu'Agnès vous aimait tant et qu'elle vous considérait un peu comme sa fille.

— Voilà pourquoi Agnès Mercier faisait partie de la famille ! Maintenant, je comprends tout ! déclara Hélène. Deux femmes, plutôt deux mères, qui se partageaient les enfants d'un même homme.

Hélène se tut et devint songeuse. Richard se rapprocha d'elle et lui entoura les épaules de son bras. Il ne pouvait supporter de la voir s'éloigner de lui.

— Qu'est-ce qui ne va pas, chère ?

— Dites-moi, Richard ! Pourquoi mes parents m'ont-ils tenue à l'écart de ce secret ? En avaient-ils honte ?

Richard sourcilla.

— C'est possible. Je ne sais pas. Cela faisait probablement partie du pacte entre votre mère et Agnès. Ce pacte devait être un secret, et autrefois on enterrait les secrets avec les morts.

— Alors, pourquoi tante Agnès l'a-t-elle dévoilé aujourd'hui ? Car ma mère sur son lit de mort ne nous l'a jamais dit, ni à Alain ni à moi.

Richard réfléchit et opina :

— Probablement parce que les circonstances sont différentes. Votre mère est partie l'âme en paix, alors qu'Agnès Mercier avait la conscience torturée par le crime qu'elle venait de commettre. Je suis convaincu qu'elle voulait se justifier, Hélène, quand elle m'a dit : « Nelson a tué Alain. Il a placé des explosifs dans l'hélicoptère... Alain était mon fils, Richard. Tu comprends, c'était mon fils, mon petit garçon à moi et... à Joseph. Pour lui rendre justice... et aussi pour qu'Hélène puisse vivre en paix, j'ai tué Nelson. Oui, j'ai commis un meurtre, Richard... Un meurtre... » Puis les larmes ont noyé ses yeux, Hélène, et j'ai su à quel point elle souffrait moralement.

— Pauvre femme ! murmura Hélène. Quelle pitié ! Jusqu'à la fin, elle aura connu les tourments de l'âme.

Puis un silence de plomb tomba entre eux. Hélène et Richard, plongés chacun dans leurs pensées, réfléchissaient. Quelques instants plus tard, Hélène ajoutait avec tristesse :

— Je trouve regrettable qu'Alain n'ait jamais su qu'Agnès Mercier était sa vraie mère.

Richard ébaucha un sourire malicieux.

— Parce que vous croyez qu'Alain ne l'a jamais deviné ? Non, chère. Je suis persuadé qu'Alain avait percé le mystère de sa naissance. Un jour, après que Joseph eût cédé la présidence à son fils, je me souviens qu'Agnès Mercier avait longuement réprimandé Alain parce qu'il venait de passer de longues heures plongé dans le moteur de son hélicoptère. Alain ne s'irritait pas facilement. Il était doux et patient, mais cette fois, il surgit du moteur, rouge de colère, et lança :

« Agnès Mercier, si vous n'aviez pas des yeux de ce même bleu que les miens, je vous jure que parfois je vous flanquerais à la porte. »

« Agnès répliqua :

— Très bien, je m'en vais, espèce d'ingrat. Mais tu n'as pas fini de chercher une secrétaire qui pourra me remplacer. »

« Elle tourna les talons et je vis Agnès, d'un pas insulté, se diriger vers les bureaux. Alain descendit de son perchoir et courut vers elle. Je l'entendis dire :

— Mais non ! Je ne veux pas que vous partiez. Agnès, arrêtez de courir ainsi ! Non, je ne veux pas que tu t'en ailles, Agnès... J'ai besoin de toi. J'ai toujours besoin de toi, tu le sais bien ! »

« Agnès Mercier s'immobilisa et Alain mit ses bras autour de son cou. Il murmura avec un sourire espiègle :

— Tu sais bien, Agnès, qu'il n'y a personne autour du globe pour t'arriver à la cheville... Et qu'est-ce que je ferais sans toi, hein ? »

« Agnès Mercier avait souri. Elle l'avait embrassé sur la joue et avait déclaré :

— Si tu insistes, je vais rester !

— J'insiste.

— Ne me dis plus jamais que tu vas me flanquer à la porte. Promis ?

— Promis. Je ne le dirai plus jamais... mamie. »

« Ils se regardèrent très longtemps et, quand je croisai Agnès Mercier, je vis qu'il y avait des larmes dans ses yeux. Des scènes comme celle-ci, il y en a eu d'autres, Hélène. Mais ce fut la seule fois à ma connaissance où Alain l'a surnommée « mamie ». Ce n'était pas dans ses habitudes non plus de la tutoyer. »

Hélène souligna, le visage éclairé d'un sourire radieux :

— Quel bonheur elle a dû ressentir ce jour-là ! Je me mets volontiers à sa place. Alain, aussi, a dû être heureux de lui témoigner à sa façon qu'il savait ce qu'elle était pour lui.

— Oui, en effet. Je me rappelle que ce jour-là ils flottaient un peu, tous les deux.

Richard jeta un coup d'oeil à sa montre.

— Ça fait exactement deux heures qu'Agnès est partie pour la salle d'opération.

— Nous avons encore quelques heures à attendre. Les opérés passent ensuite un certain temps à la salle de réveil... si jamais elle se réveille.

— Ne soyons pas pessimistes. Un ami anesthésiste m'a déjà déclaré que très, très peu de gens meurent sur la table d'opération. Le pourcentage est tellement infime qu'il est presque rassurant de se faire opérer.

— Oui, c'est rassurant pour les braves, pour ceux qui n'ont pas peur du bistouri, avoua la jeune femme, mais les autres, ils s'inquiètent.

Puis elle demanda, un peu plus tard :

— Dites-moi, Richard, est-ce que tante Agnès a mentionné autre chose dans l'ambulance ?

— Oui. Elle m'a demandé de ne pas laisser tomber les aciéries. Et puis ses toutes dernières paroles ont été : « Embrasse pour moi Hélène... Et Mélissa... et Stéphanie. »

* * *

Le soir même du drame, Richard prit les choses en main. Il s'occupa de tout, vraiment de tout. D'abord, il rejoignit Maria qui accepta avec plaisir de garder les deux fillettes pendant les prochains jours. La domestique vivait dans l'euphorie depuis qu'elle avait appris la nouvelle au journal télévisé de six heures. La mort de Nelson la laissait complètement indifférente, mais quel bonheur elle avait éprouvé d'apprendre que sa maîtresse était bel et bien vivante ! Richard sut de Maria que la résidence des Vallée était assiégée par les journalistes. Madame Julien, avec qui Hélène avait conversé un peu plus tôt au sujet des enfants, fit le même commentaire. De nouveau, l'accablement s'inscrivait sur le visage de la jeune femme à l'idée d'être pourchassée par tous ces gens qui n'en finissaient plus avec leurs questions embarrassantes.

— Je ne veux voir personne... je suis incapable de rencontrer qui que ce soit d'autre que vous, Richard... Absolument incapable.

Elle secoua la tête dans un geste d'impuissance et ses yeux se voilèrent de lassitude. Sur son front, de petites rides apparurent. L'angoisse à nouveau contracta sa gorge. Elle ravala difficilement sa salive. Richard se pencha vers elle et emprisonna son visage dans ses mains.

— Ne vous tourmentez plus, chère. Il n'est nullement question que ma petite fille chérie soit confrontée avec qui que ce soit d'autre que moi. Vous ne serez pas importunée, je vous le promets. Je vais retenir immédiatement une suite au Château Champlain. Je connais très bien la direction et vous allez vous installer dans cet hôtel pour la semaine avec Maria et les enfants. Personne ne pourra vous rejoindre et vous aurez la paix. Qu'est-ce que vous en dites ?

Hélène posa ses mains sur celles de cet homme bon et compréhensif, et lui sourit.

— Merci, murmura-t-elle, merci beaucoup.

Ainsi que Richard l'avait promis, la direction de l'hôtel s'avéra des plus coopératives et Hélène connut enfin le calme et le repos dont elle avait le plus grand besoin. Le directeur en personne s'occupa de sa célèbre cliente et la présidente des Aciéries Chabrol n'eut jamais à passer par le hall d'entrée pour rejoindre ses appartements.

Hélène quittait tôt le matin après le déjeuner des fillettes et se rendait à l'hôpital à l'unité des soins intensifs où reposait tante Agnès. L'opération en soi était un succès, mais l'état général de la vieille demoiselle se détériorait graduellement. La leucémie continuait son oeuvre, malgré les nombreuses transfusions de sang que les médecins lui avaient prescrites. Elle était demeurée dans le coma et l'interniste qui la suivait n'entretenait guère d'espoir à son sujet. Le lieutenant-détective Langlois venait régulièrement visiter la patiente, guettant un moment de lucidité, en vue de l'interroger.

— J'ai l'impression que vous perdez votre temps, monsieur Langlois, lui dit Hélène. Cette femme va mourir. Elle ne reprendra jamais conscience. J'en suis certaine.

— Je ne fais que mon devoir, madame Vallée. Je dois être ici parce que mes fonctions l'exigent, bien que je partage votre avis.

— Elle est très malade et je ne veux plus qu'elle souffre. J'espère que la mort la délivrera bientôt. Dans son cas, la mort est certainement la meilleure des solutions. Oui, que Dieu fasse qu'elle meure ici en paix !

Hélène jeta un regard plein d'affection sur le pauvre corps inerte de tante Agnès et opina :

— Je suis absolument incapable de soutenir l'idée qu'elle puisse passer un seul jour derrière les barreaux. Agnès Mercier n'est pas une criminelle !

Le visage du policier devint grave et il eut l'air pensif. Après un temps, il mentionna :

— Cet après-midi à trois heures, ainsi que je vous l'ai dit, nous aurons le rapport de l'autopsie du corps de votre mari. Quand pensez-vous procéder aux funérailles ?

— Tout a été mis au point pour demain. Le service religieux a été fixé à deux heures. Si tout fonctionne normalement, ce soir, je recevrai les condoléances des employés des aciéries entre huit et dix heures, dit-elle d'un ton mêlé d'anxiété et de lassitude.

— Je vous souhaite bon courage, madame... Je crois que vous en aurez besoin, commenta-t-il avec amabilité.

— Je vous remercie, murmura Hélène en détournant les yeux.

L'inspecteur vit soudain sur les traits de la jeune femme combien elle paraissait tendue, surmenée. Une vague de pitié le submergea, car ce visage doux et charmant qui le regardait parfois avec tant d'abandon lui rappelait celui de sa fille aînée, qu'une mort accidentelle était venue lui ravir cinq années plus tôt. Il ajouta affectueusement :

— Quelques heures de repos vous seraient utiles avant d'entreprendre cette soirée exténuante où les curieux seront nombreux, j'en ai bien peur.

— Moi aussi, je le crains. Je suivrai votre conseil et j'essaierai de me reposer cet après-midi.

— Au fait, vous ai-je dit que Brigitte Dubois a disparu ? Mon confrère et moi sommes absolument impuissants à la contacter. À plusieurs reprises, je me suis rendu au condominium dont vous m'avez donné l'adresse et il n'y avait personne. Ce matin, avant de venir à l'hôpital, j'ai fait ouvrir la porte par l'administration. Dans les placards et les tiroirs des commodes, il n'y avait que des vêtements d'homme. J'ai la certitude qu'elle s'est enfuie avec toutes ses affaires.

— Cela ne m'étonne pas, fit Hélène. C'est une femme très habile. J'avais le pressentiment qu'elle serait introuvable. Par contre, vous m'avez mentionné hier que le conducteur de la TR-7 noire a été arrêté. A-t-il été interrogé ?

— Oui, nous l'avons fait et nous avons perdu notre temps. Il avait des réponses plausibles à toutes nos questions. Par la suite, tout a été vérifié et il est au-dessus de tout soupçon. De plus, cet homme n'a aucun dossier criminel. Toutefois, si dans un an, deux ou trois, vous entendez parler de Brigitte Dubois, faites-le-moi savoir ! J'aimerais l'interroger.

Le soir même, encadrée de ses deux directeurs, Hélène, vêtue sobrement de noir, accueillait les quelque cinq cents visiteurs qui défilèrent devant elle pour lui offrir des condoléances. Un système d'ordre avait été établi par la direction de la maison et personne ne s'attardait trop longtemps sur place, ni devant la dépouille du défunt. Deux photographes qui prirent des instantanés furent jetés dehors et l'inspecteur Langlois, qui se tenait sur les lieux dans l'espoir de voir apparaître la jolie maîtresse de Nelson, se fit remettre les pellicules. Dans le feu de l'action, une jeune femme aux cheveux d'un or flamboyant, striés de mèches couleur de cuivre, et vêtue d'un ample manteau gris perle, très long, qui lui couvrait les chevilles, fit irruption dans la pièce où se trouvait déjà une foule dense et élégante qui se déplaçait à pas feutrés. En peu de temps, son allure étrange fut remarquée et un léger murmure la suivit sur son passage comme elle se frayait un chemin vers la présidente des Aciéries Chabrol. Elle se déroba au système d'ordre et, bientôt, fut interceptée dans sa course par le policier qui l'obligea d'un ton ferme, mais poli, à s'identifier.

— Je suis de la famille, répondit-elle d'un air insulté. Et vous, monsieur, qui êtes-vous ?

— Un policier, madame. Je suis le lieutenant-détective Langlois.

— Ah ! c'est vous ! Enchantée de vous connaître, dit-elle avec assurance. Mais je n'ai pas de chance. C'est à l'aéroport que j'aurais dû vous rencontrer, inspecteur.

Le timbre de la voix un peu rauque de la jeune femme attira soudain l'attention d'Hélène qui leva les yeux en sa direction. Aussitôt, le regard de celle-ci s'anima et, formulant quelques mots d'excuses auprès des gens qui l'entouraient, Hélène délaissa la protection de ses directeurs et se précipita vers la jeune femme avec un sourire heureux.

— Lyne ! Enfin, te voilà !

— Hélène chérie !

Les deux femmes se jetèrent dans les bras l'une de l'autre et s'embrassèrent avec affection, malgré les regards étonnés qui se braquaient sur elles.

— Pardonne-moi, Hélène, d'arriver si tard, dit Lyne, les larmes aux yeux. Crois-moi, je voulais venir tout de suite... après avoir obtenu l'information que tu m'avais demandée, mais...

— ...Je sais, ton passeport a disparu. Ce n'est pas ta faute, Lyne.

— Après des jours de recherches, je l'ai enfin retrouvé ce matin, bien dissimulé sous une pile de revues dans la bibliothèque... J'avais dû l'y ranger distraitement, avoua Lyne en sourcillant. Puis, tout de suite, j'ai couru à l'aéroport et j'ai pris le premier vol disponible. Il m'a fallu faire un détour par Chicago... Je n'ai pas eu de chance.

Les yeux fixés sur le visage de Lyne, qu'un surcroît de maquillage rendait plus expressif encore, Hélène, confondue, fut incapable de retenir un sourire. Personne n'avait ce pouvoir de désarmer les gens comme Lyne Chabrol. Elle avait une façon spontanée, directe et franche d'expliquer les exploits insolites qui, nécessairement, lui arrivaient plus fréquemment qu'aux autres, avec son cerveau très souvent allégé par les vapeurs éthyliques, et qui vous coupaient le souffle. Puis Hélène regarda le policier et fit poliment les présentations.

— Voici ma belle-soeur, Mme Lyne Chabrol, inspecteur Langlois.

— Enchanté, madame, fit le policier en lui tendant la main. Ainsi vous étiez l'épouse de M. Alain Chabrol.

— C'est exact ! monsieur le détective... Cet homme là-bas, dit Lyne en lançant un regard courroucé vers le cercueil, c'est le meurtrier de mon mari.

Elle se tut. Des larmes brillèrent à nouveau dans ses yeux, puis elle détourna vivement la tête pour chasser les sombres pensées qui l'envahissaient et reprit d'une voix assurée :

— Il y a un instant, je vous disais, inspecteur, que j'aurais aimé vous rencontrer à l'aéroport. Oui, Hélène, dit Lyne en posant également son regard sur sa belle-soeur, il m'est arrivé une incroyable aventure en descendant tout à l'heure de l'avion. Le bris de l'une de mes valises m'a obligée de porter plainte au bureau de la compagnie. Je suis montée au deuxième, et c'est là que j'ai aperçu Brigitte Dubois qui quittait le comptoir d'Air Canada. Elle est passée devant moi et j'ai vu qu'elle se dirigeait à vive allure vers la barrière de l'immigration. Alors, je n'ai pas réfléchi longtemps. J'ai laissé là ma valise et je me suis mise à courir après elle en criant à tue-tête qu'elle était une criminelle recherchée par la police. En l'espace de quelques secondes, tout l'aéroport était en alerte. Une foule nous a encerclées et elle a été prise au piège. La police est venue et ils l'ont amenée avec eux. J'ai donné votre nom aux agents qui m'ont questionnée, monsieur le détective Langlois.

Le policier, tout comme Hélène, paraissait abasourdi. Il demeura bouche bée quelques instants, puis arbora un air radieux, félicita la jeune femme et quitta la pièce sur-le-champ. Hélène prit le bras de sa belle-soeur, l'entraîna un peu à l'écart et, tout en lui souriant, déclara d'une voix émue où se lisait un sentiment d'admiration :

— Je te remercie, Lyne, de ton courage. Sans toi, Brigitte nous aurait échappé et jamais la police n'aurait pu l'attraper.

Lyne haussa les épaules et dit sans grand enthousiasme :

— Le hasard m'a bien servie, Hélène. L'avenir nous dira si mon courage, comme tu dis, servira à quelque chose. Brigitte va nier et, sans preuve, nous ne pourrons pas facilement l'incriminer.

— J'ai une preuve contre elle, Lyne. Je te jure qu'elle va payer pour le mal qu'elle m'a fait.

L'ex-femme d'Alain Chabrol murmura alors d'une voix espiègle :

— Merveilleux ! Et si la preuve n'était pas suffisante, Hélène, je sais qu'avec de l'argent on peut faire traîner un procès pendant des années. Elle ne pourra jamais quitter le pays, ni trouver du travail ici. Je m'en charge ! Le grand mannequin aura des rides partout quand, enfin, elle sera acquittée par la cour.

Lyne dut se mordre les lèvres pour ne pas s'esclaffer ouvertement. Un couple se présenta à Hélène pour lui offrir des paroles de condoléances. Puis, lorsque les deux femmes furent de nouveau seules, Hélène s'enquit auprès de sa belle-soeur de l'information que cette dernière devait lui rapporter de Nassau.

— La compagnie Alpha Trust a toujours son siège social à Nassau. Un dénommé Jimmy la dirige, souffla Lyne à voix basse. J'ai invité cet homme à dîner, en me faisant passer pour l'envoyée de Nelson. Je l'ai reçu au Dom Pérignon et il s'est montré assez bavard. Ainsi, j'ai appris qu'Alpha Trust est une compagnie qui oeuvre dans l'immobilier.

— Ça doit être une couverture, opina Hélène.

— Oui, je le crois aussi. Toutefois, j'ai ici, dans mon sac, un rapport officiel d'Alpha Trust qui affiche un actif de trois millions de dollars. Les deux tiers de ce montant semblent être des investissements qui sont entrés dans la compagnie au cours des trois derniers mois.

— Nelson pensait de fuir vers Nassau. Ce nouveau détournement de fonds devait assurer son existence pour l'avenir.

— C'est ce que j'en ai déduit, moi aussi.

Le visage d'Hélène devint pensif, elle baissa les yeux tristement et, tout en faisant un geste à Richard qui l'appelait, elle ajouta à l'endroit de sa belle-soeur :

— Ces services que tu m'as rendus sont inestimables. Je ne les oublierai jamais, Lyne.

* * *

Le lendemain, c'est une Lyne toute différente, presque méconnaissable, qui assistait aux funérailles de Nelson Vallée dans une église bondée à capacité. Vêtue avec une sobriété étonnante, ses cheveux fraîchement coiffés avaient retrouvé cette magnifique nuance de blond cendré qui lui allait si bien. Son visage, bronzé par le soleil du Sud, avait cette jolie teinte dorée qui mettait en relief son beau regard gris-vert, dont la douceur était mise en évidence par un maquillage discret. Lyne, élégante et sobre, paraissait sûre d'elle quand elle remonta l'allée jusqu'à son banc. Tout comme la veille, son passage fut accompagné d'un léger murmure et Lyne, relevant la tête, ignora les coups de coude qu'échangeaient les gens qui la connaissaient. Quand Hélène, digne comme une reine, arriva à sa hauteur quelques instants plus tard, Lyne s'étonna de voir la présidente des Aciéries Chabrol prendre place à ses côtés, la regarder avec admiration et lui murmurer un merci de reconnaissance.

La cérémonie religieuse terminée, un imposant cortège, précédé d'un nombre incalculable de landaus de fleurs, s'ébranla, et, sous les caméras de la télévision, se dirigea très lentement vers le sommet du mont Royal. Dans leurs vêtements de deuil, les deux belles-soeurs, assises sur la banquette de la limousine, échangeaient tranquillement leurs impressions, parlaient de choses et d'autres comme si tout ce spectacle, dans lequel elles ne tenaient qu'un rôle d'apparat, ne les concernait plus.

Plus tard, une larme apparut dans le triste regard d'Hélène quand elle se mit à parler de nouveau de tante Agnès.

— Ce matin, les médecins m'ont avoué que la mort peut venir à tout instant.

Lyne n'eut aucune réaction, comme si les paroles qu'elle venait d'entendre étaient dédiées à quelqu'un d'autre. Ses yeux regardaient dehors, mais en réalité ne voyaient rien de l'activité qui régnait dans la rue. Elle tourna la tête vers Hélène et ajouta sans la regarder :

— Ce soir, j'irai la voir... mais c'est pour te faire plaisir.. et parce qu'elle était la mère d'Alain.

— Tu ne l'as jamais aimée, n'est-ce pas ?

— Non. Et avec raison ! Elle n'a jamais été très aimable avec moi, tu admettras ! Elle m'a toujours fait la guerre. D'abord, elle s'était fermement opposée à mon mariage avec Alain et, plus tard, elle s'est fait l'artisan de notre divorce.

— Elle aimait beaucoup Alain et... tu étais si malade, Lyne. Tu n'étais plus que l'ombre de la femme que tu es aujourd'hui.

— C'est elle qui me rendait malade avec sa phobie de l'alcool ! s'écria Lyne avec véhémence... Oh ! à quoi bon revenir sur le passé... Aujourd'hui, c'est contre Nelson, qui a tué mon mari, que va toute mon agressivité. Je le hais ! ajouta-t-elle d'une voix incisive.

Le regard d'Hélène se posa sur le corbillard qui les précédait. Après un temps, elle murmura avec lassitude :

— Que le temps atténue tous ces souvenirs douloureux pour que nous puissions vivre en paix, Lyne ! En ce moment, je ne désire rien d'autre que la paix.

Ensuite, elle ouvrit son sac, sortit un trousseau de clés et le donna à sa belle-soeur en le laissant tomber dans sa main.

— Ces clés sont à toi, Lyne. Je t'offre le condominium de Nelson en remerciements de tous les services rendus. À toi, il sera utile... Moi, je ne veux même pas y mettre les pieds.

Émues, les deux femmes se regardèrent et des larmes perlèrent dans leurs yeux. Puis Lyne regarda les clés et les serra dans la paume de sa main. Une lueur de joie brilla dans son regard. Hélène, qui l'observait, se mit à sourire.

— Oui, ce cadeau te sera utile, je le vois. Toi, tu es à l'aube d'une nouvelle vie.

— J'en ferai mon studio de composition, déclara Lyne en l'embrassant.

— Ainsi la drogue et l'alcool, c'est du passé ?

— Oui. Je bois toujours un verre de temps à autre ; le scotch me donne de l'inspiration. Mais la drogue, c'est fini, dit-elle avec assurance.

* * *

Le vendredi suivant, à l'heure même où les deux coups de feu retentissaient dans les bureaux de l'administration, la vieille demoiselle gravissait à son tour le Mont-Royal. Agnès Mercier s'était éteinte très lentement, sans reprendre conscience. Dans la limousine, Hélène, accompagnée de sa belle-soeur, ainsi que de Mélissa et de Stéphanie, reconduisait tante Agnès vers son lieu de sépulture. Dans le caveau familial des Chabrol, Agnès Mercier rejoignait son fils Alain. À quelques pas d'elle, reposaient l'amour de sa vie et la femme à qui elle avait confié son fils. Seul, en face d'eux, Nelson, étranger à tous ces liens d'amour, dormait dans son cercueil d'acier.

Chapitre 19

De nouveau, après trois longs mois d'absence, Hélène s'installait enfin dans sa maison. Les événements tragiques des dernières semaines lui avaient laissé l'âme à la dérive, mais le plaisir qu'elle éprouvait à se retrouver définitivement chez elle jetait un baume sur son coeur. Mélissa et Stéphanie, tout d'abord désemparées par l'hospitalisation de tante Agnès, puis par son décès, s'étaient senties très vite réconfortées par les promesses d'Hélène.

— Nous nous aimons trop toutes les trois, pour que nous puissions vivre séparées. Ne soyez plus inquiètes, mes chéries, tout va s'arranger. Oh ! je t'en prie, ne pleure plus, Stéphanie, jamais Hélène ne vous laissera toutes seules. Viens dans mes bras, mon petit chou, et toi aussi Mélissa, viens t'asseoir à côté de moi. Nous avons beaucoup de choses à nous dire.

— Quand papa reviendra-t-il ? avait demandé Mélissa, très anxieuse.

— Je lui avais envoyé un télégramme pour le prévenir de l'hospitalisation de tante Agnès. Nous allons le tenir au courant de tous les événements. Cependant, je ne sais pas s'il pourra nous visiter maintenant. Il travaille beaucoup et il ne peut s'absenter facilement. C'est très loin l'Arabie, vous savez.

— C'est quand, le mois de juin? avait interrogé une Stéphanie larmoyante.

— Avril, mai, juin. Compte sur tes doigts, chérie, dit Hélène en la berçant. C'est bientôt. Dans trois mois.

Auprès de Maria, les enfants s'étaient beaucoup amusées. La domestique avait reçu l'ordre d'Hélène de les distraire du matin au soir. Pendant le séjour à l'hôtel, les fillettes avaient été dispensées de l'école. Chaque jour, Maria les avaient amenées quelque part. Ainsi, elles avaient visité la ville, les grands magasins et étaient même allées au cinéma voir un film de Walt Disney qui leur avait beaucoup plu ; d'ailleurs, elles en avaient parlé longtemps. À l'heure du souper, Hélène revenait pour accompagner les enfants au restaurant. Plus tard, elle les mettait au lit elle-même. Les fillettes partageaient sa chambre et dormaient dans le lit voisin. Évidemment, elles auraient pu occuper la chambre de Maria, mais la jeune femme préférait les avoir auprès d'elle. De cette façon, Hélène savait que les enfants retrouvaient la sécurité dont elles avaient besoin. Quand elles dormaient, Hélène quittait de nouveau l'hôtel pour rejoindre Richard et discuter de problèmes avec lui, ou pour se rendre à l'hôpital auprès de tante Agnès.

Ainsi, les enfants avaient adoré leur séjour à l'hôtel. Elles avaient l'impression d'être en voyage dans une grande et magnifique ville pleine de choses distrayantes. C'était également très amusant de se lever le matin, sur semaine, et de ne pas aller en classe. Puis lorsque la semaine s'était achevée et que Maria s'était mise à leur parler de la belle résidence d'Hélène, les fillettes avaient écarquillé les yeux de satisfaction à la pensée qu'une piscine, un grand piano à queue et une chambre remplie des anciennes poupées d'Hélène les attendaient.

— Est-ce que je pourrai jouer avec toutes les poupées? avait demandé Stéphanie à Hélène le vendredi après-midi, à bord de la limousine qui suivait la dépouille de tante Agnès vers le cimetière.

— Bien sûr, mon trésor, avait répondu la jeune femme qui fixait le corbillard d'un regard embué de larmes.

Le lendemain, Hélène emménageait dans sa maison avec l'aide de Maria, qui vida les placards de l'appartement de tante Agnès. Tenant les enfants par la main, la présidente des Aciéries Chabrol fit faire à Mélissa et à Stéphanie le tour du propriétaire, et termina la visite par la chambre aux poupées. C'est dans cette pièce que les deux fillettes écoulèrent le reste de la journée dans un ravissement total.

Elles y passèrent également la journée du dimanche. Puis vinrent le lundi, le mardi et le mercredi et les deux enfants retrouvèrent leurs habitudes quotidiennes: aller à l'école, faire leurs devoirs et se coucher tôt. Tous les matins, Hélène se levait très tôt et les reconduisait elle-même à l'école. À trois heures, Maria allait les chercher au volant de la voiture de sa patronne. Hélène utilisait la limousine pour se rendre à l'aciérie où elle écoula tous les après-midi de cette première semaine à des réunions administratives. Enfin, la semaine se termina et, en ce vendredi quatre heures, Hélène fit un arrêt dans le bureau de Richard pour le saluer.

— Je tenais à vous remercier encore, Richard, pour tout ce que vous avez fait pour moi au cours des dernières semaines. J'aimerais vous offrir quelque chose pour vous témoigner ma gratitude... quelque chose qui vous fasse plaisir.

Richard se leva et haussa négligemment les épaules en souriant.

— Je n'ai besoin de rien, Hélène. J'installerai mes quartiers dans le bureau de Nelson, ainsi que vous me l'avez demandé. J'y ferai quelques modifications afin de m'y sentir chez moi. Non, vraiment, je n'ai besoin de rien. Je vous remercie.

Hélène insista.

— Voulez-vous une augmentation de salaire, ou encore un bonus ou quelque chose du genre ? Je vous en prie, laissez-moi vous offrir quelque chose.

— Le salaire que je perçois est déjà plus que confortable.

— Vous me rendez la tâche difficile. Tenez, puisque vous deviendrez le grand patron, je vous offre la voiture de Nelson.

Richard se mit à sourire.

— J'aime beaucoup la Continental que je viens d'acheter. D'ailleurs, j'ai mis la note sur mon compte de dépenses. C'est l'aciérie qui va la payer... Autrement dit, c'est vous !

Hélène répondit à son sourire. Toutefois, à bout de ressources, elle fronça les sourcils.

— La Continental, c'est autre chose ! Alors, comment pourrais-je vous faire plaisir ?

— En réalité, ce qui me ferait le plus plaisir, vous ne pouvez pas me l'offrir.

— Dites toujours, on verra !

Richard s'approcha d'elle, et les yeux au fond des siens, déclara :

— Deux semaines de vacances avec vous sur une île déserte.

Hélène le fixa d'un regard félin.

— Vous êtes terrible ! murmura-t-elle.

— Je vous aime, Hélène.

— Moi aussi, je vous aime, Richard.

Il lui prit les mains et elle ajouta :

— Voyez-vous, mon cher, au fond nous n'avons pas eu de chance, tous les deux. Tout au long de notre vie, nous avons été victimes d'un mauvais synchronisme. Le soir de mes vingt ans, vous étiez libre et moi j'étais trop aveugle pour vous dire oui. Aujourd'hui, je vois clair et je suis libre, mais vous ne l'êtes plus.

Richard la prit dans ses bras et la serra étroitement contre lui. Hélène ne riposta pas et enroula ses bras autour de son cou. Leurs lèvres se rejoignirent et ils s'embrassèrent passionnément. Ils échangèrent de très longs baisers dans le genre de ceux qui vous remuent l'être tout entier, vous transportent dans des paradis de bonheur infini, et qui restent à tout jamais gravés dans la mémoire. Très longtemps, ils demeurèrent blottis l'un contre l'autre, heureux, immensément heureux de ce courant d'amour qui les unissait encore. Plus tard, quand Hélène rouvrit les yeux et revint sur terre, elle s'écarta de lui, consciente des nouveaux liens d'affection qui se soudaient entre eux. Maintenant les remords la visitaient et elle n'aimait pas cette impression de malaise qu'elle ressentait. Richard était un homme marié qui appartenait à une autre femme et JAMAIS elle ne devait l'oublier. Son coeur se souvenait encore de toute la douleur qu'il avait éprouvée quand elle était jadis victime d'une situation analogue. Elle répugnait à faire souffrir quelqu'un d'autre. Encore moins la femme de Richard, qui avait été si bonne avec elle au cours des dernières semaines.

Hélène leva les yeux vers son compagnon et vit combien celui-ci l'enveloppait d'un regard amoureux.

— Je pourrais redevenir libre si vous me le demandiez, murmura-t-il.

Hélène secoua la tête.

— Non, Richard, dit-elle d'une voix émue... Nous ne pouvons construire notre bonheur sur le malheur d'une autre personne... Surtout pas aux dépens d'une personne à qui vous ne reprochez rien. On ne peut pas divorcer comme ça pour un caprice, simplement parce que l'on pourrait se sentir mieux avec une autre personne. Oui, je sais qu'aujourd'hui des tas de gens le font, mais la société est malade et personne n'est vraiment heureux.

Hélène suspendit son regard à celui de Richard et poursuivit :

— Votre femme est très charmante. Elle est jolie, dévouée et vous adore. Vous partagez sa vie depuis quinze ans. Quinze ans, Richard, ça compte dans un mariage ! Et puis, de quelle façon lui annonceriez-vous votre intention de la quitter ? Dites-moi, quels sont les mots que vous choisiriez pour lui asséner un coup semblable ?

Richard baissa les yeux et eut l'air embarrassé.

— Vous voyez bien que cela n'a aucun sens... Non, Richard, il ne peut y avoir d'avenir entre nous, dit-elle d'une voix presque éteinte.

Puis un sourire se figea sur les lèvres de la jeune femme. C'était un sourire encourageant, teinté d'espièglerie. Elle ajouta :

— Mais je ne vois aucune objection à partager avec vous la plus belle amitié du monde.

Richard hocha la tête et ne prononça pas un seul mot. Il fit quelques pas, contourna son bureau et se dirigea vers la bibliothèque qui garnissait le mur du fond. Il ouvrit une porte et tout un assortiment de flacons d'alcool apparut. Il prit deux verres et les remplit d'une forte portion de cognac.

— À quoi buvons-nous ? demanda Hélène quand Richard lui eut remis son verre. À la plus belle amitié du monde ?

— Non. Je ne bois jamais à l'amitié avec une femme. Je veux simplement noyer l'amour que je ressens pour vous, de sorte qu'il ne fasse plus surface la prochaine fois que je vous verrai.

— Très bien. Noyons-nous ensemble, dit-elle.

Ils échangèrent leur verre et l'avalèrent d'un trait. Debout l'un en face de l'autre, ils restèrent un long moment à se regarder, leur verre vide entre les doigts.

— Alors, comment ça va maintenant à l'intérieur ? demanda-t-elle.

— Je ne ressens aucun changement, fit-il en fronçant les sourcils. Pour me noyer comme il faut, il me faudrait toute la bouteille. Et vous, comment vous sentez-vous ?

Hélène déposa le verre sur le bureau et tourna les yeux vers la baie vitrée. Une vague de tristesse remplit brusquement son regard et le masque de gaieté qui camouflait son visage tomba d'un coup sec, mais elle répondit d'un ton nonchalant :

— Oh, moi ! vous savez, à présent, j'ai l'habitude... Je ne porte plus beaucoup d'attention à la façon dont je me sens. Je sais que le soir du drame, je me serais volontiers flanqué une balle dans la tête, moi aussi. Il m'arrive encore chaque jour de me retrouver au milieu de l'océan et de nager désespérément pour survivre. S'il n'y avait chez moi, dans ma maison, Mélissa et Stéphanie, ces deux merveilleuses petites filles que j'adore et qui sont devenues depuis quelques semaines ma seule raison de vivre, je crois que je me laisserais volontiers couler à pic dans les profondeurs calmes et délivrantes de la mort.

Richard lui saisit brusquement les mains. L'angoisse se lisait dans ses yeux lorsqu'il lui déclara fermement :

— Ne faites jamais cela! Souvenez-vous que je vous aime, moi aussi... Non, je vous le dis, je ne supporterai pas de vous perdre une seconde fois, Hélène.

* * *

Il était dix heures le samedi soir, lorsque Marc Leroyer descendit du taxi et emprunta l'allée de cèdres qui conduisait à la propriété d'Hélène Vallée. Épuisée par la semaine qui venait de s'écouler et vaincue par la fatigue du jour, Hélène s'apprêtait à réintégrer sa chambre lorsqu'elle entendit la sonnerie de la porte d'entrée. L'interphone qu'elle consultait toujours avant de répondre lui retourna la voix rassurante de l'ingénieur. Le bonheur qu'elle ressentit soudain de cette visite fut presque immédiatement atténué par de l'appréhension. La crainte de perdre Mélissa et Stéphanie s'empara d'elle et lui noua l'estomac. Finalement, elle réussit à se dominer, ravala sa salive et, à coups de volonté, arbora même un visage gai et serein. En passant devant une glace, elle jeta un coup d'oeil et, instinctivement, retoucha sa coiffure. Plus tôt dans la soirée, après le coucher des enfants, Hélène s'était détendue dans un bain de mousse et, sans trop savoir pourquoi, avant de quitter la salle de bains, elle s'était légèrement remaquillée. Vêtue d'un élégant cafetan de velours bleu ciel, elle savait qu'elle avait belle apparence, d'autant que sa détresse intérieure ne paraissait pas lorsqu'elle se dirigea vers le hall d'entrée.

Dans l'embrasure de la porte, Marc Leroyer lui apparut plus séduisant encore qu'elle ne l'avait jugé lors de leur première rencontre. Son visage très bronzé contrastait avantageusement avec le beige très pâle de l'imperméable. En lui exprimant ses condoléances, Marc lui dédia un regard attendri où filtrait dans ses beaux yeux de velours noir un courant d'amitié. Avec courtoisie, Hélène le dépouilla de ses affaires et l'invita à s'asseoir au salon. La conversation des premières minutes fut très simple, étiquetée de phrases de circonstance, puis, avec bienveillance, le visiteur pria la jeune femme de lui raconter les événements des dernières semaines.

Malgré la fatigue qui se lisait sur son visage, Marc Leroyer écoutait Hélène d'une oreille très attentive et, au fur et à mesure que celle-ci parlait, une vague de pitié le submergea et s'inscrivit sur ses traits. Vingt minutes plus tard, quand Hélène se tut, des larmes irrépressibles embuaient de nouveau le regard de la jeune femme et perlaient à ses cils. Vivement impressionné, l'ingénieur baissa les yeux pour dissimuler ses propres larmes et, après un silence lourd de tristesse, parvint à murmurer :

— C'est terrible !... C'est presque inhumain que de souffrir ainsi.

Puis il se tut, appuya les coudes sur ses genoux et prononça d'une voix brisée :

— C'était une bête, votre mari, ma pauvre Hélène !

Hélène souligna d'un ton presque détaché:

— Les gens qui le côtoyaient ne pouvaient nullement soupçonner à quel point cet homme était sadique. Ça ne se voyait pas du tout sur son visage. Il avait l'air si distingué, voire très racé, et, même en colère, son comportement poli et courtois ne se démentait jamais, si bien qu'il laissait partout une excellente impression. Souvent les gens admiraient ses belles manières et plusieurs le félicitaient à ce sujet. Avec amabilité, Nelson leur retournait ordinairement le compliment. Je me rappelle cette soirée peu avant mon départ de Tahiti où il m'invita à dîner. Il était extrêmement charmant avec moi et lorsqu'il souriait, ses traits reflétaient parfois des élans de tendresse. Je sus plus tard de sa propre bouche que c'est au cours de cette soirée qu'il projeta de m'assassiner, parce que je ne voulais pas renoncer au divorce.

Hélène soupira.

— Oui, j'ai beaucoup souffert, Marc. C'est très difficile de vivre plusieurs années auprès d'un fou assez habile pour dissimuler sa folie. Nelson était un très grand malade. La cupidité était à l'origine de sa psychose, je m'en rends compte aujourd'hui. J'ai probablement manqué de clairvoyance... Je ne sais pas, il était si habile... Mais enfin, ce cauchemar est terminé. Chaque jour, je m'efforce d'oublier. C'est difficile, vous ne pouvez pas savoir à quel point. Oui, c'est difficile, car dans l'espace d'un éclair tout me revient d'un seul coup, mais je me reprends très vite. Je m'interdis d'y penser. Alors, je ne cesse de me répéter : « C'est fini. Ça ne peut plus recommencer. Là où se trouve ton mari, il ne peut plus te faire du mal. »

Le visage très attentif du visiteur reflétait une vibrante émotion. Il baissa les yeux et s'efforça de sourire pour dévoiler sa pensée.

— Cette façon de procéder est très saine, Hélène. Avec de la volonté et de la persévérance vous vaincrez, j'en suis convaincu.

— Je vous remercie de vos encouragements, dit Hélène en esquissant un doux sourire. Je suis persuadée que la présence à mes côtés de vos deux adorables petites filles me facilite les choses. Sans elles, je ne sentirais pas en moi cet impératif désir de survivre. Toutefois, la personne que je ne cesserai jamais de remercier au fond de mon coeur, c'est tante Agnès qui a sacrifié sa vie pour que je connaisse enfin la délivrance.

Marc hocha la tête par petits coups. Dans son regard, une lueur de tristesse apparut.

— Quelle femme délicieuse elle était ! dit-il. Toute ma vie, je conserverai d'elle un souvenir inoubliable. Combien j'aurais voulu couvrir sa tombe de fleurs en geste de gratitude, mais tout est si lent là-bas... C'était impossible.

— Je comprends, fit Hélène. Mais n'est-ce pas l'intention qui compte ?

Malgré cette remarque bienveillante, Marc, le regard lointain, paraissait accablé. Attentive, Hélène crut bon de diriger la conversation sur un autre sujet.

— Mélissa et Stéphanie vont très bien, formula la jeune femme d'une voix soudainement gaie. Bien sûr, elles ont été affectées par le départ de tante Agnès, mais je les ai tenues à l'écart de tous les problèmes. En somme, elles ne savent rien des circonstances qui ont entouré sa mort. Elles sont si petites. Pourquoi troubler des enfants inutilement ?

Marc fixa Hélène d'un regard tendre, plein de reconnaissance.

— En effet, dit-il, ému... Comme vous les aimez !

— Oui, je les aime... Plus encore que vous ne le croyez !

— Je vous remercie... Je vous remercie très sincèrement pour tout ce que vous avez fait pour elles. Est-ce que je pourrais les voir, s'il vous plaît ? ajouta-t-il d'un ton très bas, presque suppliant. Elles me manquent tant... Vous ne pouvez pas savoir à quel point elles me manquent.

Hélène se leva et conduisit le père des fillettes vers la chambre où elles dormaient. En dépit de la moquette épaisse du plancher, ils pénétrèrent dans la pièce sur la pointe des pieds et, arrivés à la hauteur du lit, la jeune femme ouvrit la lampe de chevet. Une lumière très faible inonda le lit géant où deux petites filles en chemise de nuit rose dormaient très proches l'une de l'autre. Le lit paraissait immense, beaucoup trop vaste pour deux enfants aussi délicates.

— Comme elles sont petites ! fut la première réaction du père.

— Pourtant, elles ont beaucoup grandi depuis Noël ! C'est le lit qui est trop grand, il s'agit du mien, chuchota Hélène.

Marc contempla longuement ses filles. Ces trois longs mois en leur absence avaient été une vraie torture. Chaque jour, il pensait à elles et l'ennui ne faisait qu'augmenter dans son coeur. Maintenant, elles étaient là devant lui et Marc les observait avec des yeux émerveillés. Comme elles étaient belles ! comme elles ressemblaient à Annie ! Leur longue chevelure dorée s'étalait sur l'oreiller et encadrait deux magnifiques petits visages roses aux traits parfaits. Il se pencha sur Mélissa, son aînée, caressa la petite main qui émergeait du drap et l'embrassa. Il déposa un léger baiser sur le front de Stéphanie qui, étendue sur le dos, lui offrait son visage. Marc ne cessait pas de les observer et, pendant plusieurs secondes, penché sur elles, son regard allait de l'une à l'autre, les enveloppant d'un sourire caressant.

— Dieu, qu'elles sont mignonnes ! souffla Hélène.

— Je les trouve magnifiques ! murmura Marc, en dédiant à la jeune femme un sourire admirateur.

Puis l'ingénieur se releva et d'instinct, ses yeux firent le tour de la pièce. De sa vie, il n'avait vu de chambre pareille ! Elle était extrêmement vaste et somptueusement meublée. Toutefois, le luxe qui s'étalait ici ou dans les pièces de réception n'était ni criard ni outrageant, compte tenu de la fortune des occupants.

— C'est une chambre princière, dit-il à voix basse, en contemplant de nouveau la pièce. C'est bien joli chez vous, Hélène! Mais que font mes filles dans votre lit? Ce ne sont certainement pas les chambres qui manquent ici.

Hélène se mit à sourire et invita le père des enfants à la suivre dans le couloir.

— Je leur ai accordé ce soir une permission spéciale! celle de coucher avec moi dans mon lit. Comme elles avaient bien rangé la chambre aux poupées, j'ai voulu les récompenser et leur faire plaisir. Si vous saviez comme elles étaient ravies! Souvenez-vous de votre enfance, Marc. Vous vous rappellerez que tous les petits enfants adorent coucher avec les grandes personnes. C'est tellement plus rassurant! Surtout, ne soyez pas mal à l'aise! Le lit est si grand et elles dorment toujours l'une contre l'autre, qu'elles ne me dérangent pas. Venez, dit-elle, je vous montre leur chambre.

La jeune femme entraîna le visiteur dans la pièce qui se situait légèrement de biais avec la sienne. L'éclairage dévoila une chambre vaste et coquette, égayée d'une large fenêtre. Les murs couverts d'un joli papier fleuri lui donnaient l'aspect d'un jardin. Un lit à deux places complétait un élégant mobilier de rotin blanc.

— C'est ici que dorment vos filles! Elles ont elles-mêmes choisi cette chambre et préfèrent partager le même lit. Elles ont peur de dormir toutes seules, m'ont-elles expliqué. Si plus tard elles changent d'avis, je donnerai à Mélissa la chambre suivante qui donne sur le balcon. Maintenant passons dans la pièce voisine et venez admirer leur royaume.

Marc suivit Hélène dans la chambre aux poupées.

— Voilà l'endroit, dit Hélène d'un ton enjoué, où vos filles passent tous leurs loisirs!

L'ingénieur ouvrit des yeux éblouis.

— Elles doivent être au paradis !... Je n'ai jamais vu autant de poupées à la fois.

— Ce sont les poupées qui ont peuplé mon enfance. Je les destinais aux fillettes que je n'ai jamais eues.

Hélène éteignit et, revenant sur ses pas, indiqua au visiteur la chambre au fond du couloir qui serait la sienne. Embarrassé, l'ingénieur refusa de s'installer chez elle.

— Combien de jours passerez-vous parmi nous ? demanda Hélène.

— Deux seulement, dit-il. Cette absence perturbera le travail-là-bas. Ce n'est qu'un aller et retour. Je désirais vous parler au sujet des enfants.

Hélène souligna :

— Si vous n'êtes que deux jours ici, il est normal que vous les passiez avec vos filles. Un refus de votre part me peinerait beaucoup. Je vous en prie, et même j'insiste pour que vous vous installiez chez moi. Après tout, nous sommes presque parents, affirma-t-elle avec le plus grand sérieux. Tante Agnès était notre parente à tous les deux.

— Alors, j'accepte, dit-il en souriant, au nom de cette pseudo-parenté, et surtout parce que je ne voudrais pas être à l'origine d'un nouveau chagrin.

Puis Hélène invita le visiteur à se restaurer à la cuisine.

— Nous avons fait un gâteau au chocolat, Mélissa, Stéphanie et moi ce matin, et c'est un vrai délice. Voulez-vous en déguster un morceau avec une tasse de café ?

— Volontiers, dit-il. Je n'ai pas bien faim, mais je suis gourmand. De plus, je suis comme mes filles, j'adore le gâteau au chocolat.

Marc prit place autour de la table et admira devant lui la large baie vitrée qui donnait sur le jardin. Tout en préparant le goûter, Hélène l'entretint du long voyage qu'il venait de faire et constata combien il devait se sentir las.

— En effet, je ne vous le cache pas, je suis très fatigué. Je n'avais pas réservé de billet et il m'a fallu passer plusieurs heures d'attente dans les aéroports. Jai mis exactement dix-neuf heures pour venir ici. J'aurais voulu arriver plus tôt, mais j'ai reçu il y a deux jours seulement le télégramme m'annonçant la mort de tante Agnès.

Hélène dressa la table et lui parla de l'Arabie.

— Comment va votre travail ? Croyez-vous être de retour pour les grandes vacances des enfants ?

— Oui, je le crois. Le travail avance rapidement et s'il ne se présente aucun pépin, nous terminerons vers la mi-juin.

— Vraiment ? Je suis heureuse pour les petites. Elles espèrent votre retour. À l'aciérie, la direction vous attend également avec impatience, déclara-t-elle, en s'asseyant dans le fauteuil qui lui faisait face.

Marc leva la tête vers la jeune femme et se mit à sourire.

— Plusieurs fois, j'ai réfléchi à cet entretien que j'ai eu avant Noël avec votre directeur, monsieur O'Neil, et je n'ai jamais compris pourquoi le salaire est devenu soudainement si intéressant. C'est curieux, mais y aurait-il eu, par hasard, une intervention directe de la part de la présidente des Aciéries Chabrol dans cette question ? Qu'en pensez-vous, Hélène ?

La jeune femme arbora un visage où se lisait une neutralité douteuse.

— Non, pas réellement. Votre compétence justifiait le salaire que vous réclamiez. Présentement, nous sommes dans une impasse à l'aciérie. Nous manquons de bons ingénieurs expérimentés. François Renaud partira bientôt et nous n'avons personne de qualifié pour le remplacer. Autrement dit, si vous vous plaisez dans votre nouveau travail et que celui-ci est jugé excellent, il y a de fortes chances d'avancement pour vous.

— Vous êtes très aimable de me faire cette confidence. Avec tous les services que vous me rendez, bientôt je ne saurai plus comment vous remercier.

— C'est très facile, Marc. Laissez-moi vos filles jusqu'en juin. Je les adore et elles sont heureuses avec moi.

Il leva vers elle des yeux estomaqués et ajouta en bredouillant :

— ...Je voulais vous le demander, mais je ne savais pas comment m'y prendre... C'est très délicat de votre part de me le proposer.

Il se tut, parut réfléchir et finalement expliqua :

— À vrai dire, avec le départ de tante Agnès, je suis extrêmement mal pris avec les enfants. Je ne savais pas où les placer d'ici mon retour et je ne connais à Montréal personne d'autre que vous. Je suis orphelin, je n'ai pas de famille ; ma femme était fille unique et ses parents sont décédés. Comprenez-vous dans quel pétrin je me retrouve à présent ?... Ce gâteau est délicieux, vraiment délicieux, Hélène, dit-il en le savourant.

Un sujet tracassait la jeune femme depuis quelques semaines, depuis le jour où Mélissa et Stéphanie occupaient la première place dans sa vie. À présent, elles étaient devenues sa seule raison de vivre. Bien sûr, Marc les lui confiait jusqu'en juin, mais juin c'était demain et Hélène voulait les garder toujours, ne jamais se séparer d'elles. Avec appréhension, elle osa demander :

— Comment va cette charmante secrétaire d'Ottawa dont vous nous parliez si souvent dans vos lettres ?

— Lucie ? Oh ! Elle se porte à merveille. C'est une jeune fille délicieuse, pleine de qualités et d'enthousiasme.

Hélène avala quelques bouchées de gâteau et opina d'une voix espiègle :

— Je crois que vous en êtes amoureux. Est-ce que je me trompe ?

— Oui, je le suis.

Cependant Marc prononça ces mots sans conviction. Hélène nota un changement dans la voix, une certaine inflexion triste.

— Serait-ce indiscret de vous demander ce qui ne va pas ? C'est merveilleux d'être amoureux. Vous devriez bondir de joie et je lis de la tristesse dans vos paroles.

— Nous avons fait des projets de mariage, mais hélas ! il y a un problème, un énorme problème entre nous. Lucie veut bien de moi, mais elle ne se sent pas la force de prendre la charge de deux enfants. Je la comprends un peu, elle n'a que vingt et un ans.

— Oh ! comme c'est regrettable, fit Hélène avec compassion.

Pendant tout l'instant qui suivit, Hélène écouta son coeur valser dans sa poitrine. Ce nouveau bonheur aux dimensions effarantes lui brouilla la vue et, soudain, elle eut très peur de ne pas pouvoir le retenir. Elle but une gorgée de café pour se maîtriser et, quelques secondes plus tard, parvint à dire d'une voix douce et très calme.

— J'ai une proposition à vous faire, Marc. Elle n'est pas très régulière, je le crains, mais elle vous tirera très certainement d'embarras.

— Je vous écoute, dit-il, en terminant son assiette.

Un frisson parcourut la jeune femme. Elle avait si peur d'être incapable de le convaincre qu'elle implora le ciel de lui venir en aide et, avant de parler, elle se croisa nerveusement les doigts.

— J'adore vos filles, Marc... Et je suis prête à les garder toujours avec moi. En somme, je les aime tellement que je me sens incapable à présent de me séparer d'elles... Je vous offre de m'en occuper, de les élever comme le ferait une mère... ce qui vous permettrait d'épouser Lucie. Oh ! je ne veux pas vous les enlever, loin de là. Elles seront toujours vos enfants. Je vous offre tout simplement de les partager avec vous.

— N'allez pas plus loin, Hélène. C'est très gentil de votre part de me faire cette proposition. Je sais combien vous êtes généreuse, mais jamais je ne me séparerai de mes enfants.

Le pouls d'Hélène s'accéléra. Elle sentait la peur contracter ses veines. Dans son cerveau, ses idées s'entrechoquaient. Mélissa et Stéphanie étaient devenues ses petites filles à elle. Jamais elle n'accepterait de les céder à une autre femme. Elle y mettrait le prix, voilà tout !

— Je ne peux me séparer de vos filles, Marc... Je ne peux absolument pas. J'en suis totalement incapable... Vous comprenez ?

Hélène se tut, regarda l'homme qui lui faisait face et dit gravement :

— Je vous offre les aciéries en échange de vos filles.

Marc n'eut aucune réaction. Il se leva et alla à la fenêtre. Dehors, la nuit était claire. La lune jouait dans les arbres dénudés et dessinait des ombres sur le jardin. La surface gelée de la piscine ressemblait à un miroir dans lequel venaient se mirer des centaines d'étoiles. Il entendit la voix d'Hélène affirmer :

— Les aciéries valent des centaines de millions.

Marc ne répondit pas. Hélène se leva et rejoignit le père des enfants devant l'immense baie vitrée. Des larmes perlaient à ses cils lorsqu'elle ajouta avec insistance :

— C'est une offre très intéressante. Je crois qu'elle vaut la peine d'être considérée.

Alors Marc tourna la tête vers la jeune femme et lui dédia un regard affligé, presque douloureux.

— Je vous en prie, taisez-vous ! dit-il d'un ton accablé. En ce moment, vous êtes odieuse et je ne voudrais pas devoir vous mépriser.

Il se tut, réfléchit quelques instants et souligna :

— Il n'y a pas de fortune au monde, Hélène, si imposante soit-elle, pour laquelle j'échangerais mes filles. Elles sont à mes yeux le plus grand trésor du monde et jamais je ne consentirai à vivre sans elles.

Hélène, les yeux pleins d'eau, hochait doucement la tête. À l'intérieur de sa poitrine, des élancements aigus lui sillonnaient le coeur. Cette douleur la submergea complètement.

— Alors, qu'allez-vous faire ? s'entendit-elle demander.

— Ma décision est prise. Je n'épouserai pas Lucie. Il y aura bien une autre femme sur la terre que j'aimerai et qui aimera également mes enfants.

Marc prononça cette réflexion les yeux rivés sur l'immensité des cieux. Quand, de nouveau, il tourna la tête vers la jeune femme, il vit que ses joues ruisselaient de larmes. Il eut pitié de sa détresse. Alors, il lui prit la main et la serra dans la sienne.

— Pour nous, la vie n'est pas finie, Hélène. Vous et moi, nous aurons de nouveau notre part de bonheur sur la terre. J'en suis certain.

— Voulez-vous m'épouser, Marc ?

Il en eut le souffle coupé. Longtemps, il observa la jeune femme d'un regard abasourdi. Finalement, il réussit à retrouver son aplomb et l'invita à prendre un siège. Quand ils furent de nouveau assis l'un en face de l'autre, il murmura :

— J'ai beaucoup d'affection pour vous et beaucoup d'estime aussi. Vous êtes charmante et, physiquement, je ressens de l'attrait pour vous... mais je ne vous aime pas.

— Je ne vous aime pas non plus, Marc, dit Hélène en essuyant ses joues. Mais j'éprouve également un sentiment d'amitié pour vous. Toutefois, vous ne semblez pas comprendre que nous avons besoin l'un de l'autre pour vivre une vie normale. Vous avez besoin d'une mère pour vos enfants et moi, je ne peux pas vivre sans vos filles. Il n'y a pas une seule femme au monde qui pourra aimer ces enfants comme je les aime.

— De cela, j'en suis convaincu. Néanmoins, vous êtes encore jeune, Hélène. Vous pourriez avoir des enfants. À trente-trois ou trente-quatre ans, une femme comme vous peut tout espérer de la vie.

— J'ai trente-huit ans. Trente-neuf en août prochain.

Il fronça les sourcils et sourit.

— Ces quelques années de plus ne se voient pas du tout... Oui, vous pourriez avoir des enfants et faire un mariage d'amour. Pourquoi renoncer à tout cela ? Vraiment, je ne m'explique pas votre attitude...

Hélène sortit un papier-mouchoir de sa poche et essuya ses yeux.

— Vous y croyez, vous, au mariage d'amour ?

— Bien sûr ! fit-il en souriant. Nous étions très amoureux l'un de l'autre, Annie et moi, quand nous nous sommes mariés.

— Oui, vous aviez vingt ans. Vous étiez libre et aviez devant les yeux tout un peloton de belles filles tendres et romantiques. À cette époque, vous n'aviez qu'à faire votre choix. C'était la vie facile. Mais il faut être réaliste, Marc, ces trois conditions n'existent plus aujourd'hui.

— D'accord, je conviens de tout cela pour moi. Mais vous, Hélène, ce n'est pas la même chose. D'accord, vous aussi vous n'avez plus vingt ans, mais vous n'avez pas d'enfants et par surcroît vous êtes riche.

Elle eut un sourire fade.

— Effectivement, je suis libre, mais riche. Trop riche malheureusement. À vingt ans, on m'épousait déjà pour mon argent. Aujourd'hui, je suis plus vieille, inévitablement moins attrayante et, par-dessus tout, plus fortunée. Si nous faisons le bilan, voyez-vous, Marc, je crois que je suis plus désavantagée que vous avec vos deux filles. Une femme riche, dans ma condition, ne se fait jamais épouser pour elle-même, uniquement pour elle-même, juste pour elle-même, parce qu'elle est gentille, parce qu'elle a de l'attrait et parce que la vie avec cette personne pourrait être agréable.

— Il y a des hommes qui n'aiment pas l'argent.

— Oui ! Où sont-ils ?

Marc baissa les yeux et se tut. Hélène se sentait perdue. Une profonde angoisse la visita. Elle était née pour être seule. Atrocement seule. C'était son destin et elle devait l'accepter. Elle se leva et conduisit le visiteur vers sa chambre. Il était tard, très tard ; ils étaient épuisés. Dans la chambre, en bonne hôtesse qu'elle était, et comme Maria était en congé de fin de semaine, Hélène retira le couvre-lit, plaça les draps et ferma les rideaux.

— Veuillez m'excuser de vous avoir retenu aussi tard, dit-elle. Je veillerai à ce que vos filles ne viennent pas vous réveiller trop tôt demain matin. Bonne nuit, Marc.

— Bonne nuit, Hélène. Dormez bien vous aussi.

Dans l'embrasure de la porte, elle se retourna pour ajouter :

— J'ai promis aux enfants de les emmener à Disney World à la fin des classes, si, évidemment, vous n'avez pas d'objection. Ne soyez donc pas surpris si elles vous en parlent. Toutefois, je leur ai mentionné que c'était papa qui déciderait.

Elle lui adressa un sourire fatigué et disparut en fermant la porte.

* * *

Au matin, le cadran indiqua neuf heures trente, lorsque Hélène s'éveilla. À son grand désappointement, elle s'aperçut qu'elle était toute seule dans son lit et que des rires fusaient à l'autre bout du couloir de la chambre de Marc. Elle se mordit les lèvres et se formula des reproches. Elle avait dormi si profondément qu'elle n'avait pas entendu les fillettes se lever et quitter la chambre. Mais, diable, comment ces petites pestes avaient-elles su que leur père était là ? Probablement par la présence du porte-documents laissé dans le hall, pensa la jeune femme. Puis, elles avaient fait le tour des chambres et ce ne fut qu'un jeu pour les enfants de trouver le visiteur. Hélène passa sa robe de chambre, s'attarda devant la glace de la salle de bains et se dirigea à l'autre bout du couloir, bien décidée à inviter les petites à laisser dormir leur père. La jeune femme n'était pas aussitôt apparue dans la porte que Stéphanie la vit, quitta les bras de Marc et courut se blottir contre elle.

— Hélène, Hélène, papa a dit oui. Il a dit que nous irons tous les quatre à Disney World au début des vacances. Nous irons en voyage de noces, a-t-il dit. Oh ! que je suis contente. Il y a des tas de manèges là-bas...

Hélène n'écoutait plus l'enfant et fixait Marc d'un regard médusé, tout en caressant les cheveux de Stéphanie. Mélissa, à son tour, s'évada du lit et se jeta au cou de la jeune femme.

— Papa a dit que ce n'était pas poli de t'appeler Hélène, que nous étions trop petites et que ce serait préférable de t'appeler mamie. Mais, moi, j'aime mieux t'appeler maman. Est-ce que tu veux que je t'appelle maman ?

Pour toute réponse, Hélène sourit à Mélissa, les yeux brillants de larmes, la serra contre elle et l'embrassa.

Marc, finalement, émergea du lit et la jeune femme remarqua qu'il ne portait que le bas du pyjama. Il exhibait de belles épaules carrées et son torse très bronzé était velu et passablement musclé. Il avait l'air en pleine forme.

— Allez, les filles, ouste ! Sortez de la chambre, dit-il sans brusquerie. Nous avons besoin, Hélène et moi, de discuter entre adultes pour quelques minutes.

Les fillettes disparurent en riant et l'ingénieur referma la porte sur les enfants. Aussitôt, le silence se fit dans la pièce et un certain malaise se glissa entre eux. Puis, ils se regardèrent un très long moment en souriant, incapables de prononcer un seul mot. Enfin, Marc prit la parole.

— Hier, avant de m'endormir, j'ai beaucoup réfléchi, dit-il, un peu maladroit. J'ai compris que vous aviez raison de dire que nous avons besoin l'un de l'autre. Je dois à tout prix trouver une mère à mes enfants. Plus j'y pense, plus je suis convaincu que je ne pourrai jamais rencontrer une mère plus parfaite que vous, Hélène. Je crois également, en toute sincérité, que vous serez pour moi une merveilleuse compagne. Il y a aussi un point que je dois en toute conscience aborder. Ce serait malhonnête de ma part de dire que votre fortune me laisse totalement indifférent. Oui, j'ai honte de l'avouer, mais c'est ainsi et je n'y puis rien, fit-il en haussant les épaules de déception.

Une gêne horrible s'inscrivit sur son visage et Marc détourna les yeux. Il poursuivit avec difficulté :

— Connaissant toutes ces raisons, voulez-vous toujours devenir ma femme, Hélène ?

Il la regarda et vit qu'elle pleurait en souriant.

— Évidemment, reprit-il, ce ne sera pas entre nous ce que nous appelons un mariage d'amour. Mais je crois qu'il y a des mariages de raison basés sur l'amitié, l'estime, la compréhension et... la franchise aussi, qui peuvent donner d'heureux résultats et qui méritent d'être exploités.

Hélène n'arriva pas à parler, mais elle hocha la tête, tandis qu'un sourire épanoui baignait son visage, aux cils frangés de larmes.

— Un jour, nous nous aimerons, murmura-t-il, d'un ton très ému, j'en ai l'impression... Oh ! je vous en prie, Hélène, ne pleurez pas. Je suis incapable de supporter les larmes dans les yeux d'une femme.

Hélène se jeta dans ses bras, n'écoutant que son coeur, et le remercia ainsi :

— Je m'efforcerai de vous rendre heureux chaque jour de ma vie pour tout le bonheur que vous m'offrez aujourd'hui, dit-elle d'une voix extrêmement émue. Si je ne puis y parvenir, je vous jure en tout cas que je ne ferai jamais votre malheur... J'ai de la chance, ajouta-t-elle, vraiment beaucoup de chance de vous avoir croisé sur mon chemin.

Leurs lèvres se rencontrèrent et ils échangèrent le baiser de fiançailles. C'était un baiser très doux, plein d'espoir et de rêves qui déversa sur leur âme une joie incommensurable.

— Et que pensez-vous de ce voyage de noces ? demanda-t-il quelques instants plus tard en riant.

Hélène se mit à rire aussi.

— Je le trouve sensationnel ! C'est une idée merveilleuse que vous avez eue là ! Nous allons bien nous amuser tous ensemble.

— Peut-être pourrons-nous nous offrir le luxe d'une suite ?... afin d'avoir un peu d'intimité... Qu'en dites-vous ?

— L'idée vaut la peine de s'y arrêter. Il va falloir étudier notre budget de près pour voir si nous en avons les moyens.

Ils éclatèrent de rire en même temps. Puis Marc prit les mains d'Hélène dans les siennes et les serra tendrement.

— À l'automne, nous pourrons aller quelque part où cela vous fera plaisir. Rien que nous deux, cette fois, murmura-t-il... à la condition que vous ne soyez pas enceinte, évidemment.

Hélène écarquilla les yeux de plaisir.

— Oh ! Marc, vous voudriez avoir d'autres enfants ?

— J'y compte bien ! Toute ma vie, j'ai rêvé d'avoir deux garçons et je n'ai eu que des filles.

— Donc, nous passerons l'automne à la maison. Nous n'avons pas de temps à perdre !

— Autrement dit, ce sera une adorable façon de perdre son temps, ajouta-t-il en plaisantant.

Hélène élabora un sourire. Puis un petit nuage passa dans son regard.

— Vous comprenez l'urgence de la situation. J'aurai trente-neuf ans bientôt. Il ne me reste pas beaucoup d'années devant moi.

Marc leva son index et le balança devant les yeux de la jeune femme.

— Souvenez-vous, Hélène, que vous n'aurez que trente-neuf ans. Et aujourd'hui, nous venons de retrouver nos vingt ans. Alors, nous avons toute la vie devant nous, chérie !

La composition de ce volume
a été réalisée par
les Ateliers de La Presse, Ltée

Achevé d'imprimer
par le
Groupe d'Imprimeries **Inter Mark** (1987) Inc.

IMPRIMÉ AU CANADA